9787807187134
U0716943

金陵全書

甲編·方志類·府志

康熙江寧府志（一）

（清）于成龍 纂修

南京出版社

圖書在版編目（CIP）數據

康熙江寧府志 /（清）于成龍纂修. -- 南京：南京出版社，2011.4
（金陵全書）
ISBN 978-7-80718-713-4

Ⅰ. ①康… Ⅱ. ①于… Ⅲ. ①南京市—地方志—清代 Ⅳ. ①K295.31

中國版本圖書館CIP數據核字（2011）第025463號

書　　名　【金陵全書】（甲編・方志類・府志）
　　　　　康熙江寧府志
編 著 者　（清）于成龍　纂修
出版發行　南京出版社
　　　　　社址：南京市成賢街43號3號樓　　郵編：210018
　　　　　網址：http://www.njcbs.com
　　　　　聯系電話：025-83283871（營銷）　025-83283883（編務）
　　　　　電子信箱：njcbs1988@163.com
責任編輯　吳新婷　潘　珂
裝幀設計　楊曉崗
製　　版　南京新華豐製版有限公司
印　　刷　南京凱德印刷有限公司
經　　銷　全國新華書店
開　　本　889×1194毫米　1/16
印　　張　210.25
版　　次　2011年4月第1版
印　　次　2011年4月第1次印刷
書　　號　ISBN 978-7-80718-713-4
定　　價　3200.00 元（全四册）

總序

南京，俗稱金陵，中國著名的四大古都之一，是國務院首批公佈的國家歷史文化名城。

南京有着六十萬年的人類活動史，近二千五百年的建城史，約一千七百年的建都史，享有『六朝古都』、『十朝都會』的美譽。南京歷史的興衰起伏在某種程度上可以説是中國歷史的一個縮影。在中華民族光輝燦爛的歷史長河中，古聖先賢在南京創造了舉世矚目、富有特色的六朝文化、南唐文化、明文化和民國文化，爲中華民族文化的傳承和發展作出了不朽貢獻。然而，由于時代的遞遷、戰争的破壞以及自然的損毁等原因，歷史上南京的輝煌成就以物質文化形態留存下來的相對較少，見諸文獻典籍的則相對較多。南京文獻内涵廣博，卷帙浩繁，版本複雜。截至一九四九年中華人民共和國成立，南京文獻留存下來的有近萬種，在全國歷史文化名城中名列前茅。以六朝《世説新語》、《文心雕龍》、《昭明文選》，唐朝《建康實録》，宋朝《景定建康志》、《六朝事迹編類》，元朝《至正金陵新志》，明朝《洪武京城圖志》、《金陵古今圖考》、《客座贅語》，清朝《康熙江寧府志》、《白下瑣言》，民國《首都計劃》、《首都志》、《金陵古蹟圖考》等爲代表的南京地方文獻，不僅是南京文化的集中體現，也是中華民族優秀傳統文化的重要組成部分。這些南京文獻，積淀貯存了歷代南京人民的經驗和智慧，翔實地反映了南京地區的社會變遷，是研究南京乃至全國政治、經濟、軍事、文化、外交和民風民俗的重要資料。

歷史上的南京文化輝煌燦爛，各類圖書典籍琳琅滿目。迄今爲止，南京文獻曾經有過三次不同程度的整理。

第一次是距今六百多年前的明朝永樂年間，明朝中央政府在南京組織整理出版了《永樂大典》。《永樂大典》正文二萬二千八百七十七卷，凡例和目録六十卷，分裝成一萬一千零九十五册，總字數約三億七千萬字。書中保存了中國上自先秦、下迄明初的各種典籍資料達七八千種，是中國古代最大的類書。

第二次是民國年間，南京通志館編印了一套《南京文獻》。《南京文獻》每月一期，從一九四七年元月至一九四九年二月共刊行了二十六期，收入南京地方文獻六十七種，包括元明清到民國各個時期的著作，其中收録的部分民國文獻今天已經成爲絶版。

第三次是二〇〇六年以來，南京出版社選取部分南京珍貴文獻，整理出版了一套《南京稀見文獻叢刊》點校本，到目前爲止，已經出版了二十四册五十種，時代上起六朝，下迄民國，在學術普及方面作出了一定的貢獻。

新中國成立六十年來，尤其是改革開放三十年來，南京的政治、經濟、文化建設飛速發展，但南京文獻的全面系統整理出版工作一直没有得到應有的重視，這與南京這座國家歷史文化名城的地位頗不相稱。據調查，目前有關南京的各類文獻主要保存在南京圖書館、南京市檔案館，以及全國各地的高等院校、科研院所、圖書館、檔案館、博物館，少數流散于民間和國外。一方面，廣大讀者要查閲這些收藏在全國各地的南京文獻殊爲不便；另一方面，許多珍貴的南京文獻隨着歲月的流逝而瀕臨損毁和失傳。南京文獻的存史、資治、教化、育人功能没有得到應有的發揮。

盛世修史（志）。在中華民族和平崛起和大力弘揚民族傳統文化、全力發展民族文化事業的大背景下，在建設『文化南京』的發展思路下，中共南京市委、南京市人民政府于二〇〇九年十二月作出决定，將南京有史以來的地方文獻進行全面系統的匯集、整理和影印出版，輯爲《金陵全書》（以下簡稱《全書》），以更好地搶救和保護鄉邦文獻，傳承民族文化，推動學術研究，促進南京文化建設；同時，也更爲有効地增加南京文獻存世途徑，提昇南京文獻地位，凸顯南京文獻價值。

爲編纂出能够代表當代最高學術水平和科技成就，又經得起時間檢驗的《全書》，我們將編纂工作分成三個階段進行。第一個階段爲調研階段，主要對南京現存文獻的種類、數量、保存現狀以及收藏地點等進行深入細緻的調研，召集專家學者多次進行學術論證和可操作性論證，撰寫出可行性調查報告，爲科學決策提供依據，此項工作主要由中共南京市委宣傳部和南京出版社組織完成。第二個階段爲啓動階段，以二〇〇九年十二月二十四日召開的『《金陵全書》編纂啓動工作會』爲標志，市委主要領導親自到會動員講話，市委宣傳部對《全書》的編纂出版工作作了明確部署。在廣泛徵求專家學者意見的基礎上，確定了《全書》的總體框架設計，確定了將《全書》列爲市委宣傳部每年要實施的重大文化工程，確定了主要參編責任單位和責任人，并分解了任務。第三個階段爲編纂出版階段，主要在全國範圍内進行資料的徵集、遴選和圖書的版式設計、複製、排版及印製工作。

爲了確保《全書》編纂出版工作的順利進行，中共南京市委、南京市人民政府成立了專門的編纂出版組織機構。其中編輯工作領導小組，由中共南京市委、市政府領導以及相關成員單位主要負責人組成；《全書》的編纂出版工作由市委宣傳部總牽頭；學術指導委員會，由蔣贊初、茅家琦、梁白泉等一批全國著名的專家學者組成，負責《全書》的學術審核和把關。

《全書》分爲方志、史料和檔案三大類。自二〇一〇年起，計劃每年出版十册以上。鑒于《全書》的整理出版工作難度較大，周期較長，在具體操作中，我們採取了分工協作的方式。市委宣傳部和南京出版社負責《全書》的總體策劃，其中方志部分，主要由南京市地方志編纂委員會辦公室承擔；史料部分，主要由南京圖書館承擔；檔案部分，主要由南京市檔案局（館）承擔。《全書》的編輯出版，得到了江蘇省文化廳、江蘇省新聞出版局、江蘇省檔案局（館）、南京大學、南京圖書館、南京市文廣新局、南京市社科聯（社科院）、南京市文聯、南京市博物館、金陵圖書館以及各區、縣委宣傳部和地方志辦公室等單位及社會各界的熱情鼓勵和大力支持，尤其是得到了中國國家圖書館和全國各地（包括港臺地區）高等院校、科研院所、圖書館、檔案館、博物館等藏書單位的鼎力相助，在此表示深深的謝意！

我們相信，在中共南京市委、南京市人民政府的長期不懈支持下，在各部門、各單位的積極配合和衆多專家學者的共同努力下，這項功在當代、利在千秋的傳世工程一定能够圓滿完成。

《金陵全書》編輯出版委員會

二〇一〇年七月

凡例

一、《金陵全書》（以下簡稱《全書》）收録的南京文獻，依内容分爲方志、史料和檔案三大類。

二、《全書》按上述三大類分爲甲、乙、丙三編，以不同的封面顔色加以區分；每編酌分細類，原則上以成書時代爲序分爲若幹册，依次編列序號。

三、《全書》收録南京文獻的範圍，以二〇一〇年南京市所轄十一區（玄武、白下、秦淮、建鄴、鼓樓、下關、浦口、六合、棲霞、雨花臺、江寧）二縣（溧水、高淳）爲限。

四、《全書》收録的南京文獻，其成書年代的下限爲一九四九年。

五、《全書》收録方志和史料，盡量選用善本爲底本。《全書》收録的檔案以學術價值和實用價值較高爲原則，一般選用延續時間較長、相對比較完整的檔案全宗。

六、《全書》收録的南京文獻底本如有殘缺、漫漶不清等情況，必要時予以配補、抽換或修描，以保證全書完整清晰；稿本、鈔本、批校本的修改、批注文字等均保留原貌。

七、《全書》收録的南京文獻，每種均撰寫提要，置于該文獻前，以便讀者了解其作者生平、主要内容、學術文化價值、編纂過程、版本源流、底本採用等情况。

八、《全書》所收文獻篇幅較大時，分爲序號相連的若幹册；篇幅較小的文獻，則將數種合編爲一册。

九、《全書》統一版式設計，大部分文獻原大影印；對于少數原版面過大或過小的文獻，適當進行縮小或放大處理，并加以説明。

十、《全書》各册除保留文獻原有頁碼外，均新編頁碼，每册頁碼自爲起訖。

提要

《康熙江寧府志》四十卷（現存三十四卷），清朝于成龍纂修。《康熙江寧府志》有陳開虞本和于成龍本。陳本修于清康熙七年（一六六八年），江寧知府陳開虞纂修，爲清代首部江寧府志，共三十四卷。卷首爲序，正文分圖紀、沿革表、疆域志（風俗附）、山水志、建置志、賦役志、學校志、科貢表（薦舉附）、歷官表（封爵附）、宦迹志、人物志、古迹志（宅墓附）、災祥志、祠祀志、寺觀志、摭佚十六類。

于成龍本修于康熙二十年（一六八一年）後，由江寧知府于成龍纂修。于成龍（一六三八—一七〇〇年），漢軍鑲黄旗人。字振甲，號如山，祖籍奉天蓋平（今遼寧蓋州）。康熙七年（一六六八年）由蔭生授直隸樂亭（今河北樂亭）知縣。八年（一六六九年），署灤州知州。十八年（一六七九年），遷通州知州。二十年，經兩江總督于成龍的舉薦，補缺江寧知府，在任期間清正廉潔，執法嚴明，『往者人竟浮靡，俗不長厚，寇盜充斥』的頽風爲之一變。二十三年（一六八四年），玄燁南巡，擢升安徽按察使。此後，歷任直隸巡撫、左都御史兼鑲黄旗漢軍都統、河道總督等職。三十九年（一七〇〇年）卒，賜祭葬，謚襄勤。《清史稿》卷二七九有傳。

于成龍任職江寧知府期間，主持纂修《康熙江寧府志》共四十卷，現存卷三—二十九、卷三十四—四十，共三十四卷。分星野（祥异附）、歷代沿革和府屬八縣沿革、建置、疆域、風俗、山川、帝王世系（封建附）、學校、户口、田賦、水利、蠲賑、歷官表、宦迹、兵制、科貢、祠祀、寺觀、古迹、陵墓、人物、游寓、藝文、摭佚二十四類。于本在繼承陳本的基礎上補充了康熙七年以後的內容，具有較高的史料價值。于本主要有三個變化：一是排序有所調整。如將『建置』放到『疆域』之前；將『古迹』、『陵墓』放到『人物』之前。二是篇目有所完善。如將原來獨立的『祥异』附在『星野』之後；將『陵墓』、『疆域』分別從『古迹』、『風俗』中分出單列。三是門類也有所增加。由原來的十六類增至二十四類，增設『帝王世系』、『户口』、『水利』、『兵制』、『游寓』和『藝文』等。值得一提的是，在各個門類之後，往往以『論曰』的形式加以評論和概括，一改志書述而不論的傳統，起到了畫龍點睛的效果。

本書以中國國家圖書館藏清康熙二十二年（一六八三年）精抄本爲底本原大影印。原本爲紅格抄本。版心尺寸爲縱22.2厘米，橫15.3厘米。該抄本卷一、二、三十、三十一、三十二、三十三散佚，因而缺少序、圖紀等相關內容，這是該抄本的一大缺憾。

盧海鳴

卷一、卷二原闕

江寧府志卷之三

星野 祥異附

九州之地各有分星故史記天官書以在天十二舍主在地十二州周禮周官保章氏以星土辨九州之封域以觀妖祥此萬世郡邑之凖也然鄭樵言非因封國始有分星唐一行謂分星有山河脉絡之屬雲漢升沉之繫認而識之可以見其相配鄭樵取之遂謂其區處分野如指諸掌近世蘇平仲又指其疏遠而謂分野分星古不謂地又引有分星而無分野之言以證其不必盡泥雖然以史冊觀之四星聚牛女

而晋元王吳四星聚觜參而齊祖王魏彗星掃東井而苻堅亡秦景星見箕尾而慕容德復燕此皆分野之驗而未可盡畧者也大抵一行之説勝諸家焉迹其所言星記丑位得天漢下流而吳越正當淮海爲南紀之終故爲吳越之分想以星之與土精氣相屬更有以相麗者參之班固志曰吳斗分野越牽牛婺女分野析星紀爲二今因以斗爲江南分星驗諸徵應有熒惑入南斗而許昭聚衆破郡縣見之漢熹平間也有熒惑太白會牛女而孫策開江東見之建安初也有熒惑入南斗占主東南大饑而是年冬、春江南道殰相望見之明嘉靖癸卯七月中也以一星考其不爽則吳郡屬之斗十分爲多矣凡言天文者徒寃于渺茫不可測不如配之五行占驗有洞若觀火者故論星野即附以祥異之徵志星野

江寧主星分野

星經云每度計一千四百六里二十四步六寸四分有奇江寧郡南北將五百里一度中占三分之一矣

黄帝分星次斗十一度至婺七度曰須女

禹旣定九州周禮保章氏以星土辨九州之地鄭康成註云星土星所主土也十二次之分星紀吳越也

吳澄曰星紀揚州之星土也

周禮保章氏註斗牛女爲揚州

爾雅星紀斗牽牛吳分野

史記正義南斗牽牛女爲揚州

前漢天文志牽牛婺女揚州斗南三度

地理志云吳地斗牛分野今之會稽九江丹陽豫章廬

江廣陵六安臨淮淮南皆吳地

後漢郡國志註帝王世紀曰黄帝受命始作舟車以

濟不通乃推分星以定律度自斗十一度至婺七度

一名須女曰星紀之次於辰在丑謂之赤奮若于律

爲黃鐘斗建在子今吳越分野

晋天文志云自斗十一度至須女七度爲星紀吳越之分野

隋地理志云揚州于禹貢爲淮海之地在天官自斗十一度至須女七度爲星紀吳越得其分野

唐志云揚楚滁和廬壽舒爲星紀分又云南斗在雲漢下流當淮海閒爲吳分

占候曰熒惑漢書吳楚之疆候熒惑

麗屬曰權星經北斗第四星曰權屬揚州

宫曰磨羯地理指掌圖揚州爲磨羯

晉天文志云揚州九江入斗十一度費直云起斗十六度

蔡邕云起斗六度

葢古之言分野莫辨於晉志而愈辨愈難曉大致謂班固取三統曆十二次配十二野其言最詳魏太史令陳卓更言郡國所入宿度前范蠡鬼谷張良後諸葛亮譙周京房張衡皆與劉向班固同但費說周易蔡邕月令章句所言頗有先後此晉志可據者也愚竊謂天地必先定一中而後可凖八方之位淮南子謂崑崙爲天地之中而汝寧志載

天中山爲天之中自古考日影測分數莫正于此則一中也已差數萬里而況因地以測天乎且所係之州或非其國所係之郡或非其州即如星紀吳越之分野屬揚州所列郡名則九江豫章廬江臨淮等郡多楚地泗水一郡本屬徐州且揚州江夏又別係於冀謬亂如此誠可疑也得非揚州地廣非一郡可專之謂乎但晉書出李淳風宜非苟作則臆爲解曰星土分星本不以州國拘也故司徒但言十有二土未嘗斥言所應者何次保章氏言星土辨九州之地不明言所辨者何星是九州

上應星土則三百餘度皆有其驗豈特十二次已乎封域皆分星則千八百國皆有所屬豈特十二國已乎此其繫之州繫之國繫之郡各據所見而互有矛盾焉乃知斗言吳者其大致也吳越皆星紀左傳謂越得歲而吳伐之其以度數所入者乎漢志云吳地斗分越地牛女分可知也若班劉費蔡所起之度異者日行歲差則日月所會之次分度亦異此言十二次所以不同也鄭康成亦謂大界九州諸國封域於星亦有分焉其書久亡堪輿雖有郡國入度非古久矣書此聊俟博識君子斷

定焉

祥異附

周孝王十三年大雹江東

漢惠帝五年夏大旱江水少

呂后三年夏江水溢

八年夏江溢

永平十二年堂邑旱

延光二年七月丹陽山崩四十七所

建和元年揚州饑遣府掾分行賑

建安元年江淮饑民相食

章武元年五月甘露見于建業
建興二年江東地震
九年五月建業有野蠶成繭大如卵
十二年九月隕霜傷穀
十四年自去年不雨至於夏
十五年五月江東地震八月白麟見建業有赤烏群
集吳前殿吳主權遂改明年元
延熙二年正月江東地再震
四年正月大雪平地三尺
八年夏震吳宫門柱又擊南津大橋楹

十一年江東地震

十二年四月有兩烏鵲墮吴東館將軍朱據領丞相燎雀以祭

十三年八月丹陽句容諸山崩鴻水溢吴主權原逋責給貸種食

十四年五月吴主權遣中書郎李宗齎印綬迎羅陽王表表至建業爲立第于蒼龍門外遂用其語改年立后八月朔大風江海湧溢平地深八尺吴高陵松栢皆拔郡城南門飛落

十七年七月江溢

十九年二月建業火

景耀元年有風四轉五復蒙霧連日

四年五月大雨水泉湧溢

五年二月白虎門北樓災八月大風震電水泉涌溢

炎興元年石頭小城火燒西南百八十丈

吳赤烏十三年五月日北至熒惑逆行入南斗占者謂

太元二年權薨是其應也八月丹陽及故鄣邑諸

山崩鴻水溢

大元元年大風江海溢平地水一丈拔樹石碑磋動

吳城兩門飛落

孫亮太平元年九月太白犯南斗占曰國有兵大臣有反者明年諸葛誕反又明年孫綝廢亮吳魏並有兵事

建衡元年二月天火燒萬餘家死者七百餘人三年正月西苑言鳳皇集遂改明年元嗣是遂大疫

建三年

天璽元年臨平湖塞復開傳言湖塞天下亂湖開天下平又于湖邊得古石函中有石青白色上列刻文作皇帝字于是改元曰天璽大赦俄而晉平吳孫盛乃以爲元帝中興之符

天紀三年建業有鬼目菜生工人黄耇家依緣棗樹
又有蕒菜生工人吳平家如枇杷形兩邊生菜緑
色東觀案圖名鬼目作芝草蕒菜作平慮草遂以
耇爲侍芝郎平爲平慮郎皆銀印青綬

晉太康二年二月丹陽地震
四年冬揚州大水
五年八月丹陽地震
九年正月丹陽地震四月江南地震
十年十二月丹陽地震
元康五年六月揚州大水詔遣御史巡行賑貸十二

月丹陽建鄴雨雹尋大雪
六年五月揚州大水
九年正月丹陽地震
太安元年有石浮來建鄴入秦淮夏架湖登岸二百
餘步百姓咸驚譟相告曰石來明年石水入揚州
永嘉三年夏大旱江竭
建興元年三月白玉麒麟神璽出于江寧其文曰長
壽萬年
大興元年四月丁巳朔日食六月旱帝親雩十一月
乙卯日夜出高三丈

大興二年丹陽郡吏濮陽楊演馬生駒兩頭按司馬彪說政在私門二頭之象也是後王敦陵上

三年三月日中見黑子四月江東大饑詔百官言事

丹陽地震

四年八月黃霧四塞

永昌元年八月暴風壞屋拔御道柳樹百餘株其風縱橫無常若自八方來者十月京師大霧黑氣貫天日月無光閏十一月京師大旱川谷並竭

太寧元年正月癸巳黃霧四塞京師大火五月丹陽大水七月丙子朔震太極殿柱

二年四月庚子京都大雨雹鷰雀死

咸和二年五月京師火又大水

四年天裂西北有聲如雷二月大霖雨城中大饑米

斗萬錢七月丹陽大水

五年無麥禾大饑

六年正月會州郡孝秀于集賢堂有麏見獲之

咸康元年二月揚州諸郡饑遣使賑給

二年七月揚州饑開倉賑給

八年正月乙未朔京都大雨

永和七年七月濤水入石頭溺死者數百人

九年八月京都地震有聲如雷
升平五年八月己卯夜天裂廣數丈有聲如雷
興寧元年四月揚州地震
太和六年六月京師大水平地數尺浸及太廟朱雀
大航纜斷三艘流入大江丹陽諸縣稻稼蕩没
十二月濤水入石頭
寧康元年三月京都大風火大起
三年十二月神獸門災
大元五年六月震含章殿四柱
六年六月揚州大水江東大饑

八年二月黄霧四塞

十三年四月祠太廟畢有兎行廟堂上十二月戊子濤水入石頭毁大桁殺人乙未大風晝晦延賢堂災

十四年七月宣陽門四柱災十二月雨大氷

十五年八月京師地震

十六年五月飛蝗從南來集堂邑縣界害苗稼六月鵲巢太極殿東鴟尾

十七年六月癸卯地震甲寅濤水入石頭毁大桁漂船舫有死者七月太白晝見冬旱

元興二年京都大饑人相食十二月桓元篡位明年二月庚寅夜濤水入石頭商旅方舟萬計漂敗流斷骸胔相望江左濤變特甚三月義軍克京都桓逆敗走遂滅之

義熙元年十二月濤水入石頭明年亦然

五年五月溧陽雨雹六月震太廟

六年震太廟鴟尾宮城及御道左右皆生蒺藜

九年五月京都大火燒數千家

十年五月西明門地穿水湧出

十一年七月京師大水壞太廟所在火起

宋元嘉四年五月建康疾疫遣使存問給醫藥無家者
賜以棺器
五年正月戊子丹陽火遣使巡慰賑賜六月復大水
遣使巡行賑贍丙寅震太廟破東鴟尾徹壁柱
七年建康火延燒大社北墻
八年揚州諸郡旱
九年春丹陽雨雹漂陽尤甚傷人畜
十一年五月建康大水
十二年四月建康地震六月丹陽諸郡大水邑里乘
船

十四年三月丙申大鳥二集秣陵民王顗園中李樹上狀如孔雀揚州刺史彭城王義康以聞改鳥所集永昌里曰鳳凰

十九年閏五月丹陽雨水遣使巡行賑卹

二十一年六月建康連雨百餘日大水

二十四年六月丹陽大水疫癘遣使行郡縣給以醫藥

二十五年四月元武湖青龍見五月黑龍又見

二十八年三月乙酉建康大旱民多疾疫

二十九年二月雷雨雪三月大風拔樹五月丹陽霖

雨傷禾稼十二月黄霧四塞
大明元年正月建康雨水遣使檢行賜以樵米四月
丹陽疾疫遣使按行賜給醫藥死而無收者官爲
歛埋五月紫氣出景陽樓廻薄久之改爲慶雲樓
五年七月丙辰丹陽雨水遣使巡行窮敝之家賜以
薪粟
七年四月大風折和寧陵華表鍾山通天臺一夕飛
倒散落山澗中
八年冬建康饑米升百餘錢死者十六七相枕于道
命建康秣陵二縣爲薄粥賑之

泰始二年六月建康雨水九月建康大風

三年正月庚午建康大雨雪遣使巡行賑賜各有差

泰豫元年六月建康雨水詔賑卹二縣貧民

元徽元年八月建康旱

三年正月丹陽大火三月丙寅建康大水遣使檢行

賑賜戊辰火延燒數千家五月雨雹

昇明三年二月地震建陽門十二月朱雀航華表柱

生枝葉

齊永明五年六月建康秣陵水遣官長隨宜賑賜

六年四月石子岡栢木化爲石時車駕數游幸應本傳木失其性也

八年八月建康霖雨遣中書舍人及長吏賑恤

十年十一月霖雨遣使賑賜建康秣陵居民蘭陵民

齊伯生於六合山獲金璽一紐文曰年子主

十一年三月震東齋棟崩六月建康霖雨遣使賑之

建武二年二月地震

永元元年七月建康大風十圍樹及官舍居民屋皆

偃拔丁亥大水詔賜死者材器并賑恤

中興二年江東大旱米斗五千民多饑死

梁天監元年大旱米斗錢五千人多餓死

三年建康疫

四年五月建康定陰里生嘉禾一莖十二穗十二月

天無雲而雷電有聲

五年十一月建康地震

六年三月有三彖入建康七月太白晝見八月建康

大水濤入御道七尺

普通元年七月江淮海並溢九月乙亥夜有日見于

東方光爛如火

二年五月琬琰殿火延燒後宮三千餘間

三年正月建康地震

六年十二月建康地震

中大通元年建康秣陵疫以身禱於重雲殿九月辛
巳朱雀航華表災
四年七月甲辰星隕如雨
五年正月戊申建康地震五月建康大水御道通船
大同二年地生白毛長二尺白祥也孫盛以爲民勞
之異先是大發卒築浮山堰工費鉅億功垂就而
復潰者數矣百姓嗟怨時北築長城內與二臺人
苦勞役無已十一月建康秣陵地震
大同初大蝗國籬門松栢葉皆食盡洪範五行曰介
虫之孽與魚同占京房易飛候曰食祿不益聖化

天視之以虫虫無益于人而食萬物也是時公卿皆以虛談爲美不親職事無益而食物之應也

三年正月辛丑朱雀門災壬寅天無雲雨灰黃色十月建康秣陵地震民饑

七年二月建康秣陵地震

中大同元年四月丙戌浮圖災梁主曰此魔也更宜廣爲法事遂起十二層浮圖將成值侯景亂乃止

太清二年六月天裂于西北長十餘里闊二丈光出若電聲發如雷十二月天復西北中裂有光如火明年四月建康地再震

大寶元年自春迄夏大饑人相食建康秣陵爲甚
紹泰元年二年甘露頻見于鍾山梅岡南磵江左境
內或至三四升大如奕棋子陳霸先表獻
太平二年十二月庚辰建康大火
陳永定三年正月夜大雪及旦太極殿前有龍跡見閏
四月久不雨如鍾山祭蔣帝廟是日雨至於月晦
天嘉六年七月有大風自西南至廣百餘步激壞靈
候樓甲申儀賢堂自壞
大建七年九月臨樂遊苑採甘露立甘露亭于覆舟
山

九年七月巳卯大雨震萬安陵華表

十年三月震武庫六月大雨震雹

十二年六月大風壞陳皐門中闔八月大雨霖

十三年九月夜大風至自西北發屋拔樹大雨雹

十四年四月自建康至荆州江水赤

至德元年十二月戊午夜天開自西北至東南其內

青黄雜色隆隆若雷聲

禎明元年臨平湖開造太皇寺起浮圖未畢火從中

起焚之江自方州東至海赤如血五行變節陰陽

相干兵起敗亂之象是時後主初卽位用刑酷暴

之應其後爲隋師所滅

二年四月有羣鼠自蔡州岸入石頭渡淮至於青塘兩岸數日死五月東冶鑄鐵有物赤色大如甕自天墜鎔所有聲隆隆如雷鐵飛出墻外燒民居六月大風拔朱雀門濤水激入石頭淮渚暴溢漂没舟乘又府城自壞青龍出建陽門井中湧赤霧

隋開皇九年正月己丑朔陳主朝會羣臣大霧四塞

大業十三年自淮及江東西數百里絶水無魚

唐貞觀八年七月江淮大水

總章元年江淮旱饑

嗣聖九年五月禁屠殺採捕時江淮旱饑民不得捕
魚蝦餓死甚衆
十八年地震
開元十四年秋大風自東北來海濤没瓜步
上元二年江淮大饑
寶應元年江東大疫人民死者過半
貞元二年魚鱉蔽江而下皆無首六月江溢
八年七月江淮大水害稼溺死人漂没城郭廬舍八
月遣官宣撫
元和三年江南旱

長慶二年江淮饑

三年三月江南旱遣使宣撫

太和四年江南大水害稼

八年夏江淮大旱

開成四年夏江溢大水害稼

會昌元年七月江南大水

咸通二年江淮旱

七年江淮大水

九年江淮旱蝗

中和四年江南大旱饑人相食

光啟元年正月江水赤凡數日

吳太和六年二月甲申金陵大火乙酉又大火

南唐昇元六年十一月溧水縣天興寺桑樹生木人

保大十一年七月大旱井泉涸民饑疫死者過半

十二年江寧災焚廬舍營署踰月乃止

宋乾德四年二月長春節芝露降江寧報恩院次年降

江寧玉泉寺松

宋太平興國八年七月江水溢

雍熙二年三月江南民饑許渡江自占四月遣使賑

之

淳化四年二月江南饑遣使廵撫
五年江南疫
至道三年昇州旱除今年秋税
咸平三年江南旱賑之
景德元年閏九月江南旱遣使决獄訪民疾苦祠境內山川
大中祥符元年春昇州黄雀羣飛蔽日有從空墜者
二年四月昇州大旱火遣御史訪民疾苦蠲被火屋税
五年五月江淮旱給占城稻種教民種之

天禧元年六月江淮南蝗并言自死

四年江淮稔

天聖四年六月江淮南大水肆赦蠲租撫流民

六年七月江寧府六合江水溢壞官民廬舍遣使安撫賑卹

明道元年三月江東淮南旱饑

慶曆八年正月江寧府火宫室焚燬殆盡惟南唐玉燭殿僅存

皇祐三年八月江南淮南饑遣使安撫

五年江寧府蝗

嘉祐元年五月江溢

熙寧元年江寧府飛蝗自江北來

六年溧陽大旱十月賑江淮饑

元豐四年七月大風潮漂蕩沿江廬舍損田稼

建中靖國元年江淮旱

大觀三年江淮大旱守臣曾孝序上言欲將常平司見在諸色錢諸司封樁錢趁時收糴稻種候將來春種出糶與力田之人

政和三年江東旱

五年六月江寧府水災

重和元年江淮水諂監司督責州縣還集流民

建炎二年十月霖雨

三年六月大霖雨詔郎官以上言闕政十一月江南大旱

紹興七年十二月中書門下省檢校正官張宗元寓建康槃氷有文如畫佳卉茂木華葉相敷日易以水變態竒出至春暄乃止是年六合旱建康疫

十一年九月建康大火延燒府治自外門至堂宅皆燬惟軍資庫及大軍庫無損是年大旱

十七年建康火

十八年夏江東淮南旱

隆興元年江東大水悉蠲其租

二年七月建康大水浸城郭壞廬舍操舟行市者累日人溺死甚衆詔賑之并各官陳闕失

乾道二年十二月六合武鋒軍壘火

三年江東蝗賑之

四年七月建康水

六年五月建康水城市有深丈餘者人多流徙詔被水縣分人戶今年身丁錢並與放免

七年三月江東旱賑之

九年旱

淳熙二年建康大旱饑知府事劉珙賑濟之六合饑

詔賑以常平米

四年建康雨雹民饑

五年閏六月雨雹者再

八年建康饑知府事范成大請賑從之

九年七月六合蝗

十年建康旱

十一年建康雨水七月禁諸州遏糴詔賑卹之

十五年五月六合大水

紹熙三年江東水

四年八月賑江東旱傷貧民

五年建康大水賑之仍蠲其賦

慶元四年建康饑軍乏食

六年建康旱賑之

嘉泰元年江東淮南旱賑之仍蠲其賦

嘉定二年建康蝗旱大饑斗米數千錢人食草木詔

收養遺棄小兒

八年四月六合蝗六月詔江淮諭民雜種粟麥麻豆

有司毋收其賦田主毋責其租七月建康旱甚發

米賑之運使真德秀又合本道義倉及轉般米數

十萬斛賑贍仍開東門外新河因役力以食饑民

十四年建康大水

寶慶三年秋溧水澇

嘉熙元年四月建康旱

淳祐六年六月江淮飛蝗蔽空集食禾豆

景定四年溧陽饑知府事姚希得賑之

咸淳二年五月大雨水遣濟饑民

四年三月建康疫放免夏稅市利錢

六年江南大旱

七年江南饑

德祐元年江東饑疫

元至元十九年六合水

二十七年江南大水發粟以賑流民

二十八年溧陽路饑賑之

元貞元年五月建康水

二年六月建康蝗發粟賑之

大德二年正月建康溧陽水賑之仍弛澤梁之禁

三年溧陽大旱

五年七月暴風起東北江溢六合民被災發米以賑

六年七月建康民饑以米二萬石賑之

十一年建康大饑總管天禎勸賑

至大元年建康民饑疫死者相枕於道給米賑之

二年六月江寧上元溧水句容蝗

延佑元年八月建康大水發廩減價賑糶

泰定元年六月六合旱江東水傷田

三年建康路饑賑之溧陽六合大水

四年四月建康屬縣并六合饑賑糧鈔有差

天曆二年旱饑勸率富民賑糧一月

至順元年三月集慶路饑七月江東水

四年五月句容大水五綦山崩六月以江淮饑減今年夏税秋江寧不雨

元統二年秋江寧旱

至正元年揚子江一夕忽竭舟楫皆閣於塗中露錢貨無數蓋累年覆舟遺物也人爭取之潮至輒走潮退復然累日江始安流識者曰此江笑也後果先失江南

九年七月大霖雨江溢漂没民居禾稼

十三年秋六合旱

十七年五月上元瑞麥一莖二穗者二

吳元年五月句容麥生一莖二穗

明洪武二年十月壬戌朔甘露降於鍾山

三年六月旱

五年六月句容民獻嘉瓜二實一蔕

八年八月大旱

九年五月水溢

十年正月雨水如墨汁十月有虎白日入漢西門傷人

二十年溧陽大旱

二十六年四月大旱求直言録囚徒

二十九年溧陽大旱禾槁
建文元年三月地震
四年溧陽地震蝗徧野
永樂二年地震
六年府學災
十三年九月溧水大水
十六年江寧縣治火
洪熙元年四月地屢震六月地震十二月又震
宣德二年二月地震
四年正月地震

五年六合饑遣官勸賑

六年溧陽饑

九年溧水大旱

正統八年溧陽旱秋澇

十二年五月六合蝗

十三年龍潭江水奔潰

十四年六月震雹風雨交作火詔赦賑恤

景泰元年溧水大水平地三尺

六年江水泛漲溧陽夏秋大旱民饑疫

天順元年溧陽縣治火延民居殆盡

五年五月江南北大水

七年冬溧陽學災

八年溧水大水

成化元年七月應天水災

二年四月上元等縣饑民相食命戸部議賑之

四年夏溧陽溧水大旱

六年四月句容溧陽溧水江浦六合大水免稅

七年民饑遣官巡視府學災

八年七月大風雨江溢議恤之

九年七月以水旱災免上元等縣去年秋糧

十一年六合火延燒千餘家

十二年正月辛亥地震有聲

十七年二月地震猛虎近城殺人行守臣優恤溧陽

春夏大旱七月大雨水溢

十九年正月溧陽大雪七日樹冰如花

二十一年秋溧水大旱

二十二年九月民饑

弘治元年溧水大旱

五年冬六合大雪

七年夏溧水大水九月大風屋瓦俱落

弘治八年十月地震

十四年十月溧陽地震

十六年江潮入望京門浦口城圮遣官祭告江神六合大饑發粟賑之

十八年六月霖雨七月大風拔木九月溧陽地震

正德三年溧陽溧水高淳旱

四年六月空中有聲自北來如數萬甲兵都民震恐踰月方止冬大雪樹皆枯死

五年溧陽溧水高淳大水傷稼蠲租

七年高淳學火災

十二年夏六合霖雨滁水泛溢街衢乘船筏往來漂沒廬舍甚衆

十四年六月溧陽大水

十五年溧陽水六合大風潮沒民田廬

嘉靖元年七月大風自江北來屋瓦皆飛樹木盡拔以府屬水災減田塲租稅

二年大旱米價騰湧人相食遣侍郎席書賑之仍蠲馬價

三年自春至夏疫癘大作死者相枕于道

七年溧陽大旱

八年六合蝗飛蔽天
十年江溢没江浦六合田夏溧水大水没民居
十一年夏秋六合溧水蝗
十四年溧陽江浦六合蝗旱賑之
十五年句容蝻生溧陽雨雹
十六年夏六合水
十七年句容大水溧水東廬馬鞍等山蛟出蕩邑城溺人
十八年七月大風捲水貫真州漂失塩塲數千處人民死者無筭其日揚子江水涸數十丈

二十三年夏秋大旱民饑

二十四年夏大旱

二十八年溧陽大水

二十九年七月六合蝗

三十一年夏六合疫

三十三年六合旱

三十四年六合麥大稔六月水没田禾十二月地震

三十五年二月六合地震

三十八年四月雨雹七月地震溧陽大旱

三十九年七月江水漲至三山門秦淮民居有深數

尺者至九月始退漫及六合高淳冬大雪禽鳥戢

蟄凍死大水如花十二月夜震

四十年溧陽大水平地深及丈瀰望成川七月地震

四十一年溧陽大疫六月六合大風拔木水溢

四十二年二月震大報恩寺火作一夕俱燼

四十五年六月六合大雨水傷禾十二月大雪二十

餘日民有凍死者

隆慶三年閏六月潮没瓜埠壞民田廬

四年正月火一夕數發踰月方止冬六合饑奏准府

屬變賣種馬之半免蘆洲逋課

萬曆四年三月雨雹十月雷

五年春不雨井泉多竭河可涉

十四年五月大雨自初三至十七日城中水高數尺

江東門至三山門可行舟

十六年夏旱疫死者無筭聚寶門軍以豆記棺日以

升計

十九年三山民家牛産一黄犢七足腹下四足脊上

三足皆輭前後竅各二

三十三年十月鍾山有白氣如疋練濶丈許從申至

亥先白色日入即黑當獲妖賊劉天緒等正法

三十四年八月城内大火延燒共十七處空中烟頭交結三山街延燒至貢院棘墻下

三十五年正月雪後府學前泮池内氷結爲花水紋成匡匡内大花一朶枝梗四出如嘉興錦欽天監占主水兆

三十六年五月初三日秦淮河乾見底至十三日潮水忽漲二日夜即平岸夏至後大雨半月餘平地皆水自學宫泛舟直至大殿前江南圩田盡没江中滁没浮屍相續

三十七年有鼠從湖廣涉洞庭至揚子江晝伏夜行

尾尾相啣渡水如履平土至岸卽入人家在野卽傷田禾

三十九年八月秣陵城内磨坊猪産一物其形豬也項上生一目鼻長二寸許

四十六年二月清明日夜一鼓時東北有星大如斗赤色向南行有聲若雷雞犬皆驚其光燭地纖毫畢見墜於西聲聞者三

四十七年鼠渡江如前

天啟元年　月白氣起於翼軫之野初如彗久之漸大自東北亘天至西北如蚩尤旗占三度半至十

月方没

崇禎七年　月有大風起吹落皇城門内扁二字於地跌碎僅存木匡在檐下

八年　月巳午二時白虹貫日虹如連環者二東西二虹如背日在連環交處無光作白色又有大白氣一道貫日與虹中

九年旱自四月至七月不雨遍野如掃

十年冬木介先是大霧晦冥霧歛著樹水雪有若旗槍稜脊森然

十一年旱甚江北忽傳羊毛疹盛行民間自北而南

舉衆若狂

十三年旱蝗大饑斗米千錢冶山靈巖山俱出石麪

爭取者日數千人

十四年五月大疫死者數萬人至有闔門盡斃無人

收斂者

十六年十一月火藥庫災震驚遠邇傷三十餘人藥

之所激空棺飛過數十家庫梁飛入錦衣衛堂上

國朝順治二年元旦大雪雷電交作

六年十月初一辛卯日食旣晝晦恒星皆見從午至

申市肆皆舉火

六年高淳四月甘露降官路至滄溪小花凝椰柘葉
如飴
七年冬除夕大雪雷電交作
十六年巳亥十二月高淳大雷
康熙二年九月大水船行市上較戊申年僅小九寸十
月彗星見東南凡五十餘日次年二月復見奉
旨修省
三年三月雨雹
四年十一月溧水崇賢鄉古泰淮河水涸鄉民顧起
龍等掘地取土得玉璽一方蟠螭紐色蒼碧高二

寸許圍一尺六寸上鐫人心惟危道心惟微惟精惟一允執厥中一十六字知縣馮泰運具文報府知府陳開虞轉報督撫獻入

京師

六年六合蝗

七年六月十八日戌時江寧府屬地大震水翻波鬬屋傾墻圮人立俱仆

七年九月高淳徧地出羊毛長三四寸雨粒如紅豆

九年大水

十一年七月高淳東三埂見人面鳥

十二年虎來石頭城下官兵搏之

十二年高淳地震山鄉多虎傷人十二月儒學大成殿火

十五年溧陽大水次年嘉禾生

十八年江寧府屬大旱食榆殆盡復食柘奉旨蠲免有差

十九年溧陽大水百里皆成巨浸奏聞蠲額賦十之三秋糧緩征一載

二十年十二月十九日句容大雪鳴雷

二十一年十一月句容城內牡丹次第舒放爛熳二

十餘日合邑以爲奇

二十二年春江南郡邑大雨連旬二麥籽粒無收秋成稍熟　冬十二月丙午府治暮雨雷電交作

論曰星土可以占乎祥異祥異可以觀乎世變世變可以知乎人事人事可以挽乎天象夫雨暘時若則慶雲不必出溝洫疏通則醴泉不必湧黍稷茂盛則芝草不必生此人事之得心與天通不遇瑞而喜者也若五石六鷁而必盡其詞石言龍鬬而不改其常非人事之能敬勝怠正勝邪乎所謂應變以實不以文遇災而懼者也雖春秋言災異不言事應災異之

理徵事應之說幻然人事有善而爲休徵人事有不善而爲咎徵人事有不善而遷善以咎徵而變爲休徵可見天人相與之際甚微而甚著豈聽之渺渺不測之數哉愚謂一郡之內人和政平弗亂弗潰妖不勝德德不倖福太史占星觀雲物卽不言休徵而無非休徵也如以耳食之見傅會成說則文景之再蝕再震宋仁之裂地雨雹與趙蜀之鳳羽飾箟麟羣駕車徒滋矯誣矣

江寧府志卷之四

歷代沿革有表

昔黄帝規方天下創制九州統領萬國堯時洪水爲害命禹奠之錫圭告成而九州之名以定甸侯綏要荒各五百里燦然若指上螺紋其五曰淮海惟揚州厥土塗泥嗣後生齒日衆遂成沃壤江寧雖居古揚州之一隅而六代都會之地稱首善焉溯古以來爲國爲郡爲軍爲路因時制宜不盡沿襲表而列之亦損益之大概也志歷代沿革

本府沿革

江寧三吳首郡也自周泰伯避居梅里號勾吳荆蠻義之立爲君於是江南始稱吳鍾離之會吳始見於春秋此地未有城邑惟石頭東有冶城乃夫差冶鑄之所東南百里之外築固城又瀨渚城亦吳所築周迴七里耳更名平陵後爲越所併越築城於長干里僅周二里十八步俗呼爲越臺金陵有城邑自此始顯王三十六年楚威王盡有吳地因石頭山置金陵邑以此地有王氣瘞金以厭之故名秦始皇併天下分三十六郡置守尉監以金陵地爲鄣郡改曰秣陵東遊會稽過吳置江乘縣又以望氣者之言鑿鍾山

斷長隴以洩王氣水自方山西北流繞石頭達於江名曰秦淮漢興以江南地封楚王韓信等元符二年改鄣郡爲丹陽郡孫權都於此改日建業金陵建都自此始晉平吳治建業元帝渡江避愍帝諱改曰建康都焉自此宋齊梁陳繼之隋廢丹陽郡平其宫苑爲田盡掃六朝之跡置蔣州唐徙金陵縣於白下村曰白下縣貞觀九年仍爲江寧後又改爲昇州上元二年改爲上元縣徐知誥併吳復改曰江寧府宋陞江寧府爲建業軍節度使南渡後駐蹕以上元江寧爲赤縣句容溧陽溧水爲畿縣比西京故事元改爲

集慶路至元中增置六合縣明初建都陞府治爲應
天府曰南京領縣六洪武九年增置江浦縣領縣七
弘治四年增置高淳縣領縣八
皇清改南京爲江南省改應天府爲江寧府仍領八縣

本府沿革表

周		
靈王十三年	楚	棠邑
景王四年	楚	棠邑
	吳	瀨渚邑
五年	楚	棠邑

	吳	陵平邑
十六年	楚	棠邑　平陵邑
敬王三十四年	吳	棠邑　平陵邑
元王三年	楚	棠邑
	越	平陵邑
顯王三十七年	楚	棠邑　平陵邑　金陵邑
秦		
始皇二十六年	鄣郡	秣陵　溧陽
	九江郡	棠邑
三十七年	鄣郡	秣陵　丹陽　江乘

九江郡　棠邑

漢

高帝六年荆國　鄣郡　秣陵　丹陽　江乘　溧陽　棠邑侯國

十二年吳國　鄣郡　秣陵　丹陽　江乘　溧陽

武帝元光六年江都國　鄣郡　秣陵　丹陽　江乘　溧陽　棠邑侯國　句容侯國

元朔元年江都國　鄣郡　江乘　丹陽　句容　棠邑侯國　丹陽侯國　湖熟侯國　秣陽侯國

元狩元年　江都國　鄣郡　丹陽　江乘　溧陽　句容

棠邑侯國　湖熟侯國　秣陵侯國

元鼎元年　廣陵國　鄣郡　丹陽　江乘　溧陽

臨淮郡　棠邑

五年　廣陵國　鄣郡　秣陵　丹陽　江乘　湖熟　溧陽　句容

臨淮郡　棠邑

丹陽郡　秣陵　丹陽　江乘　湖熟　句容　溧陽

永平

徐州　臨淮郡　棠邑

元帝建昭元年 揚州 丹陽郡 秣陵 丹陽 江乘 湖熟 句容 溧陽侯國

徐州 臨淮郡 堂邑

新莽天鳳元年 揚州 丹陽郡 宣亭 丹陽 相武 湖熟 溧陽 句容

徐州 淮平郡 堂邑

漢

光武建武六年 揚州 丹陽郡 丹陽 秣陵 江乘 溧陽 句容 湖熟侯國

廣陵郡 堂邑

獻帝建安十七年 揚州 丹陽郡 建鄴 丹陽 溧陽 句容

廣陵郡 堂邑

昭烈章武元年 吳 丹陽郡 建鄴 丹陽 溧陽 句容 永安

魏 廣陵郡 堂邑

吳永安七年 揚州 丹陽郡 建鄴 丹陽 句容 溧陽 永平

廣陵郡 堂邑

晉

武帝太康元年 揚州 丹陽郡 秣陵 臨江 丹陽 句容 溧陽 永世

徐州 臨淮郡 棠邑

二年 揚州 丹陽郡 建鄴 江寧 丹陽 江乘 湖熟 秣陵

永世　溧陽　句容

徐州　臨淮郡　堂邑

惠帝元康七年　揚州　丹陽郡　建鄴　丹陽　江乘　湖熟　秣陵　永世
溧陽　句容

堂邑郡　堂邑

永興元年　揚州　丹陽郡　建鄴　丹陽　江乘　湖熟　秣陵　溧陽
句容

義興郡　永世　平陵

堂邑郡　堂邑

丹陽郡　建鄴　江寧　丹陽　江乘　湖熟　秣陵

永世 溧陽 句容

堂邑郡 堂邑

四年揚州

丹陽郡 建鄴 江寧 丹陽 江乘 湖熟 秣陵 溧陽 句容

義興郡 永世 平陵

堂邑郡 堂邑

愍帝建興元年

丹陽郡 建康 江寧 丹陽 江乘 湖熟 秣陵

義興郡 永世 平陵

堂邑郡 堂邑

安帝隆安元年　揚州　丹陽郡　建康　江寧　丹陽　江乘　湖熟　秣陵　溧陽　句容

義興郡　永世　平陵

秦郡　堂邑　尉氏

宋武帝永初二年　揚州　丹陽郡　建康　秣陵　丹陽　江寧　湖熟　永世　溧陽　句容　平陵

南豫州　秦郡　秦　尉氏

文帝元嘉九年　揚州　丹陽郡　建康　秣陵　丹陽　江寧　湖熟　永世　溧陽　句容

南兗州　秦郡　秦　尉氏

朝代	州	郡	縣
魏太平眞君元年	揚州	秦州	橫山
宋元嘉二十八年	揚州	丹陽郡	建康 秣陵 丹陽 江寧 湖熟 永世 溧陽 句容
	南兗州	秦郡	秦 尉氏
齊高帝建元二年	揚州	丹陽郡	建康 秣陵 丹陽 湖熟 江寧 溧陽 永世 句容
	南兗州	秦郡	堂邑 尉氏
	青州	齊郡	
武帝永明元年	揚州	丹陽郡	建康 秣陵 丹陽 湖熟 江寧 溧陽 永世 句容

年代	州	郡	縣
	青州	齊郡	尉氏
梁武帝天監元年	揚州	丹陽郡	建康　秣陵　丹陽　湖熟　江寧　同夏　溧陽　永世　句容
	南兗州	秦郡	堂邑　六合
北齊天保六年	東廣州	秦州	堂邑　尉氏
陳宣帝大建五年	揚州	丹陽郡	建康　秣陵　丹陽　湖熟　江寧　同夏　溧陽　永世　句容
北齊武平三年	東廣州	秦州	堂邑　尉氏
		瓦梁郡	
陳大建七年	揚州	丹陽郡	建康　秣陵　丹陽　湖熟　江寧　同夏

溧陽　永世　句容

譙州　秦郡　堂邑　尉氏　橫山

十年　揚州　丹陽郡　建康　秣陵　丹陽　江寧　溧陽　永世

句容

建興郡　同夏　江乘　臨沂　湖熟

義州　堂邑　尉氏　橫山

周

吳州　六合郡　方州　堂邑　方山

隋文帝

方州　堂邑　尉氏　方山

方州　六合

開皇

蔣州　江寧　溧陽

方州　六合

十二年　蔣州　江寧　溧陽　溧水

宣州　永世

方州　六合

十八年　蔣州　江寧　溧水

宣州　永世

方州　六合

煬帝大業元年　蔣州　江寧　溧水

揚州　六合　句容

宣州　永世

方山府　方山

四年　丹陽郡　江寧　溧水

江都郡　句容　六合

宣城郡　永世

方山府　方山

唐高祖武德三年　東南道

揚州　歸化　丹陽　安業　溧水　溧陽

茅州　句容

南兗州　六合

七年　蔣州　歸化　丹陽　安業　溧水　溧陽

茅州　句容

方州　六合

唐

武德八年　揚州　金陵　丹陽　溧水　溧陽　句容

方州　六合

九年　潤州　白下　句容

宣州　溧水　溧陽

方州　六合

太宗貞觀元年江南道　潤州　白下　句容

宣州　丹陽　溧水　溧陽

揚州　六合

年代	道	州郡	縣
七年	江南道	潤州	白下　句容
		宣州	溧水　溧陽
	淮南道	揚州	六合
九年	江南道	潤州	江寧　句容
		宣州	溧水　溧陽
	淮南道	揚州	六合
玄宗天寶元年	江南東道	丹陽郡	江寧　句容
		宣城郡	溧水　溧陽
	淮南道	廣陵郡	六合
肅宗至德二年	江南東道	江寧郡	江寧　句容　溧水　溧陽

淮南道　廣陵郡　六合

乾元元年　江南東道　昇州　江寧　句容　溧水　溧陽

淮南道　揚州　六合

上元二年　江南東道　潤州　上元　句容

宣州　溧水　溧陽

淮南道　揚州　六合

昭宗大順元年　江南道　昇州　上元　句容　溧水　溧陽

淮南道　揚州　六合

吳武義二年　金陵府　上元　句容　溧水　溧陽

江都府　六合

年代	州府	屬縣
天祚二年西都	昇州	上元 句容 溧水 溧陽
	江都府	六合
昇元二年	江寧府	上元 句容 溧水 溧陽 六合
南唐保大二年	江寧府	上元 江寧 句容 溧陽 溧水 六合
六年	江寧府	上元 江寧 句容 溧陽 溧水
	雄州	
十一年	江寧府	上元 江寧 句容 溧陽 溧水
	雄州	六合
周世宗顯德六年	江寧府	上元 江寧 句容 溧陽 溧水
	揚州	六合

朝代	路	州府	縣
宋			
太祖開寶八年		昇州	上元　江寧　句容　溧陽　溧水
		揚州	六合
眞宗天禧八年	江南路	江寧府	上元　江寧　句容　溧陽　溧水
	淮南路	建安府	六合
	江南東路	江寧府	上元　江寧　句容　溧陽　溧水
	淮南路	建安軍	六合
高宗建炎三年	江南路	建安府	上元　江寧　句容　溧陽　溧水
	淮南東路	眞州	六合
端宗景炎二年元		建康路	溧州　上元　江寧　句容　溧水

揚州路 六合

三年 元 建康路 上元 江寧 句容 溧水

溧陽府

揚州路 六合

世祖至元十七年 江東道 建康路 上元 江寧 句容 溧水

溧陽路 溧陽

淮東道 揚州路 六合

江東道 建康路 上元 江寧 句容 溧陽 溧水

淮東道 揚州路 六合

成宗元貞元年 江東道 建康路 溧水州 溧陽州 上元 江寧 句容

淮東道 揚州路 真州 六合

江浙行省 集慶路 溧水州 溧陽州 上元 江寧 句容

淮東道 揚州路 真州 六合

明

太祖洪武元年 應天府 溧陽州 溧水州 上元 江寧 句容

直隸 揚州府 六合

二年 應天府 上元 江寧 句容 溧陽 溧水

直隸 揚州府 六合

應天府 上元 江寧 句容 溧陽 溧水 江浦

直隸　揚州府　六合

應天府　上元　江寧　句容　溧陽　溧水　江浦　六合

孝宗弘治四年　應天府　上元　江寧　句容　溧陽　溧水　江浦　六合　高淳

大清

世祖章皇帝順治三年江南省　江寧府　上元　江寧　句容　溧陽　溧水　高淳　江浦　六合

府屬八縣沿革

上元縣附郭

周顯王三十六年楚子熊商滅越盡有吳地乃築石頭置邑曰金陵屬楚

秦始皇三十七年東遊自江乘渡江置江乘縣屬鄣郡

漢元符二年分秣陵地置湖熟丹陽二縣元朔元年廢縣置國封諸王子敢爲丹陽侯纏爲秣陵侯胥爲湖熟侯建武中國除仍置縣屬丹陽郡

吳黄武二年改秣陵爲建業省江乘湖熟都尉三年分秦淮北爲建業南爲秣陵建興初改建業曰建康屬丹陽郡

晉太康元年改建康曰秣陵太興中析江乘建康地置

懷德臨沂即丘揚都四縣義熙十年改懷德曰費屬

丹陽郡

劉宋永初元年以秣陵故治爲零陵王宫元嘉中省即

丘入陽都省費入建康大明五年省陽都入臨沂江

乘屬琅邪郡

梁大同元年即秣陵同夏里置同夏縣

陳大建十年移江乘臨沂湖熟併同夏入建興屬建興

郡

隋屬蔣州

唐上元二年始置上元縣尋廢光啓三年復置以後並

為上元屬潤州

南唐初屬昇州武義二年改屬金陵府

宋開寶八年屬昇州建炎三年屬建康府

元初屬建康路天曆二年改集慶路

明初克金陵慶集慶路為應天府洪武元年陞上元為

赤縣

皇清改京為省以上元縣屬江寧府

江寧縣 附郭

周景王四年楚靈王敗吳軍後闔閭復破楚盡有其地

屬吳元王三年越王勾踐滅吳圖楚稱伯江淮地屬

越

秦始皇二十五年滅楚定江南地改金陵邑爲秣陵縣

屬鄣郡

漢改鄣郡爲丹陽郡新莽天鳳元年改秣陵曰宣亭

東漢建武六年復秣陵屬丹陽郡

晉太康元年改建業仍爲秣陵分淮水南爲秣陵北爲

建業尋分地置臨江縣二年改臨江始爲江寧尋廢

永嘉元年琅琊王睿移鎮建業因吳舊都大初宮爲

府舍復置江寧縣

劉宋永初元年隸丹陽郡

隋開皇九年平陳廢丹陽郡省建康同夏秣陵三縣入江寧屬蔣州大業四年復以蔣州置丹陽郡領江寧當塗溧水三縣

唐武德二年置揚州東南道行臺尚書省廢蔣州三年以江寧溧水置揚州更江寧曰歸化七年廢揚州行臺復置蔣州於金陵八年復揚州省安業入歸化更歸化仍曰金陵貞觀七年復爲歸化九年徙歸化傍冶城仍曰江寧開化四年陞望縣至德二年置江寧郡乾元元年改江寧郡爲昇州復置縣上元二年廢昇州更江寧置上元縣隸潤州太順元年復置昇州

領縣如故

南唐保大三年割上元當塗置江寧縣

宋開寶八年復昇州領江寧縣建炎三年陞江寧爲次赤縣隸建康府德祐元年元立行省於建康統江寧縣景祐二年元改建康爲路領江寧中縣

元至元十四年徙江寧縣於南城外越城之側天曆二年改建康路爲集慶路

明初克金陵改集慶路爲應天府洪武元年陞江寧爲赤縣

皇清改京爲省以江寧縣屬江寧府

句容縣

漢屬丹陽郡武帝時封長沙定王子黨爲句容侯國除

復爲縣

吳赤烏八年使校尉陳勳發屯兵三萬鑿句容中道至

雲陽西城以通吳會船艦

唐武德二年以句容延陵置茅州七年廢屬蔣州九年

因延陵屬茅山地併隸潤州會昌四年陞爲望縣乾

元元年屬昇州上元二年州廢隸潤州光啓二年復

置昇州縣隸焉

宋初因昇州天禧二年改爲江寧府建炎三年復改爲

建康府

元至元十四年改爲建康路至順元年改爲集慶路縣

並隸之

明洪武建都金陵改集慶路爲應天府

皇清改京爲省以句容縣屬江寧府

溧陽縣

周爲勾吳封内邑曰固城又曰瀨渚城

秦始置溧陽縣以在溧水之陽而名隸鄣郡

漢改隸丹陽郡元封元年割隸陽之東爲永平縣元帝

時以溧陽爲梁敬王子劉欽侯國建武元年改永平

爲永安仍隷丹陽郡

吳寶鼎元年以永安隷吳興郡

晉太康元年改永安爲永世永嘉四年分置平陵永世

二縣隷義興郡

劉宋永初元年仍置溧陽永世隷丹陽元嘉九年併永

世入溧陽自後平陵永世諸名遂不復置

隋開皇九年以溧陽隷蔣州十一年割溧陽之西爲溧

水縣隷宣州十八年廢溧陽併入溧水隷蔣州

唐武德三年復析溧水之東爲溧陽隷揚州徙治永陽

江北九年復隷宣州光啓三年改隷昇州天福三年

徙治永陽江之南燕山之北蓋今縣之始也

楊吳武義二年隸金陵府天祚二年隸江寧府

南唐保大十四年隸潤州

宋開寶八年隸昇州天禧二年隸江寧建炎二年隸建

康

元至元十四年改縣爲溧陽州隸建康路十五年陞爲

溧陽府無所統十六年改陞爲路管溧陽縣二十六

年仍罷路爲縣元貞元年以戶溢五萬陞爲中州至

順元年隸集慶路

明洪武元年仍爲州二年復爲縣隸應天府

皇清改京爲省以溧陽縣屬江寧府

溧水縣

周景王七年楚伐吳滅賴吳遷其邑於平陵山下名曰陵平十六年楚子棄疾遺蘇遁爲將敗吳軍取陵平更名平陵敬王十四年乙未吳以伍員伐楚燒固陵其地復屬吳元王三年越滅吳有其地顯王三十七年楚滅越地復屬楚

秦始皇二十六年改金陵爲秣陵始置溧陽縣屬鄣郡

漢元封五年廢鄣郡置丹陽郡析溧陽南境置永平𪧐廢建武六年移丹陽郡治宛陵章武元年吳孫權析

溧陽置永安尋改永平後復

晉大康二年隷丹陽郡還治建業

宋永初元年仍隷丹陽揚州領之

隋開皇九年廢丹陽郡置蔣州十一年析溧陽西北境及丹陽故地置溧水縣仍隷蔣州縣名於此始十八年并溧陽入溧水大業四年以蔣州置丹陽郡溧水隷之

唐武德二年以溧水江寧二縣置揚州又析溧水東境爲溧陽七年復蔣州八年復揚州九年移揚州於江都溧水改隷宣州天寶元年改宣州爲宣城郡至德

二年以江寧縣置江寧郡溧水隷之乾元元年改江寧郡爲昇州上元二年昇州廢溧水復改隷宣州大順元年復昇州溧水仍隷之

楊吳武義二年改昇州爲金陵府天祚三年徐知誥建齊國於金陵爲江寧府溧水隷如故

宋開寶八年復改江寧爲昇州天禧二年改昇州爲江寧府建炎三年高宗南渡駐驆江寧府固改名建康溧水隷之等爲次畿德祐元年元立行省於建康統溧水等縣景炎二年元改建康府爲路

元元貞元年陞溧水爲中州仍設達魯花赤出知州上

天曆二年改建康路爲集慶路至正十六年明克集
慶路改爲應天府
明洪武二年改溧水州爲縣弘治四年析溧水西南境
置高淳縣
皇清改京爲省以溧水縣屬江寧府
高淳縣
高淳舊鎮名初屬溧陽繼屬溧水其沿革大約與二縣
同自明以前不復贅載
明洪武二年改溧水州爲縣弘治四年始置高淳縣屬
應天府去溧水一百二十里府丞龔綺以地曠難制

奏割立信承豐承寧崇教遊山唐昌安興七鄉共七

十二里爲縣初擬名淳化欽定高淳

皇清改京爲省以高淳縣屬江寧府

江浦縣

周靈王十三年爲棠邑地屬楚敬王三十四年吳子夫

差始通江淮地遂屬吳元王三年越滅吳不能正江

淮地尋屬楚

秦始皇帝二十六年爲棠邑歷陽二縣地

漢高帝三年地歸於漢爲棠邑歷陽建陽

晉隆安元年置秦郡治六合山更棠邑郡爲之別置尉

氏縣

劉宋大明五年置懷德縣隸秦郡七年割懷德烏江置臨江郡永光元年廢臨江郡仍以懷德隸秦郡烏江隸歷陽

齊逮元二年於六合山加安民散騎常侍

梁太清二年八月侯景反十月濟横江至慈湖地遂入東魏東魏置臨滁郡治葛城領懷德烏江等縣

陳大建五年地入北齊四月北齊於秦郡置秦州

宋紹興七年詔築宣化城

明洪武元年設浦子口巡檢司四年八月始築浦子口

城設應天衛於城內九年始析六合孝義鄉和州遵教懷德任豐白馬四鄉滁州豐城鄉置江浦縣屬應天府置浦子口城內十一年移武德和陽橫海三衛於浦子口城二十四年遷縣治於鳳凰山之陽開新路通江淮關設江淮巡檢司復割江寧縣沙洲鄉民一千戶爲崇德鄉益江浦縣

皇清改京爲省以江浦縣屬江寧

六合縣

周靈王十三年爲棠邑地屬楚敬王三十四年夫差城邗溝通江淮地遂屬吳元王三年越勾踐滅吳盡得

其地惟江北淮上與楚地尋屬楚

秦王政二十四年秦將王翦畧定城邑遂滅楚置楚郡

始皇二十六年始更棠邑爲棠邑縣屬九江郡楚義帝元年棠邑縣據於西楚屬九江

漢王邦四年棠邑歸於漢屬淮南高帝六年以棠邑屬荆景帝三年以縣屬江都元鼎元年改棠邑縣爲堂邑屬臨淮郡元封五年以郡隸徐州刺史新莽天鳳元年棠邑縣襲於莽屬淮平郡漢建武六年以縣屬廣陵郡仍隸徐州堂改屬於此後漢章武元年堂邑襲於吳

晉太康元年伐吳取棠邑縣屬臨淮郡元康七年始置棠邑郡郡卽置於縣治隸揚州咸康四年僑置棠邑郡於建康以處本色流民隆安元年始更棠邑郡爲秦郡置尉氏縣元熙二年秦郡襲於宋屬南豫州

劉宋省棠邑入魏郡八年以秦郡屬南兗州元嘉三年魏主燾陷秦郡遂置秦州及横山縣二十七年宋廢秦州仍置秦郡大明元年置臨江郡懷德縣元徽元年割秦之頓丘置新昌郡

梁天監元年始置六合縣縣有六合山故名大寶元年改秦郡爲秦州尋復郡

陳永定元年陳併秦郡仍屬南兗州大建十一年郡陷於周改爲方州隸六合郡尋割横山縣置石梁十三年六合郡襲於隋尋廢郡其方州如故設棠邑尉氏方山三縣

隋開皇三年置六合鎮於桃葉山四年始改尉氏縣爲六合省棠邑方山二縣併入六合屬方州大業元年廢方州以六合縣屬江都郡

唐武德三年仍以六合隸南兗州爲緊縣七年割六合西北置石梁縣隸方州九年以縣屬揚州貞觀元年廢方州省石梁爲緊縣天寶元年以縣屬廣陵尋割

縣東北境及江都高郵置千秋縣改揚州爲廣陵郡
乾元元年以縣屬揚州復廣陵郡爲揚州仍統六合
晉天福二年縣襲於南唐改屬江寧府
漢乾祐元年南唐改縣爲雄州
周廣順二年南唐復置六合縣三年縣屬於周五年取
雄州仍廢州爲縣屬揚如故
宋建隆元年屬揚州至道二年屬建安軍祥符六年屬
眞州陞建安軍爲眞州軍事大觀元年陞州爲望州
六合爲望縣政和七年屬儀眞郡建炎元年復屬眞
州

元至元二十一年改爲眞州路隷江淮行中書省明年改路隷河南行省庚子改揚州路爲淮海縣屬焉壬寅屬維揚府丙午屬揚州府改維揚爲揚州

明洪武九年割縣之孝義鄉及滁和二州地增置江浦縣

皇清改京爲省以六合縣屬江寧府

辨丹陽 丹陽之辨有三一辨其字二辨其地三辨其治按西漢地里志字從楊東漢郡國志字從陽自晉至唐見於史傳者或爲楊或爲陽無定字也江南地志云郡國有赬山其山丹赤寰宇記云赬山亦名丹山唐天寶中改爲絳巖山丹陽之義出此山臨平湖湖亦以丹陽名今此山在溧水句容兩縣之間以此證之則丹爲山名山南爲陽故曰丹陽字從陽者爲是晉地里志於丹陽郡之丹陽縣注云山多

赤柳以此證之丹陽即赤柳之異名字從楊者爲是二字各有所據世或疑之切謂古史字多通用如豫章名郡取義於木而義不從樟會稽名郡取義會計而字或從鄶豈容以今字之拘而疑古字之通哉況柳之赤山之丹未必不互相因也丹山之有丹楊則因木取義宜也丹楊之南曰丹陽因方取義亦宜也二字之通毋庸深辨而地則不可不辨耳葢地之名丹陽者不一周成王封熊繹於丹陽乃荆楚之所始其地在荆州不在揚州唐地里志丹州咸寧郡有府五丹陽居其一此在關內道古雍州之域亦不在楊州也史記楚懷王與秦戰于丹陽司馬貞索隱云此丹陽在漢中則又屬梁益之州而非揚州也秦置鄣郡有縣曰丹陽漢改故鄣爲丹陽郡此實隸揚州孫吳析溧陽以北六縣爲丹陽治建業亦隸揚州自東晉以至于唐丹陽郡有分有合而皆隸揚州之域自與荆雍梁益之丹陽同而其地實異葢九州之域自禹而分不可紊也如秭歸縣有丹陽城枝江縣有丹陽聚地皆屬荆北史中有丹陽侯者數人地皆在雍於此無辨則丹陽見于史傳者多前之以彼爲此者未必知其訛今之書此遺彼未必不疑其畧矣丹陽

之地名不一固所當辨而丹陽之屬揚州者其治不二或者猶有疑焉漢志云丹陽郡治宛陵蓋今之寧國府也杜佑通典云以丹陽郡隷潤州蓋今之鎮江府也吳實鼎中嘗割丹陽附吳興蓋今之安吉州也人多惑于三說遂疑丹陽之不在建鄴殊不知丹陽之名本出建鄴而郡治寓于宛陵者暫爾自建安以來丹陽郡治多在建鄴嘗以宰輔諸王爲尹隋以前未嘗改也夫置丹陽治建鄴者孫權也割丹陽附吳興者孫皓也平吳以後復吳興所有之丹陽歸于建鄴者晉也平陳以後廢丹陽郡而置溧水縣者隋開皇也廢蔣州而復置丹陽郡者隋大業也以江寧溧水復置丹陽縣者唐武德也嘗考潤州類集曰今之潤境舉非丹陽地而唐以丹陽名郡何也蓋天寶以前唯有潤州未有昇州是時潤所領六縣江寧句容在焉二縣乃丹陽故地天寶初改州爲郡郡因以名之迨至德二載始割出二縣增以溧水溧陽建爲昇州而丹陽之名遂存于潤杜佑通典以天寶以前州縣爲定故載潤而闕昇後之作方志者曾不審此往往只據佑所書而在秦在漢皆繫于二郡之間誤矣又云漢元封二年改鄣爲丹陽其城在今江寧府東南

八里即漢丹揚太守及晉丹楊尹之所治隋平陳廢之平其城以爲田大業初復置唐武德九年又廢之以其地隷潤州天寶元年始改潤爲丹陽郡又改曲阿爲丹陽縣皆非西漢六朝之丹陽也又嘗考諸縣志漢丹陽郡統縣十七秣陵句容丹陽溧陽江乘皆隷焉晉丹陽郡統縣十一建鄴江寧丹陽江乘句容秣陵皆隷焉隋丹陽郡統縣三江寧溧水隷焉其丹陽名縣于潤境者亦唐天寶以後也非兩漢六朝之舊也是不可以不辨

辨金陵

金陵何爲而名也考之前史楚威王時以其地有王氣埋金以厭之故曰金陵又曰地接金壇其山產金故名于是因山立號置金陵邑至秦始皇時望氣者謂其地有天子氣又埋金寶于山以厭之昔有一碣在靖安道間題爲埋金碑其文曰不在山前不在山後不在山南不在山北有人獲得富了一國者老指爲秦時古碑近年遂爲好事者取去是金陵之名始于楚秦千數百年于此矣前輩固嘗疑之蓋謂寶劍在地氣射斗牛光怪燭天其下有寶熊商嬴政方惡其地氣之異而欲消去之及復埋金

竇於其地是益其氣也安得爲智乎及見靖安道間埋金碑之語然後知熊商嬴政智術相襲以愚黔首而千數百年無能發其詐者地有王氣秦楚所忌故將鑿山以泄其氣也役其人以鑿山則人未必從于是借埋金之說以致鑿山之人曰山有金也曰吾嘗埋金於山也人皆有求金於山之心則皆不愛其鑿山之力求不獲則鑿不已不待驅而從也又設爲山前山後山南山北之語以惑之神其有金之地將以眩其求金之人蓋人知其地之有金而莫知其金之所在則遍山而求之遍山而鑿之金未有獲而山之氣泄矣求金之人皆無所得而楚秦之君求泄山氣之謀遂矣則是埋金之說所以爲驅人鑿山之術豈眞埋金也哉吁熊商嬴政將以愚黔首適自愚耳山融川結天地之氣爲之豈區區智術所能變之哉惟修德足以永天命惟施仁足以固人心惟行帝王之道足以消奸雄之變聖賢以理御氣大抵然也不是之務而求以人力勝地氣復以智術致人力熊商終無救于楚之滅嬴政終無救于秦之亡豈非甚愚也哉當時言天子氣以五百年爲期自是四百九十年而晉元帝渡江建都金陵適符其數商與政如之何

哉故著斯辨以發埋金之詐而祛黔首之惑云

辨堂邑　按周已有棠邑之名始皇二十六年始更棠邑爲棠邑縣漢鼎元元年又改棠邑縣爲棠邑漢郡國志大書棠邑于廣陵而註棠邑令者猶屬之傳州矛盾若茲其餘無可惑矣第玉篇謂鄣邑在廣陵嘉定志自漢迄隋仍書棠邑盖未嘗信縣爲棠邑也又漢書地理志最核而後之史註類書志籍每援入山東曷故盖此地自漢以降或爲郡或爲縣恒沿堂邑之名隋始置堂邑于彼而定六合于此故讀山東通志沿革之文而歷觀各代正史則隋以上堂邑皆今之六合隋以下堂邑皆今之山東堂邑而六合不與也考古者辨之

張怡曰金陵山川險絕不及秦晉峭削不及巴蜀幽邃不及閩越環奇不及滇粤瀦澤廣衍不及洞庭飛瀑奔渾不及台宕驚濤巨磧不及瞿塘灩澦然而風

氣清淑土地肥衍盧蔣衡茅作鎮南國金陵實有其二江淮河漢灌輸九州金陵寶滙其全固宜宋臣請回臨安之駕吳兒不食武昌之魚也若夫豪傑之士扼險要以立功名仁智之英發幽坱而光典策巖居川觀之侶愛其靜深火耕水耨之夫享其生殖昔賢重之有以耳至於斷隴埋金謂王氣之可斷臨江繫鏁矜地利之足憑非愚則妄徒玷高深而已

論曰從古以來不能有沿而無革郡邑之廢置猶其小者也等而上之氣運之有忠質文黨塾之有庠序校賦稅之有貢助徹莫不皆然然忠質文雖革而制

作之精意則相沿也庠序校雖革而樂育之深心則相沿也貢助徹雖革而愛養之腆切則相沿也其間窮變通久實有理勢之自然者存迨沿之既久轉而爲革革之未幾浸而爲沿即如郡邑之廢置因時制宜多出於君相之區畫亦何可泯滅耶所以同一郡也或爲金陵或爲建康或爲集慶同一邑也或爲湖孰或爲丹陽或爲江乘名異而實未嘗不同同一邑之隷郡也或屬潤州或屬南豫州或屬瑯琊廣陵建興邑同而郡未嘗不異考古鏡今其大彰明較著者也我

皇上誕膺寶命振天維而總坤絡薄海内外悉入版圖
況江南爲諸省之首江寧又爲諸郡之冠而不溯所
自始此與耳食何異予故列其因革條分縷析俾涖
兹土者尚思爲南國之屏藩江東之保障而後可也
哉

江寧府志卷之五

建置

禮言美輪美奐詩稱斯革斯飛營建之義大矣哉然築門新廐春秋必書懼勞民也但公廨以臨民學校以育士連以坊舖濟以津梁庇以壇壝爲之園地臺榭以舒其情琳宮梵宇以適其性有其舉之又奚敢廢志建置

周元王四年越築城於長干城江寧有城自此始

顯王三十七年楚子熊商滅越始置金陵邑於石頭

秦始皇三十七年東巡過丹陽用望氣者之言鑿鍾阜

斷長隴以泄王氣後人因名曰秦淮

漢獻帝建安十七年七月孫權徙治秣陵城楚金陵邑地號石頭

帝禪延熙三年吳使左臺侍御郄儉鑿運瀆引秦淮水北抵倉城通運於苑倉又自江口沿淮築堤謂之橫塘夾淮之柵自石頭迄東治謂之柵塘後二事年無考姑附于此

四年正月吳鑿青溪自城北塹洩元武湖水九曲西南入秦淮康僧會至建業始剏建初寺居之江南佛寺自此日盛

八年八月吳遣陳勳發屯兵三萬鑿句容中道至雲陽

西城以通吳會船艦又鑿破岡瀆立方山埭

十三年十一月遣軍十萬作棠邑涂塘以淹北道

景耀三年吳作浦里塘開丹陽湖田

晉武帝太康二年初築郡城以秦淮南爲秣陵北爲建

業

元帝大興三年創北湖築長堤以壅北山水東自覆舟

山西至宣城六里餘

成帝咸和元年朝議又作涂塘以遏寇

咸康二年更作朱雀門新立朱雀浮航南渡淮水亦名

朱雀橋

三年正月國子祭酒袁瓌大常馮懷以江左寢安請興學校帝從之立太學於丹陽城東南

哀帝興寧二年二月移陶官於淮水北以南岸地施僧慧力造瓦官寺

孝武帝太元十一年八月立宣尼廟於丹陽郡城

安帝義熙十年城東府

宋文帝元嘉十五年名處士雷次宗至建康開舘於雞籠山聚徒教授立四學

一十二年正月於臺城東西開萬春千秋二門

一十二年十月浚淮起湖熟廢田千餘頃

二十三年六月築北堤立元武湖

二十五年四月新作閶闔廣莫二門改先廣莫曰承明

開陽曰津陽

孝武帝大明六年四月新作大航門

齊高帝建元二年五月立建康都牆建康自晉以來外

城惟設竹籬而有六門至是改立都牆

梁武帝天監七年二月新作四門於越城南

九年正月新作緣淮塘北岸起石頭迄東冶南岸起後

渚籬門迄三橋

大同三年八月修長干寺阿育王塔

陳文帝天嘉五年九月城西城

六年九月新作大航

隋煬帝大業元年開邗溝自揚子達六合

六年置丹陽郡城

唐德宗建中四年浙江東西節度使韓滉聞朱泚亂築石頭城穿井近百所繕館第數十修塢壁起建業抵京峴樓堞相望以備帝渡江

吳楊溥乾貞四年八月廣金陵城周二十里

周世宗顯德六年六月唐主修治金陵城郭

宋真宗大中祥符四年五月詔葺江寧太平興國寺及

寳誌塔殿

天禧二年范仲淹開長蘆西河以避江險

徽宗崇寧元年十二月詔江南開遇明河自宣化江口

至泗州淮河口

宣和三年五月詔江寧守臣修府城壁

六年發運使盧宗原開靖安河八十里通於江以避黄

天蕩之險六合上元分治之

高宗紹興七年正月築宣化渡城四月命守臣增修楊

邦乂廟修濬建康城池

九年知府事葉夢得重修府學闢門南向以面秦淮又

作小學於大門之東

三十二年二月詔建康立統領姚興廟賜額旌忠十二

月修築建康府城

孝宗隆興元年立統領王珙廟於建康賜額忠節

乾道元年修築建康府城時青溪湮塞建康多水患命

汪澈指定以聞澈欲依異時河道通柵門入江從之

三年十二月增修六合城安撫胡昉奏興瓦梁堰入和

州以不便六合遂已

四年七月移放生池於青溪

五年知府事史正志重修鎮淮飲虹二橋上爲大屋數

十楹

淳熙三年劉珙立程明道祠十月詔開六合新河

光宗紹熙二年正月修六合城

寧宗嘉泰四年十一月修六合城

開禧三年正月葉適度沿江地創三大堡石跋則屏蔽

釆石定山則屏蔽靖安瓜步則屏蔽東陽下蜀西護

溧陽東連儀眞緩急應援首尾聯絡東西三百里南

北三四十里

嘉定四年增置養濟院二所養貧民以五百人爲額

五年建治城樓忠孝堂於卞壺墓側復作晉元帝廟并

祀其臣王導而下三十六人
八年七月開東門外新河
九年九月轉運使眞德秀創漕司貢院於青溪之西
十年知府事李珏浚珍珠河
十五年知府事余嶸請於朝建平止倉於廣濟倉左秋冬糴米貯之春夏乃糶取價平則止之義
理宗端平三年十二月知府事陳韡立義塚於覆舟山
寶祐五年重建府治
度宗咸淳元年初建郭門又創靜菴於青溪上及平糴倉助糴庫

二年創制司倉於廣儲倉左
三年重建貢院於青溪南
四年十二月詔建南軒書院於古長干里祠張拭
元成宗大德五年十一月開後湖河道
順帝至元四年浚臺治後溝故道東接青溪西通柵寨
至清涼寺下會秦淮河
五年設常平倉於舊廣儲倉所上元挑浚龍光河自算
子橋經石頭城下至馬鞍山
至正二年監察御史許儒扑建言重建卞忠貞公祠
三年十二月浚後湖并陰山河道後湖上至鍾山鄉珍

珠橋下接金陵龍灣大江通一十七里陰山則上至官莊鋪下至毛公渡中分新舊兩河

二十一年二月築溧陽州城

二十六年八月明太祖拓金陵城命劉基卜新宫于鍾山陽在舊城東白下門外二里許增築新城東北盡山址延亘五十餘里據山川之勝

明太祖洪武二年正月乙巳立功臣廟於雞籠山是年令府縣立學

四年築浦子口城

六年正月置上元縣巡檢司

七年十二月鑿石灰山河

八年命諸縣立社學

九年二月設棠邑驛

十四年十月以國學爲府學上元江寧二學省入

十九年十二月造通濟聚寶三山洪武等門新築後湖城并廊房街道

二十年十月徙建歷代忠臣漢蔣子文晉卞壺南唐劉仁贍宋曹彬元福壽等廟于雞鳴山之陽

二十五年九月鑿溧陽銀墅東壩河

二十六年八月命崇山侯李新往溧水縣督視有司開

臙脂河

二十七年正月建漢壽亭侯關羽廟於雞鳴山之陽二月置溧水稅課局批驗鹽引所東壩廵檢司八月新建京都酒樓成時以海內太平思欲與民偕樂乃命工部作十樓于江東門之外令民設酒肆其間以接四方賓旅其樓有醉仙重譯等名既而又增作五樓至是皆成

三十年八月命工部建牧馬草場於六合

成祖永樂元年四月設溧水廣通鎮閘初溧水民言溧陽溧水田地窪下數罹水患乞於廣通鎮置閘以備

豬泄命工部遣人視之還言二縣水由固城湖上納寧國廣德諸水每遇霖潦即注縣境且臙脂河與石臼湖諸水不入大江而奔注蘇松皆被其患宜於臙脂山廣通鎮及固城湖口二處築閘壩爲便從之

三年三月浚溧陽臙脂河五月修蔣子文廟

憲宗成化二十三年設雲亭驛

世宗嘉靖五年十二月高淳始築城

三十三年句容始築磚城

三十六年溧水築石城

神宗萬曆元年江浦始築土城

四年詔建表忠祠于冶城之東

二十六年改造文德石橋

四十年府尹姚思仁重修都城隍廟

四十四年南工部尚書丁賓濬秦淮河

國朝

世祖章皇帝順治三年知府李正茂重修上方橋

順治三年十二月知府李正茂造利涉橋于桃葉渡

順治四年重修都城隍廟知府李正茂撥給香火田四

十一畝六分

順治六年始造滿城

順治八年十一月國子監　題改江寧府學
順治十七年正月郡人沈豹重造報恩寺大殿
順治十七年二月重造滿城起太平門東至通濟門東
　止長九百三十丈連女墻高二丈五尺五寸
今
上皇帝康熙四年十月知府陳開虞倡修中和橋
康熙四年知府陳開虞重修都城隍廟
康熙五年知府陳開虞倡修鎮淮橋六年重修府學
康熙六年知府陳開虞推官謝銓修程明道書院
康熙十八年知府陳龍巖重修塞洪橋
康熙十九年知府陳龍巖重修石城橋

康熙二十年知府陳龍巖起建北極閣於雞鳴山又重
　修府學兩廡墻垣
康熙二十二年都院馬世濟重修扶風書院
康熙二十二年二月總制于成龍重修天妃宮五月知
　府于成龍鑿府學泮池七月重修府前城隍廟
康熙二十三年十一月初一日
皇上駕幸江寧由大教塲入在省文武各官及紳衿等
　俱於此處迎接隨進大報恩寺登九級浮圖
御書正殿扁曰不二法門又
賜揄扁　一級曰一乘慧業　二級曰二儀有象　三

級曰三空勝地　四級曰四海無波　五級曰五律精嚴　六級曰六通眞諦　七級曰七寶蓮花　八級曰八表同風　九級曰九有弘觀是日卽從聚寶門入城都人士夾道擁觀不下億萬云

十一月初二日

皇上親祀明太祖陵行諭祭禮隨奉

俞旨重修洪武孝陵而勝國寢廟燦然改觀矣午後進

太平門登北極閣後亭瞻眺形勝

賜曠觀二字遂重建八角亭更葢正殿三間而移北極

閣於左正輿報恩寺搶遥對葢取水火相濟之義云

康熙二十四年總督王新命因

皇上東巡建萬歲碑亭於鼓樓上初議立亭於下紳衿

羅秉倫倪燦朱之翰陳言陸大寧薛邦錫丁灝公呈

皇上功德隆盛千載一時且臣子尊

君如天宜建亭於上遂從衆議鼎建而萬姓具瞻在焉

城郭

江寧之有城郭始於越范蠡築城於長干楚置金陵邑於石頭漢乃有丹陽郡城在淮水之南孫吳東晉宋齊梁陳爲郡置宮城於淮水之北而郡城猶是也隋置蔣州城於石頭唐上元縣城因之後置昇州即其

城楊吳始跨秦淮大建城郭宋元仍其舊明開拓而建今制焉上元江寧二縣在郡城内

本朝因之

六朝舊城近北去秦淮五里至楊吳時改築跨秦淮南北周迴二十里近南聚寶山明定都金陵大建城闕城之城惟南門大西水西三門因舊更名聚寶石城三山自舊東門處截濠爲城開拓八里增建南門二曰通濟曰正陽自正陽而北建東門一曰朝陽自鍾山之麓圍遶而西抵覆舟山建北門一曰太平又西據覆舟雞鳴山緣湖水以北至直瀆山而西八里

建北門二曰神策金川西北括獅子山於內雉堞東西相向建門二曰鍾阜儀鳳今鍾阜閉自儀鳳迤邐而南建定淮清凉以接舊西門今俱閉

本朝順治十六年改神策爲得勝以旌功城四至周九十六里

外郭門

西北據山帶江東南阻山控野闢十有六門東南北六曰姚坊仙鶴麒麟滄波高橋上方西南六曰夾岡雙橋鳳臺馴象大安德小安德西一曰江東北三曰佛寧上元觀音周一百八十里西又有柵欄門二一在

儀鳳門西一在江東門北共十八門今多圯

附顧文莊五城攷曰五城東晉所築今有五城渡是後讀前志知唐韓滉又築石頭五城自京口至土山修塢壁起建業抵京峴是有二五城矣因悉考金陵前代城郭一古越城一名范蠡城蠡所築在長干里俗呼爲越臺一楚金陵邑城楚威王置在石頭清涼寺吳石頭城大帝因舊城修理也吳丹陽郡城晉加築在長樂橋東一里今桐樹灣處六朝古都城吳大帝所築周迴二十里在淮水北五里晉過江不改其舊宋齊梁陳因之臺城一名苑城本吳後苑城晉咸帝咸和中新宮成名建康宮卽臺城也在青溪西東府城晉安帝義熙十年冬城東府在青溪東南臨淮水西州城卽古揚州城晉永嘉中置西則冶城東則運瀆在今下街口西冶城卽今朝天宮瑯琊城在江乘南岸金陵鄉金城吳築後主寶鼎元年置亦在上元金陵鄉秣陵城在小長干巷內建業城淮水北吳冶城東蔣州城隋置於石城檀城在清風鄉謝元別墅宋屬檀道濟故名白下城在江乘之白石壘靖安鎭唐罷金陵縣築此城因名貞觀七年廢東宮城宋

元嘉中修永安宮爲東宮城在臺城東門外金陵府城隋大業六年置湖熟城古縣名宋元嘉中徙越城流入于此在今湖熟鎮白馬城在江寧縣三十里梁同夏縣城在上元縣長樂鄉臨沂城晉僑置今在上元城之白常村懷德縣城晉置後改曰費縣在古宮城西北耆闍寺西今鼓樓之西是其地

句容

縣城吳赤烏二年築子城周三百九十丈唐天祐八年縣令邵全邁修築有東西南北白羊上羊六門宋淳祐六年張渠重築後廢明景泰間浦洪劉義建門樓弘治三年王僖砌以石嘉靖三十三年樊垣始築磚城周七里有五門萬曆三年移建南門於舊門之左

本朝仍舊

溧陽

縣城在燕山之北五里許南唐昇元二年築土城周四里餘河貫城中濠深五尺濶十倍之宋建炎中西拓青安草市加廣二里建陸門五水門二元因爲州城明初命將士築之仍南唐舊址而界草市青安於外越七年又命部使郭景祥加築之周九百丈有奇濬濠深丈餘四門外復築瓮城改名曰東平西成南安北固學士宋濂爲之記弘治元年符觀以南城逼泮宮增修河堧以廣之嘉靖中增修堡屋女墻月城等開躍龍壩于學宫左而閉下水關

本朝仍舊

溧水

縣城隋始築城周五里有奇宋紹定中知縣史彌鞏修之明初鄧鑑更築周七百餘丈有六門洪武間郭雲重建正德中陳銘甃以磚尋毀陳憲因址築土城嘉靖初王從善展東隅砌石橋以瀉水十年水敗東南隅張問行修十七年水復潰三十六年曾震造石城

本朝因之

高淳

縣城在淳溪河上明嘉靖五年劉啓東築土城東北因

岡阜西南藉淳溪爲濠甃七門

本朝仍舊制

江浦

明洪武四年八月始築浦子口城設應天衛於城內九年始析六合孝義鄉和州遵教褒德任豐白馬四鄉滁州豐城鄉置江浦縣屬應天府治浦子口城內後遷治曠口山萬曆元年始築土墻六百九十餘丈下甃以石三年增築重垣八年春知縣余乾貞築城秋九月城成

本朝仍舊

六合

縣城漢爲棠邑縣始築城至南北朝築秦郡城葢跨河爲一宋紹興二年步帥閻仲請就舊濠築城在河北有四門龍興初郭振城北又築一城二城俱砌以磚又數年築河南土城乾道紹熙嘉泰相繼修之元仍故明初城廢成化十年唐詔剏門四後毎隅增一門嘉靖三十四年鑿濠治北三十九年築堡圍縣署崇禎九年六月流賊破六合中書舍人孫國敉上城六合議蘇州巡撫張國維按院陳起龍疏請於朝以蘇松四府節省銀四萬餘兩幷義助建城河北知縣仲

闡鄗董其事皆義民分丈領造凡四閱月告成周城計一千三百二十三丈二尺高二丈五尺北二門東二門西一門南一門南街一帶皆商賈水陸出入處又開便易小門七門

本朝因之

府治

府治明初自集慶路徙古大軍庫西錦繡坊地在內橋西南其制大門之內爲儀門儀門內爲蒞事堂東爲廣積庫左右設經歷司照磨所翼以吏胥諸房科後爲忠愛堂堂西爲冊庫爲待考官房後爲俸給倉官

廨列於堂北西爲廳幕廨東西並達儀門知府宅有雅亭祭酒

程文德記云凡稱名園者必泉石之瑰奇也亭榭之侈麗也花木之珍異也又恒在都會焉是故遊者衆而園日有名應天京兆尹公署之後有亭一區面方池環蔬畦而已其諸泉石花木無一焉况瑰奇侈麗乎松溪程子謙于斯顧而喜曰園亭之靡麗者衆矣若斯亭者不亦雅乎夫雅之時義大矣夫雅也者正也常也惟正斯可常也道本正而已矣常而已矣政者正也政有小大故詩有小雅焉有大雅焉正斯可常故孔子以詩書執禮爲雅言是故由夫正也在詩爲雅歌焉在音爲雅樂焉在行爲雅德焉在名物有爾雅焉在詞章爲文雅焉先王之道斯爲美不可廢也其反是不可繼也故曰正斯可常也斯亭也其正而可常乎哉彼其瑰奇者侈麗而珍異者遊乎其中或有靡心焉固已詭於正矣矧物不可常勝也而隳圯傾剝必將繼之異時虺蜴狐兎之交灌莽荆棘之翳孰與斯亭之泊然而常存乎是故大雅亡而天下無善俗君子有餘慨矣抑或猶有相也夫菽粟布帛民之雅也節用愛人政之雅也政先於雅斯民安於

雅矣民安於雅斯吾可以止於雅矣此敬事後食之義也此先憂後樂之心也而居之無倦而綏之思成而惇大以用晦必將於斯乎有契焉則斯亭也豈直燕遊之地乎可以養性情焉可以比物我焉天下皆斯亭而大雅興矣

公衙門在滿城內

總督部院衙門在府治東北沐府東門

將軍府在滿城內

織造府在督院前

總兵府在四條巷大街

安徽布政司衙門在府治南舊大功坊內

江蘇布政司衙門在本司左今移置蘇州

按察司衙門在府治東淮清橋大街

戸部西新關衙門一設于三山門外橋西榷稅一設于花牌樓管倉康熙十年裁今復

督糧道衙門俱在府治南舊大功坊内

驛傳道衙門在府治西板巷口　龍江關衙門在上河

督學道衙門在府治南武定橋旁

都使司衙門在府治南聚寶門大街

三司公舘在府治南舊大功坊内

公衙門理事廳在府治東中正街

管糧廳在府治東淮清橋

北捕廳在府治北門橋今移置蘆政衙門

按察司司獄司在府治東北

本府司獄司在府治前　都稅司在大中橋西南　常平倉在斗門橋南　江東宣課司在江東門外　聚寶門宣課司在聚寶橋西南　龍江宣課司在龍江關內　朝陽門分司在上方橋西歸併江東巡檢司在新江關外　秣陵鎮巡檢司在上元東南四十里通溧水高淳　江淮巡檢司在江浦縣江淮關　龍江關在龍江宣課司旁　江東馬驛在新江關內出中新河渡江達江浦　龍江水馬驛在金川門外十五里大江邊南北要津　批驗茶引所在都稅司東

龍江裏外河泊所在儀鳳門外　陰陽學在府治西

醫學在陰陽學南

上元

縣治在府治東北昇平橋西唐始置於永壽宮光啓中徙鳳臺山下宋徙白下橋建炎間始遷今所明仍舊正廳左爲典史廳東西列房科後爲牧愛堂北折而西爲官廨東西達于儀門儀門之外爲大門旌善申明二亭在門左右今廢各縣規制畧同正德中姜德政修國子祭酒陳敬宗爲之記　淳化鎮巡檢司在縣東四十五里

公舘在淳化鎮

預備倉在馴象門塞洪橋北　水次倉在觀音門近大江　養濟院舊在通江橋柳林中明洪武間建後毀爲民居所侵今煢獨時給衣糧而無棲止所　急遞鋪在縣前東達句容曰城東曰磨石曰麒麟曰洛家曰張橋東南曰高橋曰淳化鎮曰索墅曰土橋西南曰府前總鋪曰三山濵大江曰江東

長安街在大中橋東　大通街在大中橋東南接通濟門北通竹橋横亘長安舊四面立綽楔曰四牌樓今廢　里仁街在大中橋西宋程明道張南軒書院故基

存義街在里仁街西宋上元縣學故基　時雍街在存義街西即縣舊治處

中正街在和寧街西　廣藝街在縣西舊名細柳坊一名武勝坊縣志以細柳坊爲非是　務公街在善政坊西舊名清溪坊　致和街在務公街西舊清平橋街　大市街在縣治西故天界寺門外舊名來道街　大中街在針工坊北舊狀元坊　習藝東街在習藝西街東　習藝西街在皮作坊東舊土街　洪武街在北門橋東明初開拓北城始闢此路因名成賢街在國學前　太平街在太平門南舊有御賜廊　三山街大

中街西南直抵三山門與江寧界　古御街內橋南直抵聚寶門亦界江寧南唐時街前臺省相列東西有錦繡坊今府治前街即西錦繡坊也北新街元津街西　十三丈街習藝街西北評事街南通三山街北抵笪橋圖志名皮作坊奇望街一名針工坊東接狀元境

裕民坊在太平門北街舊眞武街　建安坊在鼎新橋北俗呼下街　善政坊在大中橋西舊名九曲全節坊在朝天宮西舊名忠孝坊晉卞壼死節處英靈坊在十廟西　大功坊東抵秦淮西通古御街今廢善和坊在武定橋東

淳化鎮在鳳城鄉宋淳化年置故名東達句容至丹陽常州　石步鎮在長寧鄉古爲羅落橋鎮劉裕斬陳霸先會徐度等郎此　土橋鎮在丹陽鄉與句容界　靖安鎮皇甫敷在金陵鄉龍灣一名靖安岳忠武於此敗敵人宋汪藻詩橋竿歷歷表中流暝宿河堤古驛頭天遣山川渾着月人將榆栁共驚秋張羽龍灣詩高天無烈風江水日夜清馳波渺東注廻流抱神京至哉鍾水德乃以龍爲名舟檣萬方合雄麗殊百城昔云天塹險今作衣帶縈山川跡不改人理有代更下馬入官船茲焉始孤征祀事有常期中心念王程俯視萬仞淵不啻溝澮平涉川古所戒事重軀命輕　湖熟鎮在丹陽鄉

烏蠻橋在大通街　栢川橋烏蠻橋西北皇甫汸過栢川橋舊寓詩客舍依然禁禦西女墻淮月古青溪春風爲笑堂前燕門外何曾識馬蹄以上跨舊御河　大中

橋舊名白下一名長春南唐東門橋也徐渭十六夜踏燈飲大中橋西樓詩樹枝畫月千條絃十五不圓十六圓挂向酒樓簷外邊南市好燈值底錢大中橋上遊人坐不飲空教今夜過紅脂在口香在樓那能一箇到壚頭青衫白馬無聊甚望斷黃金小鈿鞦復成橋大中橋北　元津橋復成橋北西華門之前　通賢橋成賢街前　北門橋通賢街西當南唐之北門宋名武勝以上俱跨古城濠　珍珠橋北門橋東跨古珍珠河淮清橋大中橋西以接秦淮青溪二水故名舊名東水閘　竹橋元津橋北通舊內　清平橋內橋東以上跨青溪　鎮淮橋聚寶門內即古朱雀航吳名元津　武定橋織錦三坊內舊名嘉瑞　通濟橋通濟門外

中和橋通濟橋東南　上方橋中和橋東南以上跨秦淮

正陽橋正陽門外跨都城濠　斗門橋三山門內即古禪靈

寺橋秦淮合運瀆處　南北乾道二橋斗門橋北

鼎新橋乾道橋西北舊名小新宋馬光祖重建　笪

橋評事街北舊名欽化宋改名太平宋楊萬里過笪橋詩春風欲動

没人知早被垂楊報酒旗行到笪橋中半處鍾山飛入轎窻籬

閃駕宋景定間重建　崇道橋鼎新橋西近全節坊　景定橋笪橋東舊名

武衛橋朝天宮西即古西州橋以上跨運瀆　內橋縣治

西宋行宮前舊名天津橋運瀆合青溪處　昇平橋

內橋東宋名東虹　大市橋內橋西宋名西虹以上跨護

龍河獅子橋鼓樓北與獅子山相望故名　彭城橋在彭城山　石步橋在長寧鄉古名羅落橋　回龍橋定淮門內　高橋通濟門外康熙七年重造太守銅陳開虞題爲東觀橋　橋上方橋東　滄波橋滄波門外　秦淮橋上淮關北　金川橋金川門內　亭子橋清風鄉徐鉉記建高亭於路周跨重橋於川上即此　韓橋觀音門外

江寧

縣治在府治南銀作坊即宋東南佳麗樓故址晉臨江寧浦唐武德徙白下村貞觀再徙傍冶城宋移城西北有尉司在古越臺前元即司改建縣治明洪武初

徙建于此其制大都與上元同永樂中災宣德五年陳孜重建正統七年周原慶修成化間劉偕新之正德十六年重修

大勝驛在西南三十里大城港口　江寧驛在江寧鎮古驛址達采石至太平　唐錢起詩花院日扶疏江雲自卷舒主人熊軾任歸客雉門車曙月稀星裏春烟紫禁餘行看石頭戍記得是南徐

存留倉在安德門外臨河　預備倉在塞洪橋南

養濟院在聚寶門外正統中府尹李敏行縣修葺後漸傾圮嘉靖四十三年重修　義阡在鳳臺門外三塔庵側宋嘉定八年轉運副使眞德秀置兩阡於南

門外成化十年鎮撫王瑛增置今所

公館在板橋

急遞舖南曰菜園分句容溧水二路曰河定橋曰殷巷曰元武曰秣陵曰茅亭曰烏刹西南曰七里店曰五里牌曰鍾家堽曰馬塘山曰木龍亭曰葛家堽達當塗

草鞋街自斗門橋東向抵顏料坊　馬道街鎮淮橋東南　周處街善和坊南　沙河街秦淮南即古永安坊　保寧街在飲虹橋東南　磨盤街在飲馬巷西　聚寶街在聚寶門外即古長干里金陵新志長干是秣陵縣

東里巷名又有大長干小長干東長干並是地名不獨聚寶門外爲長干里也周天球長干曲內橋南走是長干十里平鋪白玉寒踏盡馬蹄塵不動半窗明月此中看于慎行長干詩白門過市裏傳是古長干陌柳藏鴉曙秋潮帶雨寒橫塘歸客斷子夜舊歌闌別是繁華地休將六代看

中街南街北街並在三山門外

馴象街在來賓橋西又名宰相街相傳明初平章王溥居此今經廠是其宅

鞍轡坊在雜役三坊北

銀作坊在鞍轡坊北舊金陵坊

鐵作坊弓匠坊東舊小木頭街

弓匠坊鐵作坊西

氈匠坊弓匠坊西舊水道巷

銅作坊與顏料坊接古東市

顏料坊氈匠坊東

箭匠坊鐵作坊東

江寧鎮縣西南六十里　金陵鎮南六十里本陶吳舖宋改爲鎮元設稅務於此　秣陵鎮東南五十里元設稅務今置巡檢司　大城港鎮西南沙洲鄉鎮通大江爲要地有大勝關及水馬驛

新橋在雜役一坊本名萬歲又改飲虹新橋乃吳時名今呼爲新襲其舊也宋史正志重建　文德橋舊木橋萬曆中郡人錢弘業倡首易以石　上浮橋新橋西正德間重修　下浮橋上浮西北康熙丁未年重修以上跨秦淮　聚寶橋聚寶門外古長干橋康熙甲辰重修　塞洪橋馴象門外康熙甲辰年重修　三

山橋三山門外康熙丁未年重修　石城橋石城門外　通江橋金川門外康熙丁未年重修　江東橋江東門外以上跨楊吳城濠　重驛橋長干橋東卽古烏衣巷口謂朱雀橋者非是　澗子橋長干橋西南　來賓橋在澗子橋南以近來賓樓故名　善世橋來賓橋西　就灣橋在安德街善世橋西以上跨躍馬澗并跨城濠　板橋城西南三十里吳張悌沈瑩等屯兵於此以拒晉師李白詩天上何所有迢迢白玉繩低斜建章闕耿耿對金陵漢水舊如練霜江夜清澄長川瀉落月洲渚曉寒凝獨酌板橋浦古人誰可徵元暉難再得灑酒氣塡膺曹學佺板橋詩兩岸人家傍柳條謝郎遺跡自蕭蕭曾爲一夜青山客未得無情過板橋　新林橋城西南十五里卽梁

武帝敗齊師處　白板橋縣南梁武次江寧呂僧珍與王茂進軍守白板橋即此　牧馬橋在東南南朝牧地有浦水　烏刹橋東南界溧名一名烏鴉橋　杜橋城東南三十里　善橋城西南十八里　令橋烏鴉橋西北臨令水　秣陵橋縣南五十里　江寧橋縣南六十里臨江寧浦　到駕橋夾岡門外洪武初明高帝駐畢於此因名

句容

縣治在城北唐天祐六年令邵全邁建宋葉表王通吳淇張榘相繼修之咸淳六年王彥清爲民清堂趙子寅爲之記元田郁趙靖更建後毀明洪武二年黃守

正因舊基重建陳俊德浦洪周仕重修

稅課局在三思橋東洪武二十五年建弘治四年徙建東門內　龍潭巡檢司在龍潭鎮正統十三年改建舊址之西　雲亭驛與預備倉對舊在治西後革成化二十三年奏復　龍潭水馬驛盤龍山北成化十一年自龍潭鎮徙今處　陰陽學京兆館東　醫學館西　僧會司　道會司

縣倉在治明清堂西　預備倉在西門一里正統十年建　東西南北四倉在茅山瑯琊上容移風四鄉洪武二十五年建　歲積倉龍潭鎮正統二年建萬

曆三年增糧長官房　社倉共一十七處隆慶三年立　官鹽倉近江河口　惠民局察院西　養濟院在西南隅　漏澤園東西南北坊郭五十六鄉各一所

巡撫都察院在縣治東

提學道衙門在縣治東北今改學院公署

察院在治西萬曆初建

府舘在治西弘治初即句曲書院建

白埠公舘白土鎮西丹陽句容中路

急遞鋪總鋪北曰澗西曰鮑亭西北曰東陽北曰龍

潭曰鳳壇曰廟林曰仁信曰坎壇東曰上蘭曰謝培
西曰土橋南曰時清曰南寧
常寧鎮在東南四十里天禧初以鎮置寨有巡司稅
務今廢　下蜀鎮北六十里仁信鄉唐劉展襲東陽下蜀即此東陽
鎮西北六十里瑯琊鄉宋葉適創瓜步堡屏蔽東陽
下蜀郡國志改秣陵爲東陽郡因名土橋鎮西二十里與上元界
集仙橋在縣東南一里許　赭渚橋東一里　白鶴
橋東南三里　西溝橋南四十里劉巷村宋乾道四
年建　永安橋南七里下小港歸秦淮　降真橋茅
山王晨觀西　歸善橋南一里昔有兵殺人至此見義姑不忍殺因名

懸纛橋西十五里周瑜嘗駐軍於此一名沿路　周郎橋西二十里亦以瑜名　八字橋在治北路分兩岐　官橋城隍廟街其渠合流坊市水　句曲橋近崇明寺　沈公橋南二十五里以慶之名

溧水

縣治在城西北隅秦置溧水之北漢在溧水固城唐徙西北舊縣村天復三年徙今治宋紹興知縣事施佑重建乾道喻安中爲無倦堂程迥記桐廬喻君安中宰溧陽扁其廳事曰無倦闇其說曰易曰天行健君子以自強不息夫天之度三百六十有五奇四分度之一日行一度故旼歲而周天月行十三度畸故旼朔而周天惟天也一日之行巳周乎日月之度以歲月致者可謂健矣然四

時以之行百物以之生千歲之日至皆可預期何則
天之運不息也歐陽文忠公對客多談吏事曰文學
止於潤身政事可以及物蘇東坡亦以吏能自
任且謂學於歐陽公夫後生覩二公爲何如也　元爲
州爲府爲路治更不一　明吳元年王琳仍建州治洪
武二年改縣顧思邈修之天順初燬李溥重建

陰陽學　醫學俱在治東　僧會司　道會司

存留倉在西北　水次倉在東南　義積倉治南

養濟院東隅　惠民藥局養濟院左　漏澤園西門
外弘治八年符觀又立義阡於南門外

都察院在縣治北

察院都察院右

府館在縣治東

陶庄公館縣北丫髻山東乃溧陽句容通道

急遞鋪總鋪西曰十里曰小山西北曰中橋曰六里曰黃連曰牌岡南曰長巷曰殷家曰曇圓

舉善鎮在縣南三十里元設稅務　杜渚鎮西南六十里宋初有稅額　高友埠南二十五里　週城埠西南四十五里宋末民結寨築城以守週圍濠迹尚存一作周城　上興埠西北六十里舊有巡檢司今革　黃連埠西北六十里

上沛埠西六十三里

春雨橋縣治東舊曰春市嘉定間知縣陸子遹重建

時旱得雨因名　上水關橋治北弘治間符觀重建橋上舊有清暉堂後廢　下水關橋治東南舊有挹秀堂廢嘉靖間改徙學左名躍龍關　硯瀆橋治東北通謝公滸　東平橋東門外　秦公橋東南一里近秦梓第俗名下橋　南安橋南門外　西成橋西門外　鳳凰橋縣西北　北固橋北門外　仙人橋南十里（戚志云西北有釣魚臺仙人跡）盤白橋西南四十二里（有大橋西地百畝世傳爲盤白觀基）泓口橋西北三里　鹽港橋九里水通古瀆　袁溪橋十四里水通泓口　官圩橋二十里李家渡橋三十里俱水通前馬　嘉定橋四十里

凌跨中江又名中江橋　烏金橋北五十五里石出烏金　檀石橋六十里前有蟠龍堰　藏舟橋存留倉西官船出入處

溧水

縣治在城内淮水北唐永和撤縣立城隍廟移縣西數十武宋仍舊元陞爲州明洪武元年顧登創今所二年復爲縣郭雲建

稅課局在縣治北　陰陽學　醫學俱治東南　僧會司　道會司

存留倉在表孝坊北　預備倉縣東南　新倉舊名

永豐在水陽鎮隆慶初徙縣西南二十里梅家渡

先斯倉俸給倉右　養濟院小西門内即河泊所故

址　漏澤園東門外　義阡三所東門南門大西門

外

察院二一在通濟街北洪武間建成化中甯賢移置今

所一在望京街嘉靖間包桐建

府館通濟街北景泰間建

急遞鋪總鋪西北曰勝水曰烏山曰柘塘東曰尚書

曰菱塘曰段家曰楊塘南曰廟塘曰石堆曰三角曰

孔鎮曰土山曰毛公西曰塘西曰埭東東北曰新安

曰上店
官塘鎮縣東二十五里白鹿鄉　蒲塘鎮南二十五里贊賢鄉　孔家鎮西南四十五里仙壇鄉　蒲干鎮北三十里歸政鄉
通濟橋縣大北門外今名東橋　南門橋宋皇祐重建　巫家橋俱南門外　望京橋西北　秦淮橋小西門外其下即秦淮水　利涉橋北三里　天生橋西十里洪武二十五年崇山侯李新焚石鑿之　段亭橋東六里　獨山橋十里　五里牌橋南五里
尚義橋二十五里舊名蒲塘　土山橋五十里　神

靖橋東南四十三里舊名神龍宋知縣李朝正易今名

高淳

縣治在鎭山明弘治五年始即鎭爲縣宋澄建嘉靖四年劉啓東修

廣通鎭巡檢司在治東南六十里洪武間建　陰陽學　醫學俱在治左

預備倉在治東南弘治中建嘉靖四年劉啓東復修

常豐倉舊名永豐嘉靖初重建在水陽去縣三十里萬曆元年遷治西　養濟院在治左嘉靖間增建

察院

府館俱在治西正義街

廣通鎮公館在巡檢司南嘉靖初修

急遞鋪總鋪東曰南塘曰䔲眞曰舊鎮曰遊山曰湯

師曰松兒南曰永豐曰永寧曰駝頭

廣通鎮在東南五十里洪武三十年建設石閘永樂

初去閘改築土壩設官吏溧陽溧水各僉夫四十名

守之欽降板榜禁走泄水利淹没蘇松田禾今壩官

及溧陽夫俱革

集賢橋學門右正德十二年重建　育英橋學門右

嘉靖五年重建　興仁橋　東新橋俱在東　正義橋　西新橋俱在西　永濟橋治西嘉靖劉啓東建名浮橋隆慶五年重建更今名　仙人橋南十五里　諸家橋東二十里　張沛橋三十五里　漆橋東南三十里嘉靖二十三年重建　大葑橋東北十里　水逼橋南三十里近宣城界　驛橋廣通鎮下壩

江浦

縣治在曠口山之陽明洪武九年創置於浦子口城二十四年移今治仍存仁建景泰中羅修

稅課局在北門外後革隸於縣今復設　江淮驛治

南二里　陰陽學　醫學俱治東　僧會司　道會司
俸給倉　存畱倉　預備倉　社倉上四倉俱治東北一里　養濟院治東一里
察院二一在治東三里一在治西二里
府館縣東
西門館浦子口城萬峯門外
東葛館西北三十五里卽舊東葛驛址
急遞鋪總鋪達六合曰浦子口達和州曰瓦廟曰高望曰蛇冲曰橫路曰號岡達滁州曰石山曰黃巖曰

東葛城曰西葛

烏江鎮在西南七十里遵教鄉本秦烏江亭晉始置縣南北朝改郡隋復縣宋紹興中廢爲鎮　香泉鎮西三十里任豐鄉近湯泉　高望鎮西南二十里

淳化橋在治西一里洪武初開新路甃石建正統間重修　騰蛟橋　起鳳橋二橋學左右　育英橋青雲樓下　阜安橋西街口　石磧橋南三十五里　茅塘橋北三十里洪武三年建　横橋四十里洪武十三年建通浦子口驛路　沙河橋浦子口城滄波門外　通江橋萬峯門外

六合

縣治在滁河北岸舊爲郡治河南有御書鼓角二樓宋紹興三十一年燬寓城北尋復故址嘉定七年知縣劉昌詩重建明洪武元年胡有源遷今治林至萬廷瑆李楚周薇修之

稅課局舊在東南正統間革景泰三年奏復建治西南　瓜埠巡檢司瓜埠山下初去河半里許後徙今處　棠邑驛縣治東　瓜埠三汊河泊所在治東一里　陰陽學　醫學俱治前　僧會司　道會司

縣倉在稅課局西正德八年萬廷瑆建嘉靖三十九

年移建旌善亭後　預備倉有東西南北四倉洪武二十三年建今廢嘉靖三十九年併縣倉　養濟院洪武八年建于縣西後廢成化初唐詔重建治東北　漏澤園宋紹興二年置於東門外今四門俱有義阡

察院在治東北洪武十一年李仲美建

府館在察院東弘治中建

急遞鋪總鋪東曰馬橋曰堠子南曰林家曰梁塘江浦適中處曰駱家西曰程家橋

宣化鎮在六合山東濱宣化江宋有巡司稅務紹興十一

年張俊敗績走此唐韓翃詩江聲六合暮楚色萬家春白苧歌西曲黄苞寄北人長蘆鎮南二十五里濱長蘆江今名水家灣宋設沿江巡檢司監稅渡今廢唐李白詩維舟至長蘆目送烟雲高搖扇對酒樓把袂持蟹螯仙尉趙家玉英風凌四豪前塗倘相思登嶽一長謡宋梅堯臣詩帶月出寒浦殘星浸水濆帆開風色正舟急浪花分霧氣橫江白鷄聲隔岸聞天晴建業近鐘岫起孤雲張以寧長蘆渡江往金陵詩春日三竿上翠屏曉風五兩下寒汀水兼天去無邊白山過江來不斷青沙嘴潮廻平鴈跡海門雨至帶龍腥昇平不復後庭曲睡起漁歌爛熳聽

瓜步鎮在瓜步山下宋劉長卿詩瓜步寒潮送客楊柳暮雨沾衣故山南望何處秋草連天獨歸宋蘇軾詩吳塞蒹葭空碧海隋宫楊柳只金堤春風自恨無情水吹得東流竟日西

竹鎮治西北五十里宋設巡司稅務今爲市

龍津橋治南滁河上舊壘石爲十八僲後黄巢犯境

燬之僅置渡往來宋紹興知縣龔相重建尋廢洪武元年胡有源置船濟渡永樂元年胡銘惠仍造浮橋成化五年唐詔修嘉靖二十三年重建　冶浦橋治東跨冶浦河唐天寶十二年築以土紹興二十九年孫永復建嘉定十年劉昌詩永樂二年胡銘惠更建木橋宣德中史思古始壘石爲礄覆以屋十八楹崇禎丁丑寇破六合將窺眞州維揚邑人焚其橋以斷渡邑士厲振嶽倡首再建木橋尋燬

國朝康熙五年知縣顧高嘉改造石橋易名和濤　顧高嘉新

建和濤橋碑記邑之東冶浦橋者乃四達之衢而師行之要道也向來以木爲梁因循既久歲必傾圮修

葺爲繁弖承乏茲土耿耿於衷擬欲改木爲石以利永遠會咨紳士鄉耆僉曰可闡之驛憲羅公蒙首發俸金助子鳩工役申本道劉公本府陳公俱奉俞允弖遂徧勸樂善諸君子任其喜捨共作慈航而誓禁泒索今且告成矣是工也始於康熙四年十月而成於五年九月所費僅一千二百餘金可歷數百千年而不敝更名清和仰見我

大清御極布中和之政而庶民子來不日成之之義云爾

追人橋來春門外宋太祖兵禦南唐至此故名

嘉會橋　仁和橋俱在治東　鍾秀橋治西以上跨城河

永定橋宋建洪武中重建　蘆門橋　青竹橋宋建

八伯橋唐開元五年建以上跨浦支流　馬家橋治東十里　善家橋在瓜步與儀眞分岐處　瓜埠石橋善家西北下入匠入河　成家橋西二十五里　楊都

橋西北十五里　茅家橋南二十五里通陳里港

三山書院在水西門外永寧庵側江南糧儲道斐菴章公欽文清漕裕餉惠政旁洽建立書院公餘萃士講學於此公順天宛平籍富陽人陞江西臬憲今現任江蘇布政使司

丹湖書舍在高淳縣治西三十里邑庠生劉錫慶創建堂室弘廠上有來青閣邑之諸士咸會文於斯公置書舍田四十畝錫慶復自捐田三十畝爲藏書膳會之資焉

長干書院在聚寶門外士民爲織造曹公璽建

齊六疾館齊文惠太子與竟陵王子良立六疾館以收養窮民

梁孤獨園梁武帝普通二年於建康置孤獨園以養窮民

宋慈幼庄在皐橋隷江東轉運司真德秀創置馬光祖增添月給 宋朝奉郎盧山南雋去非記聖天子新美百度純亦不已迺寶佑五年冬十有一月壬戌肆頒御筆風厲臺郡脩明舉幼膽窮藥疾建院設局之實政憂民恤下堯舜之用心也丁卯制書馳傳下於江東爰勅漕臣總覈一道九郡孚浹羣聽職也建鄴維今陪都生齒蕃夥先是叅預文忠真公深惟治所思有以廣上德意不使嬰孩棄而不舉爲支泉粟以鞠撫之滿七歲乃止人樂收養免於夭閼於茲四十載四明余公晦來將使指喟然曰幼而生生有攸賴矣鰥寡孤獨天民之窮者而未有常餼非缺

與將營圖之會奉明詔廼度地欽化橋下明年春正月辛酉工徒並作而屋廬之房室有列翼以門廡凡六十間而羸摭黃牓語號曰實濟院額以百人人予之米有常予之薪若蔬準以泉有常典之以官若吏有常歲會之粟以斛計七百有五十泉以楮計二萬有五千取粟於蕪湖之庾餘而正其名取泉於賑惠之藏息而益其本可以均而無浮可以久而無匱今而居斯屋廩斯養晝處而夜息支羸而起疲咸得其所以迓續天地生生之大德所謂無告者不待告而知免矣矧司存劑藥劃僞售眞始至旣一新之朝家遴布福星任之漕臺於此可以觀矣或曰一人惠育元元必先其大者此特其細竊謂不然揆諸周官以慈幼養老振窮恤孤寬疾之政佐天子保安萬民大司徒職焉而可細視之與上指仁厚儷美有周將順惟其人是可書巳

及幼局咸淳元年正月馬光祖立收養遺棄小兒法

國朝育嬰堂在水西門外係閤城紳士所建康熙二十

一年知府事于成龍清查來安縣學田一業計四百零六坵額租九十二石一斗五升具詳督院于公撥入育嬰堂永贍諸嬰附詳文竊惟江寧前此叠罹災祲飢寒所迫民間生育子女往往委棄溝壑不能相顧創立育嬰堂原以鞠養幼子但堂內乳婦嬰兒貳百餘口工食衣物贍養無資時切憂心無從拯濟幸荷督憲批撥學田敢不仰體慈幼至意因飭行來安縣徹底清查履畝丈量田數坵叚四至及應交租米細數逐一開載仍令堂內董事生員親自赴縣如額狀穫以供育嬰需用諸費俾佃戶不致侵欺嬰兒永沾實惠現在勒石用垂不朽

滿洲公館在前明東廠地按公館內供奉龍亭凡拜牌習儀進表及迎接詔勅俱用鑾駕儀仗供事旗尉額設一百一十八名皆係前明衛籍近因併衛歸縣而一應駕物朽敝不堪知府事于成龍特行整飭脩理詳請各憲以光尊君之大典云

論曰古者營建邑居宗廟爲先宮室次之門社又次之故名司空以度材名司徒以致衆明有節也後世舉非時之工興得已之役憚人告哀識者懼焉然上棟下宇取諸大壯王公設險以守其國自昔皆然剏踵事增華之日而闕焉弗脩以事神則慢以臨民則褻以捍內外則踈以通往來則滯以時游觀節勞逸則乖而無序因陋就簡規模亦云隘矣我

國家愛惜物力不忍疲民以逞較之家一人歲三日之良法殆尤過之邇來百度俱舉補敝起廢獨兢兢以膳治黌宮爲首務開鑿泮水創數百年未有之區畫

新億萬人共快之觀瞻將必有應昌期而連茹者爲
邦家光則賢執政之大有造於吾郡也豈淺鮮哉

江寧府志卷之六

疆域

漢地里志曰自昔黄唐經畧萬國爕定東西疆理南北三代損益降及秦漢革剗五等制立郡縣畧表山川彰其剖判在昔區定疆域凡以標地利别土宜齊政教繡錯所隷烏容淆也江寧肇域揚州而禹貢揚州并包建康兩浙東粤豫章之地今分數省江南處一府境又居江南之一部界與古枘鑿而畧名核實世易代增星羅棊布其較畧矣鍾阜石城長江之雄往論已備至其控門戸于淮甸承委輸于漢沔逵接

梁宋近括三吳偉哉天府之國也烏可無紀紀里叅稽遠近紀界明瓜牙相制紀形勝表天險以資守禦紀風俗晰人情以便統馭凡麗于茲土者奠厥攸居可不思教寧之所自哉志疆域

江寧府

東一百六十里至鎮江之丹陽界西一百八十里至和州界南二百四十里至寧國界北一百四十里至泗之天長界東北一百二十七里至鎮江之丹徒界東南二百八十五里至常之宜興界西南五十里至太平界西北一百二十七里至揚之儀眞界東西廣

三百六十里南北袤四百六十里

上元縣附郭在府治東北東至周郎橋與句容界西至古御街中分南至溧水豐郷白米湖與江寧縣界北至大江中流與六合界廣九十五里袤八十五里鍾阜龍盤石城虎踞獅子石灰臨沂直瀆諸山盤峙神皋北枕大江南縈秦淮地稱靈紀

江寧縣附郭在府治西南東北界於上元自三山街折南古御街中分抵聚寶門東至武定橋止又自三山門至三山街盡折南處過斗門橋歷北乾道倉巷内石城門亦爲縣境城之外自聚寶門東南達雙橋門

至烏刹橋與溧水界西北歷馴象諸門以至於龍江關又西至鰻鱺州大江中流與江浦界其渡江口岸私鹽港對針魚觜大勝關對劉家營上河對江浦艸鞋夾對浦口宣化渡晉五王南奔渡處觀音門西對瓜步渡唐淮南節度使以渡屬揚州晉庾信詩校尉始辭國樓船欲渡河輶軒臨磧岸旌節映江陀觀濤想帷葢爭長憶干戈維同燕市泣猶聽趙津歌唐駱賓王詩捧檄辭幽徑鳴榔下貴州驚濤疑躍馬積氣似連牛月迥黃沙淨風急夜江秋不學浮雲影他鄉空滯流又名囘軍渡宋太祖以舟師伐南唐於瓜步振旅凱還因名觀音門正對王家溝太子州渡對青山頭螺螄溝渡對青山頭天寧州渡對儀真其餘小渡隨民家居止往來所在有之廣八十五里袤九十八里

北踞秦淮西枕大江聚寶天闕朝拱其南三山據上流扼大江之險山川盤錯如繡

顧文莊曰金陵綰轂兩京輻輳四海由京師而至者其路三從滁陽浦口截江而抵上河一也水從邗溝瓜洲溯江而抵龍潭二也從鑾江瓜埠溯江而抵龍江關三也由中路而至者其路三從壽陽濡須截江而抵采石一也從靈璧盱眙而抵烏江二也從皖之黃口截江而抵李陽河三也由上江而至者其路三陸從釆石江寧鎮而抵板橋一也從姑孰小丹陽而抵金陵鎮二也水從荻港三山順流而抵大勝港或

徑抵上新河三也由下江而至者其路五陸從丹陽走句容而抵淳化鎮一也京口起陸至龍潭而抵朝陽關二也丹至棲霞浦走花林而抵姚方門三也水從京口溯江而抵龍江關四也又陸從湖州廣德溧水而抵秣陵鎮五也考自古南北用兵與盜賊倡亂如符堅自項城來歷陽侯景自壽陽移歷陽孫恩自廣陵趨石城王敦自姑孰渡竹格蘇峻自横江指小丹陽韓擒虎自采石屯新林賀若弼自廣林斷曲阿曹彬自采石取新林大約由壽陽歷陽來者十之七由横江采石來者三之二此亦守境扼要者當知也

句容縣在府東九十里東至丹陽山口爲界南至溧水丁塘村爲界西至上元周郎橋爲界北至儀眞大江中流爲界廣七十里袤倍之其邑鐵甕東南金陵西北箕踞三茅絳嶺襟帶九曲秦淮四面山水環遶陶弘景云東視則連峯入海南眺則重障切雲西臨江滸北接駒驪

溧陽縣在府東南二百四十里東至葑埭村與宜興界西至三墖村與溧水界南至石屋山與廣德界北至丫髻山與句容界廣百里袤百五十里舊志云南列屏山北橫茏屋兩江交注五堰連瀦又云圖山橫嶂

南北分峙江走兩山之間而東山之闕者廻還其流此形勝之大觀也

溧水縣在府東南八十五里東至廻峰山與溧陽界西至烏刹橋與上元界南至牌崗與宣城界北至上義山與江寧界廣一百里袤一百十里自溧陽而分形勝焉

高淳縣在府東南二百四十里東至溧水儀鳳鄉戲墩界西至當塗丹陽湖界南至建平蓮花池界北至江寧界廣一百五十里袤九十里地形夷曠山少而水多荊山拱其前臘山擁其後丹陽石臼固城環繞其

左舊志云縣自溧水分置地控三湖專事耕植

江浦縣在大江北去府西四十里東至江寧以大江中流新興洲為界西至滁洲以後河中流費家渡為界南至和州以大江中流鰣魚洲尾為界北至六合以三汊河為界廣一百一十里袤加五里縣自浦子口城遷建曠口山之陽東據大江西通滁鳳南控湖襄北跨淮泗實為水陸要會本以滁和六合割地所置

六合縣在大江之北去府西北一百三十里東至褚家堡與儀真界西至號敦與來安界南至浦子口與江浦界北至汊澗與天長界廣八十里袤一百六十里

舊稱望邑大江奔流其南滁河縈帶其西東有靈巖之廻伏北有冶城之雄峙乃江寧之屏障房翰叔孫矩張昌沈峙諸記足徵也

風俗

上元縣在府治之東北自晉宋以來衣冠萃止人物繁盛士皆重廉讓恥夸毗以文章致聲名取爵祿者甚衆不尚交搆

江寧縣在府治之西南山形環合秦淮水秀而清人多殷實城內三山等坊率爲明初所實蘇杭右族習尚豪侈猶有六朝遺風而東北近上元者則敦厚朴實

鮮以華靡相競然居鄉者特獷悍不若江寧畏法易治此其不同者也

杜氏通典云永嘉之後帝室東遷衣冠之族多渡江而南藝文儒術于斯爲盛今雖閭閻賤隷處力役之際吟詠不輟蓋顔謝徐庾之遺風焉

隋志曰丹陽舊京所在人物繁盛小人率多商販君子資於官禄市廛列肆埒於二京人雜五方俗頗相類

沈立金陵記云其人士習王謝之遺風以文章取功名者甚衆

祥符圖經曰君子勤禮而恭謹小人盡力而耕殖性好文學音辭清舉

顏氏家訓云江東婦女略無交游婚姻之家或十數年間未相識者惟以姓名贈遺致殷勤而已

顏介云南方水土柔和其言清舉而切天下之能言唯金陵與洛下耳

楊萬里云金陵六朝之故國也有孫仲謀宋武帝之遺烈故其俗毅且英有王茂弘謝安石之餘風故其士清以邁有鍾山石城之形勝長江秦淮之天險故地大而才傑

楊演云建業自六朝爲都邑民物繁盛人才輩出實士林之淵藪

戚氏志云金陵山川渾溪土壤平厚在宋建炎中城境爲墟來居者多汴洛力能遠遷巨族仕家覩東晉至此又爲一變歲時禮節飲食市井負衒謳歌尚傳京城故事人物敦重質直罕翾巧浮僞庶民尚氣能勞力田遠賈士重廉恥不競榮進地當淮浙之衝談者謂有浙之華而不撓淮之淳而不俚斯得之矣

顧華玉尚書近言云吾鄉大都也生人之性亢朗冲融重義而薄利風俗之美喜文藝而厭凡鄙得天地

之靈懿焉其蔽也乃或樂虛滛習侈豫無麻衣蟋蟀之風恐士緣以喪節也

焦弱侯云金陵六代舊都文獻之淵藪也以故寰寓推爲奥區士林重其清議及夫餘風細故昔稱游麗辨論彈射臧否剖析毫釐擘肌分理者至今猶然

顧文莊客座贅語云南都一城內民生風尚頓異自大中橋而東歷正陽朝陽二門迤北至太平門復折而南至元津百川二橋大內百司庶府之所蟠亘也其人文客豐而主嗇達官健吏日夜馳騖于其閒廣奓其氣故其小人多尷尬而傲僻自大中橋而西由

淮清橋達于三山街斗門橋以西至三山門又北自倉巷至冶城轉而東至內橋中正街而止京兆赤縣之所彈壓也百貨聚焉其物力客多而主少市魁駔儈千百嘈哄其中故其小人多攫攘而浮兢自東水關西達武定橋轉南門而西至飲虹上浮二橋復東折而江寧縣至三坊巷貢院世胄宦族之所都居也其人文之在主者多其物力之在外者侈游士豪客競千金裘馬之風而六院之油檀裙屐浸淫染于閭閻膏唇耀首倣而傚之至武定橋之東西嘻甚矣故其小人多嬉靡而淫惰由笪橋而北自冶城轉北門

橋鼓樓以東包成賢街而南至西華門而止是武弁中涓之所羣萃太學生徒之所州處也其人文主客頗相埒而物力啬可以娛樂耳目羶慕之者必徒而圖南非是則株守其處故其小人多拘狃而劬瘠北出鼓樓達三牌樓絡金川儀鳳定淮三門而南至石城其地多曠土其人文主與客並少物力之在外者啬民什三而軍什七服食之供糲與蔬者倍蓰于梁肉紈綺言貌樸僿城南人常舉以相嘲哳故其人多悴氻而蹇陋又云上元在鄉地在城之北與東南北濱江東接句容溧水其田地多近江與山墝瘠居其

半其民俗多苦瘁健訟而負氣江寧在鄉地在城之南與西南濱江西南隣太平田地多膏腴近郊之民醇謹易使其在山南横山銅井而外稍不如而殷實者在在有之又云江寧婚姻亦備六禮差與古異古婚禮以不親迎爲譏今則壻之親迎者絶少唯姑自往迎之女家稍款以茶果婦登輿則女之母隨送至壻家舅姑設宴款女之母富貴家歌吹徹夜至天明姑歸壻隨往謝婦之父母亦款以酒而婦之廟見與見舅姑多在三日按家禮婦於第三日廟見見舅姑第四日壻乃往謁婦之父母葢謂婦未廟見與見舅

姑而壻無先見女父母之禮也此禮宜復但俗沿已久四日往謝衆論駭然議於第二日晨起子率婦先廟見拜父母舅姑而後壻往婦家拜其父母庶幾得禮俗之中矣又云金陵人家行聘禮行納聘禮其筓盒中用栢枝及絲線絡菓作長串或剪綵作鴛鴦又或以糖澆成之又用膠漆丁香粘合綵絨結束或用萬年青草吉祥草相詡為吉慶之兆攷通志婚禮後漢之俗聘禮三十物以元纁羊鴈清酒白酒粳米稷米蒲葦卷栢嘉禾長命縷膠漆五色絲合驩鈴九子墨金錢祿得香草鳳凰舍利獸鴛鴦受福獸魚鹿烏

九子婦陽燧鑽凡二十八物又有丹爲五色之榮青爲東方之始共三十物皆有俗儀不足書按此則今俗相沿之儀物固有所自來矣又云近代喪禮中有二事循俗而與古反者沿流既久遽難變之其一曰服古人遇死喪凡應服某服者或内親或外親人自製其所應服之服哭之交友亦不以元冠色衣弔蓋哀感在心故必變服以臨之耳乃今自同宗外凡應服者必喪家送布始製而服之不送即應服而元其冠色其衣者有矣甚且喪家力不能送共以訶厲加之而大家復有破孝送帛之事破孝毋論何人但入

弔者即贈以布或絹有生平不一識面聞名為布而弔者矣不知變服志哀乃秉之旗心既不哀服於何有且送而不服尤屬無謂至送帛則本不為服亶以幣帛將孝子之敬為酧酢而已其一曰奠始死而有奠記所謂餘閣者也成服後諸祭皆主人自為之其在姻友亶有賻襚賵已耳賻以錢帛襚以衣服賵以車馬皆以助殮與殯之事賓客至有喪者之家哭之弔之奠此物而已奠者置也置其物於前也今則賻襚之禮間有行焉賵則江南絶未聞者乃代為喪家致祭層割羊豕崇飾菓蔬粔籹餦餭寓錢楮幣之類

闐塞於庭客乃爲酹酒致敬夫酹乃主人之事賓客乃代而行之知禮者謂宜於送孝上祭一切止之惟有服者人自製而服以示哀感變常之意其在賓客第行賻禭以助之或貧者出力以佐其事祭悉輟而不舉庶使喪主人不苦于送布之紛紛而賓客亦不爲此無益之糜費是亦從禮從儉之一端也又云喪禮之不講甚矣前輩士大夫如張憲副祥有期之喪猶着齊衰見客其後或有期功服者鮮衣盛飾無異平時世俗安之恬不爲怪間有守禮者恐矯俗招尤不敢行也昔晉人放曠禮法之外爲儒者所詬乃其

時陳壽居喪病使婢丸藥坐廢不仕謝安石期功不廢絲竹人猶非之視今日當何如哉余謂士大夫在官有公制固所不論至里居遭喪即期功亦宜示稍與常異如非公務謁有司不變服不赴筵會即赴亦不聽聲樂不躬行賀慶禮不先謁賓客庶古禮猶幾存什一於千百也又云軍中鼓吹在隋唐以前即大臣非恩賜不敢用舊時吾鄉凡有婚喪自宗勳縉紳外人家雖富厚無有用鼓吹與教坊大樂者所用惟市間鼓手與教坊之細樂而已近日則不論貴賤一槩溷用浸淫之久體統蕩然恐亦不可不加裁抑以

止流競也又云歲除歲旦秣陵人家門上插松栢枝芝蘇楷冬青樹葉大門換新桃符貴家房門左右貼畫雄雞此亦有所自起按魏晉制每歲朝設葦茭桃梗磔雞於宮及白寺之門以辟惡氣漢五月五日朱索五色印爲門戶飾以儺止惡氣後漢文以朱索連葷菜彌牟朴蠱鍾以桃印長六寸方三寸五色書文如法以施門戶令人家五月五日庭懸道士硃符人戴珮五色絨綫符牌門戶以縷係獨蒜及以絲帛通草製五毒蟲虎蛇蝎鼅鼄蜈蚣蟠綴于大艾葉上懸於門又以桃核刻作人物珮之葢用漢五月五日之

遺法也又云秣陵人家以十二月二十四日夜祀竈餳餅酒果自士大夫至庶人家皆然此古五祀之一也五祀一曰戸二曰竈三曰中霤四曰門五曰行天子與諸侯大夫同周制惟庶人立一祀或立竈或立戸戸以春祭竈以夏祭今士大夫止祀竈一不及其他又祭以冬盡皆與禮異又云秣陵有昔人龍袖驕民之風浮惰者多劬勤者少懷土者多出疆者少邇來則衣絲躡縞者多布服菲履者少以是薪粲而下百物皆仰給于貿居而諸凡出利之孔拱手以授外土之客居以是生計日蹙生殖日枯而又俗尚日奢

婦女尤甚家纔儋石已著綺羅積未錙銖先營珠翠發跡未幾傾覆隨之比比是也國奢示儉可無異哉王丹丘先生著有建業風俗記一卷其事自冠婚喪祭以逮飲食衣服其人自鄉士大夫秀才以至於市井之猥賤亡不有紀大較慕古昔以前之龐厚而傷後之漸以澆薄也姑舉其數則如云昔年文人墨士雖不逮先輩亦少涉獵聚會之間言辭彬彬可聽今或衣巾輩徒誦詩文而言談之際多襍亂不雅又云嘉靖中年以前猶循禮法見尊長多執年幼禮近來蕩然或與先輩抗衡甚至有遇尊長乘騎不下者又

云昔年市井極僻陋處多有豐厚俊偉老者不惟忠厚朴實且禮貌言動可觀三四十年來雖通衢亦少見矣又云昔年士大夫有號者十有四五雖有號然多呼字後來束髮時即有號末年奴僕輿隸俳優無不有之又云古昔以前富厚之家多謹禮法居室不敢淫飲食不敢過後遂肆然無忌服飾器用宮室車馬僭擬不可言又云前人房屋矮小廳堂多在後面或有好事者畫以羅木皆朴素渾堅不淫後來士大夫家不必言至於百姓有三間客廳費千金者金碧煇煌高聳過倍往往重檐獸脊如官衙然園囿僭擬

公侯下至勾闌之中亦多畫屋矣宅多感慨之言不能具載附志以警頹風云

句容縣在府治之東其人秉性愿慤習尚禮義鄉隣婚喪貧乏者互相周濟以地窄人稠自勤農之外列肆而居者若鱗次然其貿易于外者尤衆以故家多富饒而文物頗盛往往與舊志所稱相符然善自生殖析利至秋毫而豪右之族婚聚競以奢侈相尚視諸縣爲特異也

溧陽縣在府治之東南二百四十里舊志稱其君子篤厚恭謹恬靜自得藝文儒術藹然相尚其細民務本

力農淳朴質直類知畏法名儒勝士多因避地來寓溧上往往樂其風土而定居焉宗丞王端朝日是邑有李太白之英風故其人多秀而文有伍子胥之故迹故其俗多義而勇縣志云民居其間　子尚樸質好儒術小人力畊植少商旅婦女不出戶閾不事交游文藝盛于潘乾之後節義襲于貞女之餘然角氣惑邪或未能盡變云

溧水縣在府治之東南舊州志稱其有山林川澤之饒民勤耕稼魚稻果茹隨給粗足雖無千金之家而罕凍餒之民信巫鬼重淫祠畏法奉公各守其分安業

重遷尤好文學承平時儒風藹然爲五邑之冠縣志云民勤而力稼士重而多介山川碩老樂相恬退有童而野處華顛未識公署者此亦足以見其異同矣大都樸茂視溧陽而囂健爲少減云

高淳縣在府治東地控三湖專事耕植逐末者寡第冠婚喪祭未能盡如古禮而角力尚氣以財勢相雄長挾數健訟以法律爲詩書無能盡改于舊然嘉靖初學記謂自學政聿興士風寖盛富家漸知禮度貧民恥于匄乞婚姻論閥閱市井鮮博戲無逋賦無囂訟老稚不敢懷詐暴憎閭閻寖成敦本儉朴之俗則感

應之理于斯可見

江浦縣在府治之西北葢割滁和六合地所置故滁志言其習尚勤儉和志言其習尚淳質好儉約葢地當紛更賦役繁重民惟勤儉不事末技故百餘年來舊俗不改自定山諸公相繼而起士風日盛民知畏法而强暴健訟者寡俗之可重者以此餘具六合語中

六合縣在大江之北風俗初與楊州同後改屬江寧江寧文雅好儒術有相類者然地當南北之交舟車輻輳其乘堅刺肥交通厚勢者皆富商大賈而儉約敦樸柔輭乃其故習云昔時楊延朗子見其俗淳遂家

焉今宦籍於此者頗衆大抵江以南物力豐厚風流文雅而奢靡相高遊台相尚則其俗之弊者江以北敦朴儉素猶存古風而園桃沮洳不能免云

論曰先王疆里天下九州之土各有主者而又以時省方觀俗蓋政治之美惡風教之醇疵於是焉係豈偶然哉江寧爲通省大都名勝扼塞終古猶是而民情漸趨淫僻澆風日扇廉節鮮修與昔之所稱乖異何哉說者謂南土埤下迴殊齊魯秦晉習尚以地易殆若性成茲無足怪要豈通論歟往者人競浮靡俗不長厚寇盜充斥令甲非不行也積染日錮相與棄

名義而賤行檢風之不古則有由然洎制府　于公駐節守廉飭法而奸宄潛竄士民淬厲上下公私服食贈賄皆崇節儉賢守牧復勞來宣導一時翕然向化頹風頓改豈易民而治歟董子謂猶泥之在鈞唯甄者之所爲金之在鎔唯冶者之所鑄戴逵謂雙劍之節崇而飛白之俗成挾琴之容飾而赴曲之和作風行草偃端在司民豈不然哉疆域有定界獨民俗遷易無常乃關政教之大者幸賢者維持而補救之會見禮義膠固淳風載洽以佐郅治臻熙皡不難也故約畧其由來以見起衰式靡之所係如此

江寧府志卷之七

山川上

周伯陽父有言國必依山川博物志載名山大川爲國輔佐益其經紀是邦無論矣至于含輝流膏雲蒸雨降毓靈異殖貨財民物康阜因之厥利普哉金陵全部煙巒屏障嚴厲峭阜不可枚舉其鍾阜雄峙東北諸山迤邐傳送統之而盡乎盤踞矣元武秦淮青溪等津襟帶不一大江縈繞西南而天塹之雄括焉垣局包羅特爲廣大山高水清精英發越其士民秀上物力豐饒所自來也隷境名勝用表藩宣他若岡

龍溪汀之屬錯鎮別出隨地援尤得以備紀其類志山川

山川志總序

易曰地勢坤坤於卦位西南故岷嶓之山大勢皆自西南而趨東北朱文公謂岷山之脉東爲衡山者盡於洞庭之西其一支南出而東度大庾嶺者則包彭蠡之源而北盡乎建康山之所趨水亦至焉（今大江入海處去建康甚近而淮泗黃河之流亦會於其北）故建康者東南之奧區而山水之都會前志敘之曰鍾山來自建業之東北而向乎西南大江來自建業之西南而朝於東北由鍾山

而左自攝山臨沂雉亭衡陽諸山以達于東又東爲白山大城雲穴武岡諸山以達于東南又南爲土山張山青龍石硊天印彭城雁門竹堂諸山以達于南又南爲聚寶山戚家山梓桐山紫巖夏侯天闕諸山以達于西南又西南綿亘至三山而止于大江此諸葛亮所謂龍盤之勢也今按自土山石硊而下臨沂攝山諸山皆隨蔣山之脈沿江逆而上非自蔣山分而向左其聚寶山自天闕牛頭山降勢自東南而西而北而東北其石脈渡城濠止于周處墩後謂之朱雀固宜此謂自竹堂而南亦非姑以明山之周遭環合可耳由鍾山而右近之爲覆舟山爲雞籠山皆在六朝宮城之後東南利便書曰吳太初宮晉太初宮及歷朝宮闕皆北接覆舟山之麓牛首左其前即王導所謂天闕是矣

又北爲直瀆山大壯觀山四望山以達于西北又西北爲幞府盧龍馬鞍諸山以達于西是爲石頭城亦止于江此亮所謂虎踞之形也其左右群山若散而實聚若斷而實續世傳秦所鑿斷之處雖山形不聯而骨脈伏地隱然相屬猶可見也左則方山石硊山之間右則盧龍山馬鞍山之間耆老相傳皆以爲秦始皇鑿斷長隴之所石頭在其西三山在其西南兩山可望而挹大江之水横其前秦淮自東而來出兩山之端而注于江此葢建業之門戶也覆舟山之南聚寶山之北中爲寬平宏衍之區包藏王氣以容衆大以宅壯麗此建業之堂奥也自臨沂山以

至三山圍繞於其左自直瀆山以至石頭沂江而上屏蔽於其右此建業之城郭也元武湖注其北秦淮水遶其南青溪縈其東大江環其西此又建業天然之池也龍川陳亮論建業形勢東環平岡以爲重帶元武湖以爲險擁秦淮青溪以爲阻是以王氣可乘而運動如意昔人詩詠石頭城有山圍故國潮打空城之句則石城實瞰大江今大江遠石頭青溪九曲僅存其一皆非昔矣然此論環城數十里之山川耳其居秦淮之源有東廬山華山臨丹陽湖之上者爲絳巖山其最特然爲一州之鎮者又有茅山焉而岷山中江逕蕪湖溧陽以入于荆溪太湖則又禹貢所謂三江既入震澤底定者其他一丘一壑擅名紀勝咸有

可徵

鍾山在東北朝陽門外志云東連青龍山西接青溪南有鍾浦下入於秦淮北接雉亭山明孝陵在焉 嘉靖中詔改爲神烈山周廻六十里高一百五十八丈諸葛亮對吳大帝云鍾山龍盤指此漢末秣陵尉蔣子文逐盜死事於此孫吳改曰蔣山又名金陵山又名紫金山晉元帝未渡江時望氣者云望之常有紫氣又名聖遊山又名北山卽南齊周顒隱處孔德璋作北山移文者兩峰秀起北一峰最高其巔有一人泉細流不竭循泉西爲黑龍潭曾有龍現其上爲太子岩又名昭明讀書臺

岩西有峴曰栽松輿地志云蔣山本少林木東晉令刺史罷還栽松百株宋時令刺史栽松三千株下至郡守各有差曰楊梅巖曰頭陀巖緣蔣祠有玉澗其崇岡曰孫陵宋九日臺在焉峰之秀者曰屏風嶺後曰桂嶺碧石青林幽阻深靚其東曰道士塢即陳宣帝禮元靖藏兢處道卿巖宋葉清臣遊此故名八功德水在其下舊志云在悟真菴後一清二冷三香四柔五甘六淨七不饐八蠲痾自梁以來嘗取此供御案梅摯亭記梁天監中有胡僧曇隱寓錫於此山中乏水有龐眉叟相謂曰予山龍也知師渴欲飲措之無難俄一沼沸出後有西僧至云本城八池已失一明洪武間遷寺東麓舊池就涸從寺東馬鞍山下通出宣德間水竭正統元年久旱又湧出如初西折為桃花塢道光泉宋熙寧間僧道光劚宋熙泉陟左有東澗石邁古跡編云梁處士劉訏隱此精釋典常聽講於鍾山諸寺

因卜築宋熙寺東有終焉之志茱萸塢金陵志云宋道士陸靜修餌茱萸於此山之南有岡曰獨龍阜峰曰玩珠梁釋寶誌墓在焉浮圖五級今移置東麓塔之西有洗鉢池落叉池而猿驚鶴怨二谷則係後人增名也東山巔有定心石山之半有井其泉與江潮爲盈縮名應潮井酉陽雜俎云蔣山有應潮井在半山間俗傳與江潮相應嘗有破船朽板自井中出唐貞觀中有牧兒汲水得杉板上朱漆字曰吳赤烏二年豫章王子駮之船古跡編云應潮井在蔣山古頭陀寺後舊志所云井與江近地脈相通或有之餘不免附會南麓有霹靂溝有曲水晉海西公疏以宴百僚宋特以三月三日祓除於此山之支迤邐而南隱然隆起者爲龍廣山唐地理志云

江南道其名山衡廬茅蔣朱紫陽亦云天下山皆發源於岷山蔣山實其脉之盡者自孫吳建都以來便稱佳麗名賢勝蹟茲山爲特富琳宫梵宇窮極華美計七十餘所今無復存者亦據載籍稱其名云劉劭別墅鍾嶺南聚石蓄水爲棲息地朝士雅素者多從遊招隱館西巖下宋文帝築居雷次宗會宗堂晉謝尚齊朱應吳苞孔嗣之梁阮孝緒劉孝標並隱於此唐大曆中處士韋渠牟亦隱此號遺名子顏眞卿題其堂兩翁軒定林寺草堂寺在山西齊周顒建以居僧慧約即顒舊隱所大愛敬寺梁武帝建太平興國寺在獨龍阜梁天監十三年即寶誌塔前建開善寺唐乾符改爲寶公院南唐後主改爲開善道場宋太平興國五年詔修繕改今名靜壇梁侍中周拾立武帝問壇何如曰風不鳴條雲無膚寸鹿巾黃帔甚多白簡朱衣罕至明

慶寺八功德水前　秀峰院即寶林院有琪樹在法堂前　翠微寺在寶珠峰之巔　悟眞菴八功德水前　定林菴宋王安石讀書處米元章榜日昭文齋李伯時畫公之像于齋壁着帽束帶神彩如生安石歿齋常扃閉遇重客至寺僧開戶客忽見像皆驚聳覺生氣逼人寫照之妙如此　崇禧萬壽寺元泰定四年建　又有七佛菴霜筠菴雪竹菴宋熙寺白蓮菴彈琴石朱湖洞茲山之可紀者南齊時崔慧景遣千餘人魚貫緣山西巖夜下鼓譟臺軍震恐侯景反邵陵王綸率西豐公大春等馬步三萬發自京口直據鍾山景黨大駭陳大寶元年齊軍潛至鍾山踰龍尾皆此地元胡炳文鍾山遊記江以南形勝無如昇鍾山又昇最勝處予至昇首過上元謁明道先生祠禮畢即度關遊山夾路松陰亘八九里清風時來寒濤吼空斯

須寂然如故路左入半山先是謝太傅園池荊公宅之捐爲寺至今祠公與傳法沙門等出行三四里又入一寺弘麗視半山百倍龕鏤壁繪光彩奪目詭狀萬千兩廡級石而升四五十丈始至寶公塔塔邊有軒名木末履舄之下天籟徐鳴浮嵐暝翠可俯而挹下有義之墨池投以小石遠聞聲出叢葦間徑陘荒蕪遊客罕至獨拜塔者累累不絕長老云寶公巢生里人朱氏取而子之後成佛凡禱水旱疾疫如響語多不經由塔後循山而左過安石讀書所山石崛壘忽敞平原修篁老檜萬綠相扶風鳴交加猶作當時吾伊聲又行數里休于觀音亭其傍八功德泉有聲鏘然汩汩至亭下則囦然以涵或謂病者飲此立瘳衆皆飲予以無疾不飲遂回塔後攀松升磴六七里至山椒鉅石人立予登石以坐鳳臺鷺洲渺不知在何許但覺繚白縈青隱見烟霧間城中數萬家樓閣如畫其間曠無人處六朝故宮也北視楊子江頭一舟如葉行移時不咫浪楫風帆想數十里遥矣盤龍踞虎亘以長江其險也如此黃旗紫蓋王氣猶有時而終令人淒然久之下山至七佛菴白雲淒潤囂壒不來一僧嘘石爐灰點鬢眉如雪一僧蓬跣崖邊拾

松子以歸語客賈木絶不與前寺僧類聞其下有猛公菴子文廟山水稍奇麗率爲事神若佛者家焉欲訪猿鶴山堂莫得其處遂朗吟小山招隱循故道御天風而下兩袂如飛亟入關復至明道精舍少憩而歸因喟喟曰昇自紫髯翁以來幾興衰矣眼前花草無復當時光景伯子春風千年猶將見之至若熙寧相業非不焯焯然炫人耳目迄不如主上元簿者復祠于學何哉明宋濂遊鍾山記鍾山一名金陵山漢末秣陵尉蔣子文逐賊死山下大帝封蔣侯大帝祖諱鍾又更名蔣山實作揚都之鎮諸葛亮所謂鍾山龍盤是也歲辛丑二月癸卯予始與劉伯溫夏允中遊日在辰出東門過半山報寧寺寺舒王故宅謝公墩隱起其後西對培塿小丘培塿蓋舒王病濕鑿渠通城河處南則陸靜修茱萸園齊文惠太子博望苑白烟凉草離離延延使人躊躇不忍去沿道多蒼松或如翠蓋斜偃或蟠身矯首如玉虺傳人或捷如山猿伸臂掬澗泉飲相傳其地少林木晉宋詔刺史郡守罷官者栽之遺種至今抵圜悟關關宋勤法師築太平興國寺在焉梁以前山有佛廬七十今皆廢唯寺爲盛近燬於兵外三門僅存適松花正開黃粉糝

毿觸人詩與予獨出行函道間會章君三益至遂執手上翠微亭登玩珠峰峰獨龍阜也梁開善道場寶誌大士塟其下永定公主造浮屠五成覆之後人作殿四阿鑄銅貌大士實浮圖浮圖或見五色寶光舊藏大士履神龍初鄭克俊取入長安殿東木末軒舒王所名俯瞰山足如井底出度第一山亭亭額米芾書亭左有名僧婁慧約塔塔上石其制若圓楹中斲爲方下刻二鬼擎之方上書曰梁古草堂法師之墓有蝙蝠法定爲梁人書復折而西入碑亭碑凡數輩中有張僧繇畫大士相李白贊顔眞卿書世號三絶又東折度小澗澗前下定林院基舒王嘗讀書於此院廢更剏雪竹亭與李公麟寫舒王像洗硯池亦皆廢又折北至八功德水天監中胡僧曇隱來棲山龍爲致此泉今甃作方池池上有圓通閣閣後即屏風嶺碧石青林幽邃如畫前乃明慶寺故趾陳姚察受菩薩戒之所又東行至道卿巖道卿葉清臣字也嘗來遊故名有僧宴坐巖下問之張目視弗應時稚方桴粥聞人聲戛戛起巖草中從此至靜壇多藏矜先生遺跡復西折過桃花塢詢道光泉舒王所植松唯一泉紺碧沉沉如故日將夕章君上馬去予還廣慈

明日甲辰予同二君遊崇禧院文皇潛邸時建從西廡下入永春園園雖小泉卉畧具探栢爲麋鹿形栢毛方怒長翠濯濯可玩二君行倦解衣覆鹿上挂冠鼠梓間據石坐主僧全師具壺觴予不能酒謝二君出遊夏君甥曰山有虎近有僧采蒔虎逐入舍僧門焉虎爪其顴顴有瘢可驗予勿畏往矣予意夏君紿我挾兩騶奴登唯秀亭亭宜望遠惟秀永春皆文皇題牓塗以金又折而東路益險予更芒屩侍騶奴肩踸踔行息促甚張吻作鋸木聲倦極思休不問險濕蹀據頓地視燥平處不數尺兩足不隨久之又起行有二臺濶數十丈上可坐百人即宋北郊壇祀四十四處問蔣陵及步夫人塚無知者或云在孫陵岡至此屢欲返度其出已遠又力行登慢坡草叢布如氈不生雜樹可憩思欲借裀褥臥不去坡古定林院基望山椒無五十弓不翅千里遠竭力躍數十步輒止氣定又復躍如是者六七徑至焉大江如玉帶横圍三山磯白鷺洲皆可辨天闕芙蓉諸峯出没雲際雜籠上下接落星澗澗水滮滮流元武湖已湮久三神山皆隨風雨幻去西望久之擊石爲浩歌歌已繼以感慨又久之傍厓尋一人泉泉出小竅中可飲一人

繼以千百弗竭循泉西過黒龍潭潭大如盎有龍當可居側有龍鬼廟頻陋由潭上行叢竹翳路左右手開竹身中行隨過隨合忽腥風逆鼻群鳥哇哇亂啼憶夏君有虎語心動急趨過似有逐後者又棘針鈎衣足數躓咽唇焦甚幸至七佛菴菴蕭統講經之地有泉白乳色即踞泉斛嚥衫袂落水中不暇救三嚥神明漸復菴後有太子嵓一號昭明書臺方將入巖遊菴中僧出肅面有新瘢詢之即向采莽者心益動遂舍巖問別徑以歸所謂蓮池定心石宋熙泉應潮井彈琴石落人池朱湖洞天皆不復搜覽還抵永春園見肴核滿地一髫童立花下問二客何在童云遲公不來出壺中酒飲且賦詩大噱酒盡徑去矣予遂回廣慈二君出迎夏君曰子顏色有異得無有虎恐乎予笑而不答劉君曰是矣子幸不葬虎腹當呼斗酒滌去子驚可也遂同飲飲半酣劉君澄坐至二更或撼之作舞笑鈎之出異響畏脇之皆不動予與夏君方困睫交不可擘乃就寢又明日乙巳上人出猶未歸欲遊草堂寺雨綿綿下意不佳乃還按地理志江南名山唯衡廬茅蔣蔣山固無聳拔萬丈之勢其與三山並稱者葢爲望秩之所宗也晉謝尚宋雷次

宗劉勔齊周顒朱應吳苞孔嗣之梁阮孝緒劉孝標唐韋渠牟並隱於此今求其遺跡鳥沒雲散多不知其處唯見蕘兒牧豎跳蹞於淒風殘照間徒足增人悲思況乎人事往來一日萬變達人大觀又何足深較予幸與二君得放懷山水窟一刻之樂千金不易也山靈或有知當使予游盡江南諸名山雖老死烟霞中有所不恨他尚何望哉他尚何望哉沈約應詔詩靈山紀地德險峭資岳靈終南表秦觀少室邇王城翠鳳翔淮海襟帶繞神坰北阜何其峻林薄杳葱青發地多奇嶺干雲非一狀合沓共隱天參差互相望鬱律搆丹巘崚嶒起青嶂勢隨九疑高氣與三山壯陳釋洪偃游鍾山詩杖策步前嶺褰裳出外扉輕蘿轉蒙密幽徑復紆威樹高枝影細山盡鳥聲稀石苔時滑屣蟲網乍沾衣澗旁紫芝秀岩上白雲霏松子排烟去堂生寂不歸窮谷無還路攀桂獨依依唐李嘉祐送韋邕少府歸鍾山詩祈門宦罷後負笈向桃源萬卷長開帙千峯不閉門綠楊垂野渡黃鳥傍山村念爾能高枕丹墀會共論宋蘇軾詩到任席不煖居愁空惆然好山無十里遺恨恐他年欲款南朝寺同登北郭船朱門收畫戟紺宇出青蓮夾路蒼髯

古迎人翠麓偏龍腰蟠故國鳥瓜寄層巔竹杪飛華屋松根泣細泉峰多巧障日江遠欲浮天畧彴橫秋水浮層揷暮烟歸來踏人影雲細月涓涓明劉基鍾山詩白雁蕭蕭柿葉紅野花開盡六王宮空餘一道秦淮水看意西流竟向東張孟兼詩訪古來鍾阜尋僧問草堂千年猿鶴靜一逕石林荒泉落春冰細梅留臘雪香鄉心憐薄暮矯首碧雲長余孟麟鍾山詩原廟中峰裏孱顔入翠微百靈朝絳節五柞閟珠衣阜路雲霞拱山庭兕象圍千年佳氣繞草木日芳菲顧起元鍾山詩青霄雙岫劈芙蓉王氣長看紫翠封地轉東南迴二水天橫江海出千峰龍蟠遠揖秦關險虎衛滚環漢寢重一自神京開奠麗萬年形勝此朝宗陳丹衷夜登鍾山詩破筑聲悲斷石間野夫乘興上鍾山九天夢托三株樹百代風留五尺關瘞劍埋弓何處是亂雲飛雨不能還來朝更向孤峰望愁說僧燈隧道間宋王安石玉澗詩澗水魚聲繞竹流竹西草木共春柔茅簷相對坐終日一鳥不鳴山更幽曾極八功德水詩數斛供厨替八珍穿松漱石瑩心神中涵百衲烟霞氣不染齊梁歌舞塵王安石霹靂溝詩霹靂溝西路柴荆四五家憶曾騎款段隨意

入桃花謝惠連曲水詩四時著平分三春禀融爍遲
遲和景婉夭夭園桃灼攜朋斯郊野昧旦辭壥廓斐
雲興翠嶺芳飈起華薄解轡偃崇丘藉草繞回壑際
渚羅時蔌託波泛輕爵
覆舟山在太平門內與鍾山支脉相連狀若覆舟故名
又名龍山又名龍舟山在城北七里周迴三里高三
十一丈劉宋時以山臨元武湖改名元武山陳高祖
與北齊兵大戰即此舊有甘露亭瑤臺閬風亭山陰
藏冰井今皆廢宋孝武詩束髮好怡衍弱冠頗流薄素想終勿傾聿求果丘壑層峰亘天
維曠渚綿地絡逢皐列神苑遵壇樹仙閣松磴含青
暉荷源爛丹爍川界泳游鱗崖庭響鳴鶴齊王融詩
道勝業茲遠心閒地能閒桂崦鬱初裁蘭皐坦將闢
虛檐對長嶼高軒臨廣液芳草列成行嘉樹紛如積
流風轉圓逕清烟泯喬石日泊山照紅松映水花碧
暢哉人外賞遲遲眷西夕明蔡羽覆舟山詩覆舟山

頭霽景明長松落落崖石平迴巒秀嶺低復昂傳聞此地爲臺城南望建章宮佳氣何鬱葱秦淮樹中流遥與宮門通城中萬井如棋畫楊柳烟中分紫陌內園蘭桂浮温香戚里池臺蕩朱碧鳳凰樓閣無處尋臨春結綺作梵林尊前却是樂游苑市朝更改成古今登臨易頭白銜杯落紅日回望北湖烟蟬鳴樹蕭瑟秋波慘淡荷芰花玉鳧錦雞踏浪霞西曹已鳴馬東曙復報衙冥冥湖底月寂寂城頭鴉倚琴送盡飛鴻影引領天邊不見家李流芳憶舊游詩雞籠山閣舊居停曲檻廻廊幾度經最是城陰秋望好覆舟遥接蔣山青

雞鳴山在覆舟山西北臨元武湖舊名雞籠山劉宋時黑龍見元武湖又名龍山高三十丈周廻一十里明初於山巔置儀表以測象緯名觀象臺亦名欽天山左右列十廟繚以朱垣其東麓爲雞鳴寺有普濟塔

寰宇記云西接落星澗北臨元武湖元嘉十五年立儒館於北郊命雷次宗居之齊高帝嘗就次宗受禮及左氏春秋明吳寬雞籠山詩秋盡荒山鳥跡稀拂衣獨上扣柴扉屋頭鹿下緣青澗樹抄僧行入翠微千里風烟播短鬢六朝文物付斜暉悠悠身世渾如此目斷天邊一雁飛朱曰藩雞籠山詩客樓睡起西日曛鍾山曳曳擁歸雲鏡中島嶼後湖出花外池臺上苑分何處攀龍光祿讌當年怨鶴草堂文殘英儘及東林醉莫遣流鶯醒後聞柳應芳雞籠山詩臺城遺跡動悽其總爲前朝足亂離舊路人非芳草在故宮春盡落花知江山白首猶餘恨鳥雀黃昏亦自悲更是傷心張緒柳年年空被野風吹王嗣經詩湖山迤邐接亭皐前代遺踪有石壕別殿珮環歸杞棘脩陵鳧雁出蓬蒿臺荒過午樵歌入寺近經時梵鐸高腸斷覆舟山下路年年春草似青袍吳文潛詩謾將遺跡問齊梁寂寂臺城露草荒廢井尚封陵寢氣初鍾不喚景陽妝蒼茫野水迷官道高下寒山出女牆還憶誦經梁武帝臨風倚樹弔斜陽張天機雞鳴山望江南詞江上曉羽報晨更四學環山開上館玉衡據嶺測天心俯仰古今情

祇闍山在雞籠山西舊有祇闍寺今廢

幕府山在城西北二十里周廻三十里高七十丈王導從元帝渡江建幕府於此故名壟多石居人煅以爲灰又名石灰山北濵大江東與直瀆諸山接爲建業門戶魏人至瓜步文帝登此山觀望形勢齊師至鍾山龍尾陳覇先自率麾下出幕府山齊人大潰山有五峯南曰北固峽中有石洞幽邃中峯有仙人臺虎跑泉西北峯曰夾蘿亦名翠蘿上有達摩洞 明顧璘登幕府山絕頂詩江山開壯觀風日澹清秋攀陟良多險登臨足寫憂洲横鋪練出江拂畫屏流霽景千巖秀鳴淙萬壑幽風帆天際滅沙鳥鏡中浮今古興衰地乾坤浩蕩遊長歌懷往代遐覽託冥搜名相今誰在神

僧不可求唯餘山水地作險鎮皇州顧起元詩絕巘曾聞駐六師龍宮深谷轉委迤雲多短策穿林遠風急踈鍾度壑遲壁啟雙飛皆翠鑿磴懸九折半蘿垂啣杯坐覽神州勝殊異新亭洒淚時顧瑮幕府山泉詩隔嶺通江脉分爲石上泉聲兼松韻響寒浸月華鮮列籍依沙淨浮杯逐浪圓清冷聊一酌塵意已僊然顧瑮夾蘿峯詩紅日纔生暘谷東魚龍吹浪曉濛濛徜徉笑指三山路玉竈銀牀紫霧中焦竑達摩洞詩禪龕沿綠嶼石洞俯滄波風雨江聲壯魚龍夜氣多停杯今日望飛錫向時過欲問西來意踈鐘度薜蘿

直瀆山在北二十五里周廻二十五里高十七丈吳將甘寧墓在此或云有王氣吳主皓惡而鑿其後爲直瀆因名東西有水流入大江

大壯觀山與直瀆接在城北一十八里周廻五里高二

十八丈陳宣帝起大壯觀於此因名

觀音山在觀音門外北濱大江西引幕府諸山東連臨沂衡陽諸山形如錯繡皆懸巖削壁拱揖大江眞天造地設也山東北一石吐江濱三面懸壁咢絶勢欲飛去名燕子磯春夏江漲水勢奔嚙不風而濤舟弗能上乃鑿壁穿鐵絙周之舟子曳絙以進上有亭名俯江從石磚下窺猶見江轉磯底金焦而上一大觀也明呂柟游燕子磯記畧己丑二月王子崇遨陸伯載及予同游燕子磯登弘濟寺寺西則觀音巖也怪石礌垂蒼黛參差上接雲霄而大江自龍江關西來直過其下觀音閣亦傍巖下就江湄築基上又堅九柱皆舟柱上棚棧構閣閣三面皆闌干憑之瞰江若在樓船頂立也是時晴見萬里日映碧流江豚吹

浪上下西望定山如娥眉東指瓜步如丘垤他山皆閃閃冥冥如落雁蹲鴻不可辨矣昔予在解州嘗遊龍門眺底柱登流丹亭汲河烹茶以吊禹績至此乃勃然興懷將天下奇觀尚有過斯二者乎閣東厓有白巖喬公篆書刻石上而予崇伯載至乃復同升閣上流覽歎賞列席懸巖上對江而酌酒肴既行卒爵欲往燕子磯乃招二篙師泛舟往至觀音港登壽亭侯廟先至水雲亭其扁為予友景前溪書精采如神乃面江小坐遂上謁壽亭侯祠左有大觀亭亦前溪書至此看江日隱斷雲烟霧霏微蒼茫無際矣遂攀松捫蘿以上燕子磯磯皆巉石疊起水圍三面其石鯙猶見江轉磯底可以高覽八極也乃坐中磯道士曰五七年前江衝磯前淺不可測自立關廟後水頗遠磯而去今南徙磯東數百家矣二君皆補和前詩予崇又命行酌與酣北望泰山東瞰滄海灝氣縈迴靈光掩映不知此身之在天地間也張羽觀音山詩連山爭南馳劃斷滄江曲勢如萬馬奔鞭鐙忽迴復石角不戴土蒼然四無麓寸草不得榮唯含古苔緑浪波撞其根巖竇響琴筑浮圖乃善幻淩虛駕佛屋行人願利涉望拜各致祝人生貴無事安能慮存覆

我欲升其巔憑高快心目飛傳不可留一往如電速
宗臣登觀音山詩一上孤峰破大荒吳山楚水更蒼
茫雲間棟宇垂天渚江上黿鼉吹石梁絕壁晝開風
雨色斷虹秋掛薜蘿長吾將從此尋瑶草黃鵠天風
好共翔顧璘燕子磯詩名山意自勝臨水趣轉幽況
茲燕磯秀復枕澄江流孤根託何所上抱雲中樓空
冥瞰水府下見黿鼉游衝濤蕩危石翻恐地軸浮元
氣旋混茫長風吹不休西來疊浪色發自岷峨阪杳
靄衆山影依微行客舟徙倚白日暮極目令人愁盛
時泰燕子磯詩渺渺寒潮帶石磯潮聲山色兩相依
陰雲翻浪明秋日霞氣蒸林生晚霏巴蜀船從巫峽
下荆吳人自海門歸聽歌酌酒銀河曙坐見高天一
雁飛王叔承遊觀音巖燕子磯詩觀音高閣逈巖扉
客酒憑凌燕子磯山帶石城孤寺立潮平江國亂帆
飛故宮木葉空金盌荒渡蘆花失寶衣我亦乘風欲
西逝少林秋老白雲歸林章燕子磯詩揚子江頭燕
子磯楊花燕子一時飛六朝人物空流水兩晉山川
盡落暉草色遠迷瓜步去潮聲暗打石頭歸倚闌天
際春三月惆悵東風動客衣焦竑詩江焱坐依微繁
星落釣磯寒沙連野盡新漲浴天低小憩邨邨暝前

朝事事非塵機吾已息不礙白鷗飛范汭泊燕子磯
詩山影沉沉日乍紅峭帆人怯剪江風鷗鳧占我曾
題石一半唅岈疊浪中孫國敉燕子磯奉别阮太冲
詩累夕不成别千峰青送君亭危衝石疊潮午韻江
濆奇服驕林麓深杯駐水雲可堪磯上燕春日有離
羣張風燕子磯詩海燕何年化石磯等閒猶是意飛
飛新愁對水話難盡舊事營巢纍欲稀春社再成吾
已老秋風纔入子先歸獨憐卧向空江裏鎮日關河
送落暉何淳之三台洞詩絶壁倚江蹲蒹葭障洞門
山腰窺日影石乳帶潮痕鰊市秋多雨龍宮晝亦昏
探奇疑禹穴避世有秦村鍾鼎誰陳列烟霞互吐吞
谷聲傳野鶴浪隊見游鯤千載今纔闢諸天若可捫
三台千氣象
江上五雲屯

臨沂山在城東北四十里周迴三十里高四十丈西南
有臨沂縣故城

雉亭山在東北四十里周迴六里高五十丈與舊臨沂

縣相望齊武帝遊鍾山射雉於此故名舊志云吳大帝時蔣帝神白扇乘馬常見形於此又呼為騎亭山

衡陽山在城東北四十五里周廻九里高二十九丈西北有水下湖南接雉亭山昔朗法師居此有衡陽神女來聽講後為此山之神故名今鍾山鄉資福院有神像可考盛時泰衡陽寺詩朗公飛錫處四壁引藤蘿泉上苔將合幢間字半磨寒烟連阜白落葉近堦多龍女聽經後山精幾度多我來棲鷲嶺偶爾入山阿搖落誰相問淒凉獨放歌鳥聲依澗樹蛩響出庭莎燈閉青蓮影香消碧艷羅高僧難再遇何處禮祇陀

攝山一名繖山以狀如繖也在城東北四十里周廻四十里高一百三十二丈山多藥艸可以攝生故名有

水注江乘浦入攝湖即秦始皇所從渡江者志云江
乘浦在縣西北豈有兩江乘浦哉考之在東北爲江
乘浦故縣以江乘名在西南者爲江寧浦故縣以江
寧名圖考誤齊時隨石勢鑿佛像千餘名千佛嶺下
爲天開巖沈傳師徐鉉張稚圭祖無擇諸題名尚存
嶺傍有白乳泉俱山勝處陳慶之大破齊師擒蕭軌
即此江總碑明僧紹居士子仲璋爲臨沂令于西峰
石壁與度禪師鐫造石佛齊文惠太子豫章竟
陵諸王增飾之每一巖一佛或十餘者惟嶺下一巖
五丈内坐釋伽旁立菩薩二皆四丈二尺明喬宇游
攝山記出都城北經蔣山廟東行出姚坊門三十里
入山後有田疇平野度石橋而東復入石山古檜長
松連抱夾路至棲霞寺寺扁乃宋人書志云仁宗賜
金寶牌額熙寧間取寄華藏寺恐此額非也外叢篁

中一碑乃貞觀所刻字法右軍尚完寺殿宇皆古制殿後有石浮圖數丈極精巧所鐫石像於上寸許者眉髮皆具前有二石佛丈餘露立有吳道子筆法左入山嶺嶺之旁有泉縈迴其聲潄石泠泠可聽山于巖盤繞隨處皆鑿釋像於中飾以金碧頂上俱有火焰歲久剝落深隱者其飾猶存身皆有孔云當時有纓絡罥其上大者數丈小者盈尺望之如蜂房燕壘皆有徑可到名千佛嶺志云齊明僧紹故宅捨爲寺釋佛皆齊文惠太子所鑿盡工巧之妙今佛頭皆斷而復續巖中有沈傳師徐鉉張稚圭王雱題名由嶺而北登攝山山多藥草可以攝生故名山之頂極衆山之高下視江水如帶左龍江右龍潭前瓜步眞州金焦二山如塊石在江中江南登臨奇壯之勝叢林之古無踰於此乃題名而歸陳后主同江總遊山詩時宰蟠溪心非關狎竹林鷲岳青松繞雞峰白日沉天迥浮雲細山空明月深摧殘枯影樹零落古藤陰霜月夜烏去風露寒猿吟自可盡出俗詎是顧抽簪唐權德輿詩攝山標勝紀暇日詣想屬縈迴松路深繚繞雲巖曲重樓回樹杪古像作山腹人遠水木清地幽蘭桂馥層臺聳金碧絕頂摩淨綠下界誠可悲

南朝紛在目焚香入古殿待月出深竹稍覺天籟寂自傷人事促宗雷此相遇偃仰隨所欲清論月輪低閒吟茗花熟一生如土梗萬慮皆桎梏永願事潛師窮年此棲宿顧況詩明徵君舊宅陳後主題詩跡在人亾處山空月滿時寶旛無破響道樹有低枝已是傷離客仍逢斬尚祠劉長卿棲霞寺東峰尋明徵君故居詩山人今不見山鳥自相從長嘯辭明主終身臥此峰泉源通石徑磵戶掩塵容古墓依寒草前朝寄老松片雲生斷壁萬壑遍蹤鍾惆悵空歸去猶疑林下逢明王韋攝山道中詩旭日晴光轉重城曙景迷稻荒寒蟖出竹暝曉禽啼古社棲危堞殘碑倚斷畦秋風振原野疲馬亦能嘶余孟麟棲霞詩靈區支短策異草攝長生晝樹蒼鼯戲春泉白鹿行三臺凌斗絕千佛瞰雲平不管齊梁代晨昏磬自鳴焦竑詩古寺俯蒼巘東峰一磬長人天留色相臺殿自齊梁乳竇流泉滑風巖藥草香采榮心不薄吾欲問醫王黃居中棲霞詩江左誇靈勝開山自朗師烟霞棲古佛風雨護殘碑石室于身幻銖衣六代遺徵君不可迹何處結茅茨攝山頂詩鳥道鬱千盤彌天古木攢蒼崖凌絕漢紺宇俯層巒大地浮杯小長江匹練寒

從教雙屐倦隨喜一凭闌李流芳詩款段橋邊路欲岐龍潭驛口日將西揮鞭遥指山如繖一路江帆亂馬蹄紫藤峰下麓公房松户陰陰嶺月凉若到都門宜曉騎姚坊廿里稻花香孫國敉攝山詩地與人如待居隨岫勢緣谿谺非隔世灌莽别藏天庭滿初秋月江分未曙烟詩成妨定境蟄燕共幽偏　右遺谷是一門師手闢　肘書行伴茗風尚夙斯存苔篆泉間月雲腴石畔根表章留役攬賞啜坐忘言不淺懷賢意香邊役夢魂　右試茶亭白乳泉　夙世非金粟雙林詎若蘩路高將近月香溢未從風薰染心期脫行吟鼻觀空山情隨遁主開落總何功　右西林菴雙桂樹　繖形高矗上數息化人宫茅蔣猶環睞烟濤豈定容西氛天塹共南顧水師蒙自昔中元夜千山佛火紅　右登攝山最高峰　倪嘉慶棲霞六朝松詩童巔山木亦危哉信有神靈護此隈燒尾蒼龍猶攫霧停機老鶴漫遴材千年風物今誰在一望霜椒更可哀封禪不來棲隱處嬴秦名號莫相猜杜湙遊攝山詩攝山枕大江瀑水出西谷滙於江乘浦高深合爲族繖峰冠其巔于佛繪其腹應真白乳泉徵君翠微屋又聞徐鉉居自昔饒松竹同遊諸賢人

鍥名向山麓忽驚巖岫外觸聲如轆轤無怪應潮井汲出赤烏木欲了丘壑緣扶僮衝霢霂施閏章攝山詩招提雲氣碧重重倦客尋山興不慵雙井細泉通衆壑六朝遺迹剩孤松巖前靜倚空江月枕上微聞半夜鐘記取晴冬風日好携壺曳杖最高峰

畫石山在攝山東巖下有石穴曰花洞

落星山在城東北攝山北周迴二里高十一丈西臨大江吳時建樓吳都賦曰享戎旅乎落星之樓又别有落星洲在城西南三十里

木盧山在城東北二十里江乘記曰木盧山有鍾乳穴今里俗名牧盧

白山在城東北三十里周迴八里高八十丈南與鍾山接輿地志云山產白石可爲碑礎南史梁散騎常侍韋載有田十餘頃在江乘縣之白山築室屏居不入籬門者十載今城西南近幽棲山有小山亦名白山

竹堂山在城東南七十五里周一十六里高九十一丈北有水下注平陸輿地志云白山雁門山竹堂山並連帶建康縣北綿連三四十里

雲穴山在城東八十五里周二十里高九十七丈南有水流入石驢溪有洞穴甚幽邃天欲雨則雲氣蓊然

湯山在城東六十里山不甚高無大林木有湯泉出其下禽魚入輙爛草木灌之愈鮮有湯泉館久廢

督府郎公建治一新

大城山在東七十里周二十二里高八十二丈西與雁門接盛時泰城山詩禾黍平連遠陌牛羊半下重岡花影垂簾弄色茶烟隔屋吹香樵語深林若嘯泉聲隔樹如雷少婦機絲未罷老翁社飲初廻又城山訪隣叟詩獨是躬耕處相依亦有君山從千嶂遶

徑向一林分水滿漁竿覺茗香展齒聞從余深隱好莫使勒移文

雁門山在城東六十里周二十里志云有温泉白山雁門竹堂連帶東北綿亘四十里山東北有温泉可浴飲之能愈冷疾一名陽山明胡廣遊陽山記永樂三年秋因建碑孝陵斵石於都城東北之陽山得良材焉其長十四丈有奇濶不及長者三之一厚丈二尺色黝澤如漆無疵璺越九月戊午特命翰林院臣往觀於是學士解公縉侍講金公幼孜暨廣偕往巳未由朝陽門出過十里鋪直抵滄波門門外隔平疇山蟬聯起伏即城中所見諸山也山下烟林村落耕夫餉婦橫縱隴畝予三人觀其作勞徘徊久之見田塍畔繫二舟田水與大江相通故有舟然平疇曠野見此一舟亦自奇絶水之上有古石橋石半墮橋下橋西北有土溝問之溝傍人云國初取土築拒馬牆就以疏牆內流水由拒馬牆折北而行至麒麟門折東行五六里漸多坡陀幼孜與予乘肩輿上下山岡輒相與步行以息僕夫之力

解公騎行常先一二里許不見予二人來輒下馬又東過一長阪阪下路岐而二一依阪足折北一下田間折而南予方惑所從田間人曰南行遂遵田畔折入小村市東由麓度坳入谷行長稜十餘里始至陽山山下草茇數百間以舍趨事者周以樊通二門入門有井有石池出門上百步許有井井之外有深坑平山上土石塡之舉石者邪許之聲相應仰見碑石穹然城立三人相視驚嘆所未見謂天生此石以有待也山高數里其體皆石其旁巉巖不便登陟從碑石左攀躋而上一人引手一人下推又躋一級漸至山頂石如礬頭者窅窊者竅而通者高者下者險不可履蟻緣而度漸過碑石右稍平可行余心悸目眩不能下視獨解公登石立久之余坐息定更踰山頂數十步望見長江數百里隱隱而來舟帆上下如豆江北諸山澹然於烟霏霧靄間杳不能辨近東北二峰峭拔如削即都城東門望見二峰青翠高聳者山南有葉丞相墓按葉祖洽熙寧三年廷對第一官至徽猷閣直學士終於眞州奉勅葬此金陵志亦以爲墓在宣義鄉即此而俗誤傳葉丞相也南望鍾山一峰秀立天際如玉笋都城萬雉紅光紫氣蔚蔚葱

葱結爲龍文散爲霞彩誠萬世帝王之都也日午下山回至小村市望見樹林陰翳中一徑沿澗上兩傍皆松栢有古寺甚犖落粱本業寺也剏於天監九年五代時碑刻尚存有古桂二株其本枯朽其旁枝復拱抱又將枯矣疑與寺同植者從旁入一小軒軒外多竹其南有古井汲以烹茶味甘冽復尋寺前小徑轉登寺後山山多石石罅多棘刺行則鉤衣以手褰衣去地尺徐行至一巨石上坐眺少頃從山脊下王寺地志云謝靈運墓在寺近叩僧不知其處庚申旦離寺由故道入麒麟門緣鍾山麓而行午至靈谷寺觀當時善畫者圖雪景海水於壁寺僧出東坡詩翰有元諸名公品題并宋璲篆書金剛紅觀之至暮而還

武岡山在東二十五里俗呼爲石佛子廟山有石佛十餘處舊傳武后造故名武岡一名墓山

青龍山在城東三十五里周二十里高九十丈山產石

質甚良都人多取爲碑礎前有蘼蕪澗南唐後主嘗校獵於此金陵故事云齊處士劉瓛居此爲儒林之宗年四十未婚其友爲娶王氏乃就澗折蘼蕪而去

附工科右給事中徐惺禁止挖煤疏畧云江南素稱沃壤盡屬

朝廷正供其山場隙地非室廬相接即墳墓相連故從古及今無挖煤之例曾經前督臣具題奉

旨嚴禁而邇來地棍私充牙行串引營兵各家盜挖如故遇有盤詰地棍躲閃以營兵爲護衛雖有司不敢問也伏乞

睿鑑勅部議覆　部覆查營兵賭博騙詐盜挖煤場深爲民害江寧省會之區督府司道府縣提鎮將領各官漫無禁治平日振飭者何事應請

勅下該督撫申飭地方文武各官嚴行禁約以後如有地棍勾引營兵局騙賭博盜挖煤場者即將地棍營兵一併嚴拏依律究治如敢因循縱容該督撫按即將該管道府將領題參一併議處等因奉

旨依擬嚴飭行隨該江寧分守道王紹降奉巡按江寧察院衛貞元憲牌轉行府縣出示嚴禁

蔣山卿青龍山絶頂詩策杖尋高頂低看落日曛倚巖纔辨石入谷乍迷雲歲杪風塵異山椒氣象分共來題姓字誰解識參軍

彭城山有彭城館在城東南四十五里周九里高二十七丈在青龍南　顧璘彭城山詩竹杖逶迤躡紫霞羊腸山徑迤横斜林深更隱彭城館寺右猶傳謝尚家陰洞閑雲飛石燕寒藤懸樹隆風花周顒去後移文在此地何人領物華

祈澤山在城東南三十五里周十里高五十丈東連彭城北連青龍　舊經云山有祈澤寺初法師嘗結茅於此有龍女來聽講神泉湧出講座下歲旱雩禱於此秣陵盛時泰纂祈澤山志祈澤泉外有龍堂宋景平元年建寺梁置龍堂方池甃以石級泉自龍口出雲日下射陰苔細藻廻文伏泡令環而坐者忘返焉又雙文杏在殿墀内傳爲初法師手植左則輪身楞腹枝葉隆茂右則枒槎上出龍塞亂攫反多偉觀云經雷燒故也南唐斷石舊埋殿角草莽擁

翳鋤視其首云晉水齊雲山釋無名后云秦正之月元年與德謙及保大維新諸字今多殘缺又白野碑不華書又墮雲峯喬司馬題名石上亂石峆岈若飛全溧水興化寺住持伯元撰文中順大夫秘書卿泰雲欲墮公遊寺見而書之字大如斗形勢甚偉石礪未鐫今已爲雨漉又檜徑寺前羣植可四十餘株前連平疇後映池水左右山環之客行其下時有實如翠珠者落衣上又桐林散植山上下寺內外官物也每歲秋太常寺命人取實又栗蓋在山雲館後大數圍蔭可一畝又貯香室因褚傎詩有硯池滿貯落花香取以名室又待月亭顧橫涇命名又仙人巖其石起伏狀如仙人座故名也又翻經坪寺後山廣可盈畝平若掌上有流水痕環曲如鑿登則四山入望是山最佳處王帛祈澤寺詩何處可題詩東林亦在茲蓮生初挺葉松偃復榮枝孤穴穿陰屋龍咽入古祠山僧指碑石云是大觀時　顧起元詩坦逶平岡古磵分禪房修竹畫氤氳庭心影合千年樹碑首書殘六代文犬似豹聲常吠月鸛巢隝吻數盤雲龍堂水品由來勝挾茗時來對此君盛時春墮雲峯詩彷佛晴雲氣墮影青林隈有日從雲去長空起迅雷又仙

人巖名山多靈蹤古仙採仙迹白鶴忽歸來疑是雙飛舄又翻經坪道人持經函坐向盤陀讀經罷寂無聲松風起巖谷

符堅山在東六十里周一十五里高六十丈北連大城山謝元破秦歸安問其方畧元指此山曰此若符堅駐軍之山

石跪山在城東南四十里周十五　高二十一丈在上元縣崇禮鄉一名竹山祥符圖經有大蘢悉是石故名石跪跪一名櫃每春夏水溢泉流匯北山橫據秦淮之上以櫃遏水勢輿地志秦始皇時望氣者云江東有天子氣乃東遊厭之又鑿金陵以斷其勢今方山石跪是其所鑿處也

土山一名小東山與石跪相望山無石晉謝安嘗遊陟於此以擬會稽東山即與謝元圍棋賭墅處唐李白詩不向

東山入薔薇幾度花白雲還自散明月落誰家我今攜謝妓長嘯絕人羣欲報東山客開關掃白雲明焦竑東山詩謝墅維青舫蕭臺接紫城到門雙樹立隔岸亂峰迎龍臥曾先達鴻冥愧獨行蒼生誰繫望懷古重含情杜淶同劉覺岸鄧元昭遊東山詩東山此日荒已竟猶憶圍碁賭墅時王謝子弟各有致建業風流今在茲羣阜四面宜秔稻大江兩岸飛鷺鷥君能約我最高頂共誦李白薔薇詩

張山在城東南三十里淳化鎮北南史齊明敬皇后葬江乘縣張山今城東北章橋復有張山亦古跡

丁山在城東南四十里周一十七里高二十七丈

方山一名天印山在城東南四十五里周二十七里高一百一十六丈四面方如城秦淮經其下輿地志湖熟西北有方山山頂方正上有池水丹陽記形如方

印故名天印山秦始皇鑿金陵山疏淮水此山乃鑿處吳大帝爲葛仙翁立觀方山宋何尚之致仕退居方山齊武帝嘗幸方山欲爲離宮期勝新林苑徐孝嗣曰繞黄山款牛首乃盛漢之事今江南未廣願少留神乃止徐嗣徽兵至秣陵故治齊人跨淮立水柵度兵夜至方山周文育等各引還齊兵自方山進及倪塘齊王融詩巡蹕望登年張飲臨秋縣日羽鏡霜湍雲旗落風甸四瀛良在目八守宛如見小臣竊自嘉預奉栢梁讌南宋謝靈運隣里送至方山詩祇役出皇邑相期憩甌越解纜及流潮懷舊不能發析析就衰林皎皎明秋月含情易爲盈造物難可歇積痾謝生慮寡欲罕所闕資此永幽棲豈伊年歲別各勉日新志音塵慰寂蔑梁何遜下方山詩寒鳥樹間響落星川際浮繁霜白曉岸苔霧黒晨流鱗鱗逆去水瀰瀰急還舟望鄉行復立瞻途近更修誰能百里地縈繞千端愁明許穀登方山絶頂詩天印山高四望遙振衣同上興飄蕭深巖藉草秋仍茂絶頂清池旱不消散睇青巒圍錦甸舉頭蒼鵠接丹霄洞中却愛棲眞者不信人門有市朝顧起元方山詩瑤壇何代紫泥封知是方壺第幾重翠壁春雲

深薜荔丹泉秋露濕芙蓉金庭別搆仙人館玉杖難攀羽客蹤獨有龍池清可濯幾迴支策過東峰張如蘭方山定林用韻二首有序戊申春留都妖言有李玉斜衆數萬於某日方山誓師大司馬孫公以爲憂命蘭往偵之疾馳入山絕無影響於方丈中得楊水部二詩和韻而歸次日返命以詩復大司馬笑而止西際蒼烟合重圍曲徑逢孤蹤無可覓鶴侶似相招梵行因僧覺閒情與世超山頭一長嘆螺髻滿青霄寒嶺雪不濕荒茅火盡然乾坤自寥落巖壑總鉤連鳥影雲霞外龍精水石邊竭來占色相幸得此攀援

獅子山在城北二十五里周一十二里高三十六丈東有水下注平陸晉元帝初渡江見山嶺緜延遠接石頭似北地盧龍故初名盧龍山明高祖嘗伏兵大破陳友諒於山下山巔欲造閱江樓預御製閱江樓記後不果樓宋學士濂亦有記石跪方山爲秦皂斷山斷金陵王氣之處不知

城西北盧龍馬鞍二山間亦爲秦鑿也此處正號金陵岡俗傳埋金事即此岡上有碑因開靖安路失之張鉉新志言其地有溝溝中有石脉見存以証鑿斷之跡明高帝御製閱江樓記有序朕聞昔聖君之作必詢於賢而後興噫聖人之心幽哉朕嘗存之於心雖萬千之學猶不能倣今年欲役因者建閱江樓於獅子山自謀將興朝無人諫者抵期而上天垂象責朕以不急即日惶懼乃罷其工試令諸職事妄爲閱江樓記以試其人及至以記來獻節奏雖有不同大意比比皆然終無超者朕特假爲臣言而自尊不覺述而滿章故亭云洪武七年二月二十一日皇帝坐東黄閣詢臣某曰京城西北龍灣獅子山扼險而拒勢朕欲作樓以壯之雄伏遐邇名曰閱江樓雖樓未造爾先爲之記臣某謹拜手稽首而言曰臣聞古人之君天下作宫室以居之深高城隍以防之此王公設險之當爲非有益而不興上階三尺茅茨不剪誠可信也今皇上神謀妙算人固弗及乃有獅子山扼險拒勢之詔將欲命工臣請較之而後舉且金陵之形勢豈不爲華夏之魁何以見之昔孫吳居此而有南土雖奸操忠亮卒不能擅取者一繇長江之天塹

次繇權德以沾民當是時宇内三分勁敵豈小小哉猶不能侵江左豈假閲江樓之拒勢乎今也皇上聲教遠被遐荒守在四方道布天下民情效順險巳固矣又何假閲江樓之高扼險而拒勢者歟夫宫室之廣臺榭之興不急之務土木之工聖君之所不爲皇上撥亂返正新造之國爲民父母協和萬邦使愚夫愚婦無有謗者實臣之願也臣雖違命文不記樓安得不拜手稽首以歌陛下納忠欵而歛興造息元元於市鄉乃爲歌曰天運循環百物禎須眞人立命四海咸安臣歌聖德齒豁鬓斑億萬斯年君壽南山江寧知府陳開虞建共賞亭於紫竹林後有共賞亭記

紫竹林者選佛塲也然以林名亦猶是旃檀林祇陀林之義林有竹萬竿寒暑一色鬱然蒼翠直接碧空屋後梅杏成林芙蕖盈沿林卉景物亦頗有足觀者第其地在得勝門内得勝門者昔之神策門也雖在會城内與邨落不殊野望蒼茫無名山巨壑可舒眺覽遊者率以是爲恨惟圓通殿後巋然一丘有額師塔院在焉塔院外寺僧復周以繚垣遂令登者一無所見余攝衣而上徘徊久之迺於塔院右構一閣顔曰攬勝凭闌縱目一望于里城外諸峰悉可指數下

郎觀音洞洞右稍轉有松數十株窈然以幽如迴在紫竹林之外與香幢寶刹絶不相蒙惟鐘磬鏜鞳與蕭蕭松籟遙相賡和而已余復搆小亭於松林中亭背山面野稍剪翳薈輒豁然空曠遙望紛堞一抹如環而纍纍然環堞之上者則白兎峰也昔郭恕先作畫乘醉圖之一角作遠山數峰余亭所見庶幾似之自有斯亭與斯閣而城外之霧髻烟鬟與城内之平林曠野今皆一旦得之指顧之間而收之几席之上覺紫竹林從來所未經目覩者今始別闢一天地矣而今而後遊者亦可以無恨矣後之登眺於此者窮千里之目開萬古之胸無論緇流羽士墨客騷人莫不浩浩然落落然與余共有斯亭共有斯樂余又烏得而私之哉亭日共賞有以也夫王葦盧龍山詩獅子山深草樹香丹丘近結赤城傍樓藏睿藻風濤壯溪帶仙葩水月蒼東渡地靈憐謝傳西來天塹憶周郎登臨莫謾誇名勝佳氣蘢葱識帝鄉

馬鞍山在城西北十里與盧龍山接以形似得名其山盤旋南行接四望清涼諸山坡陀歷歷林薄邨墟各

成野市喬松修行香陰夾道二十里中藏小菴數十處鐘磬鏜鎝皆出松濤竹浪中登山則大江入懷不知身在城中也內若自在菴西方菴之萬年烟雨煉魔菴之湧青滴翠幽倩九引入以深山均一瓢妙高和尚焚修處焦竑朱之蕃時過遊所留翰墨甚富其他精藍絡繹爲闔城勝地皆寺觀志所不能備載者也

四望山在城西北一十里周三里高一十七丈與盧龍馬鞍相屬東至新安西臨大江南連石城北接盧龍蘓峻反溫嶠築壘於此以遏賊明學士余孟麟清涼山詩峰巒藏佛窟迢遞俯神州僧磬衝雲出江帆挾郭浮一堂開雁宇六代駐龍游依舊臙脂井桃花帶雨流　顧起元詩翠微山倚石頭傍徑轉峰迴接上方宮井轆轤滋蘚碧講壇氍毹

翳苔蒼驄明洞雪經春冷門掩匡松駐月長避暑漫
言河朔會茶瓜堪借巳公房王思任清涼臺詩古寺
白門邊寒風逗石烟松篁無俗徑鐘磬有諸天歲晚
難爲客官閒易入禪燈殘僧別去清夢竹相憐萬時
華清涼臺詩高臺同一望入照夕陽多豊鎬餘亭榭
陳隋舊綺羅美人曾玉樹衰草失銅駝怪得當時烏
城邊喚柰何陳開虞登清涼臺詩臺鑠層城虎踞雄
登臨長嘯快哉風濛濛岫影遙天北浩浩江聲一派
東拂去浮雲衣上白携來落日杖頭紅
蒼然秋色何方至無限鄉愁問塞鴻

石頭山在城西二里按輿地志環七里一百步卽楚金
陵邑吳晉時江在石頭下爲險要必爭之地上築城
常以心腹大臣守之南北戰伐咸據此爲勝負江乘
地記云吳之石城猶楚之九疑也明初都城皆據岡
壠之脊下有龍洞又名桃源洞後有駐馬坡諸葛亮

嘗駐此以觀形勢唐李白詩石頭巉巖如虎踞凌波欲過滄江去鍾山龍蟠走勢來秀色橫分漂陽樹四十餘帝三百秋功名事迹隨東流白馬小兒誰家子泰清之歲來關囚金陵昔時何壯哉席卷英豪天下來冠蓋散爲烟霧盡金輿玉座成寒灰扣劍悲鳴空咄嗟梁陳白骨亂如麻天子龍沉景陽井誰歌玉樹後庭花此地傷心不能道目下離離長春草遂爾長江萬里心他年來訪商山皓明陶安詩銕壁巉巖阨要衝古來設險大江東半天虎踞山如舊萬壑鯨吞地更雄上國控臨吳楚郡西藩環護帝王宮當年駐馬坡前望想見金陵氣鬱葱顧起元詩虎踞巉巖四望遙高天雪霽轉岧嶤丹樓乍憶霏初定粉堞還疑霰未銷朔吹千崖疎落木江風萬里溯寒潮扁舟未返山陰夜横篴聲隨玉樹飄方其義石城初發値雨雞鳴山下客三月出江于潮似去年信蘆生薄暮寒野雲先雨散遠岸入烟殘花月明朝路前流或可安范景文石頭山詩荒荒憑故壘傳是石頭城照返三山影江流六代聲露華臨夜白天氣入秋清俯仰悲人代還看夕月明陸師道石城曲題采蓮圖秦淮水綠芙蓉明元武湖邊烟艇橫香風

翠袖暮雲亂落日新妝紅淚驚城隅濠曲歌聲起却寄愁心棹謳裏恨不相攜桃葉渡心知同在長干住須臾花冥鳳凰臺帝闕回看錦作堆明月各隨珠珮去白鷗獨送綵舟回蓮浦紅衣秋露涇桂林金粟秋風急相逢江上采蓮人回橈擔向花間立帝京曾憶看花行畫裏今瞻雲錦城十年漁舸滄州臥羞對紅渠白髮生僧廷俊石頭城詩袞袞長江去不休巖巖盤石踞城頭千峯日落淮南暝萬樹風高白下秋流水尚遺諸葛恨東風不與阿瞞留中原一髮青山外萬古終為王謝羞

山舊志按十道四番志在東北四十七里碑石磴礎多出於此

金陵岡在縣西北龍灣路上相傳秦瘞金人於此昔有一碣刋其文曰不在山前不在山後不在山南不在山北有人獲得富了一國後因砌靖安路失之

白土岡北連蔣山其土色白隋賀若弼於此擒蕭摩訶

國朝順治十六年　制府郎公于此大破海寇

武帳岡在幙府山東南岡側有武帳堂宋文帝嘗以開宴於此勅諸子且勿食至會所賜饌日旰食不至有饑色乃戒之曰汝曹少長豐佚不見百姓艱難今使識饑苦知務節儉

謝公墩在半山寺今冶城北二里亦有謝公墩山勢自鍾山來起伏曲折實城西北隅勝地近鞠爲蔬圃止存一徑土色赤亦呼爲紅土山墩俗傳謝公所嘗登也事無據李白王安石皆有謝公墩詩白詩云冶城訪遺跡猶有謝公墩今永壽宮冶城山即安與王羲之所登悠然遐想之

地安石雖有我屋公墩之句而又有詩云問樵樵不知問牧牧不言亦自疑之矣豈元及其子孫所居後人因名之耶唐李白登金陵冶城西北謝公墩詩冶城訪古跡猶有謝公墩憑覽周地險高標絕人喧想像東山姿緬懷右軍言梧桐識嘉樹蕙草留芳根白鷺映春洲青龍見朝暾地古雲物在臺傾禾黍繁我來酌清波于此樹名園功成拂衣去歸入武陵源宋王安石謝公墩詩走馬北門下投鞭謝公墩昔人不可見故物尚或存問樵樵不知問牧牧不言摩挲蒼苔石點檢屐齒痕想此絓長檣想此倚短轅想此兀雲月痕籍盤與罇井逕亦已湲漫然禾黍村摧藏羊曇骨放浪李白魂亦已同山丘緬懷蒔蘭蓀小草戲陳迹甘棠詠遺恩萬事付鬼籙恥榮何足論天機自開闔人理孰畔援公色無懼喜儻知禍福根涕淚對桓伊暮年無乃昏曹學佺謝公墩詩謝公墩上日閒行四野霜天一倍明亭館已空雲物麗寺門相近夕鐘清寒山又傍斜陽路江水終銷十月聲載妓如花不同賞風流應感古今情焦竑九日登謝公墩分得今字詩謝公臨眺處勝日一招尋我輩還時序荒墩自古今天空江影淨木脫雁聲沈不有茱萸酒其如

搖落心以上上元

聚寶山在城南聚寶門外山産細石如瑪瑙故名其東巔爲雨花臺詳載圖考山麓爲梅岡晉豫章内史梅賾家於岡下又日營于岡上舊多亭榭今廢自六朝訖今爲都人遊覽勝地宋馬光祖雨花臺記雨花臺勝甲江南事詳郡乘余公餘一往則臺屹其崇萬象環集山川城郭江淮吞吐如拱如赴而顧瞻吾臺藩拔級平反若歆然有不足當者乃度材更繕不兩月告成旣成率賓佐落之余撫欄作而言曰嗟乎地以山川勝山川以人勝而人之所以勝者何哉今吾與二三子登斯臺也仰而觀行闕奐如趙元鎭張德遠之所建請猶凜有生氣俯而觀長江渺如韓蘄國虞雍公戰勝之跡尚可一二數也子以是而觀之其亦有慨於心否歟向皆如晉元奕輩把酒

清譚脫落世事則雖茂弘新亭士行石城遺跡之丘墟久矣而況所謂雨花臺者然則吾與若從容無事相與遊于此也而可不知其所自耶知其所自則當監其所爲矣吾老矣何能爲惟聳誦北山移文說東廬山故事則躍然有所契金盆石室諒不終寒我盟然前所爲元鎮諸賢之事其卒付之登臨一慨而已乎詩曰高山仰止景行行止又曰以似以續續古之人吾敢以是爲二三子勉二三子有不勉者耶乃相與離席而謝曰敢不勉因筆以爲之記唐李白登梅岡望金陵贈族姪高座寺僧中孚鍾山抱金陵霸氣昔騰發天開帝王居海色照宮闕羣峯如逐鹿奔走相馳突江水九道來雲端遥明沒時遷大運去龍虎勢休歇我來屬天清登覽窮楚越吾宗挺禪伯特秀鸞鳳骨衆星羅青天明者獨有月冥居順生理草木不剪伐烟窓引薔薇石壁老野蕨吳風謝安屐白足傲履襪幾宿一下山蕭然忘干謁談經演金偈降鶴舞海雪時聞天樂來了與世事絕佳遊不可停春風惜遠別賦詩留岩屏千載庶不滅宋王安石詩盤互長干有絕陘并包佳麗入江亭新霜浦淑綿綿淨薄晚林巒往往青南上欲窮牛渚 北爭難忘草堂靈篋

興却走垂楊陌已載寒雲一兩星明高啓登金陵雨花臺望大江大江來從萬山中山勢盡與江流東鍾山如龍獨西上欲破巨浪乘長風江山相雄不相讓形勝爭誇天下壯秦王空此瘞黃金佳氣葱葱至今王我懷鬱塞何由開酒酣走上城南臺坐覺蒼茫萬古意遠自荒烟落日之中來石頭城下濤聲怒武騎千群誰敢渡黃旗入洛竟何祥鐵鎖橫江未爲固前三國後六朝草生宮闕何蕭蕭英雄乘時務割據幾度戰血流寒潮我生幸逢聖人起南國禍亂初平事休息從今四海永爲家不用長江限南北張孟兼登聚寶山分韻得春字蹤跡憐身拙登臨縱目頻江山如好客花鳥故餘春落落行藏異悠悠歲月新數莖初白髮朝夕爲思親顧璘雨花臺古臺開士說金經傳道天花亂紫冥廣舌不來塵每變春風唯見草青青金大車雨花臺觀月高臺上與碧雲齊坐看氷輪出海西吳苑參差雙闕迥楚天高潤萬峯低燈懸村落昏初見帆出江烟遠欲迷疑向廣寒歸路晚蕭身風露夜凄凄湯顯祖雨花臺詩冉冉春雲陰郁郁晴光瑩取次踏青行發越懷春興拚知天女後如逢雨花剩宜笑入香臺含嚬出幽徑徙倚極烟霄徘徊整

花勝能隨鷺蝶起思逐流鶯凝美目乍延盼弱腰安可凭朝日望猶鮮春風語難定拾翠豈無期芳華殊有贈持向慧香前爲許心期証如何遣玉纓沉情擊金磬盛時泰登雨花臺詩紺殿珠宫結駟行登臺共豁遠遊情林花雨霽雙峯出雲木京生一鳥鳴禁苑晡烟開樹色秦淮春水長潮聲却因楚使誇雲夢媿作諸生賦帝京余孟麟雨花臺詩倚杖看雲靄焚香坐夕曛花飛長作雨岫出不歸雲天遠低於幕江圍窄似裙一峯臺殿外梵唄隔氤氲焦竑詩南郭高臺迥乗春數散愁雨餘千嶂立樹杪一江流地擁鶯花勝情兼水石幽角巾差自得端合老林丘陳開虞雨花臺詩金陵城外雨花臺席草簪花闘酒杯自是昇平遊女至何妨豐樂醉翁來悠悠帆帶晴雲去對對禽銜夕照回分付昏雅與驊騎不須頻向使君催顧夢游雨花臺詩佳麗長干道高臺近易登出城空翠逼藉草細烟承落日揺江練叢林擁塔燈遊人淸夜盡消受獨山僧

戚家山在城南聚寶門外景定志在天禧寺東即今報恩寺

梓桐山在城南十五里高三十八丈山下有謝氏詩樓及繙經臺基尚在

紫巖山在城南與梓桐山相近高三十八丈陳軒金陵集載李建勲春日紫巖山期客不至詩戚氏云前志郎以此爲巖山誤

夏侯山在城南二十二里高三十五丈梁夏侯亶居此因名

韓府山在城南十五里舊名鳳凰山以韓憲王葬此因名

翠屏山與韓府山連明陳沂詩天外羣山高且重西南更出兩三峯白雲靑靄互相合激石亂流時自舂行入飛蘿千尺磴坐臨幽徑萬株松一聲淸響隔林杪知是頭陀寺裏鍾金大輿詩閒情

依白社杖策入青山樹色經冬慘溪聲盡日閒巖高雲作嶂寺古石爲關叢桂凌霜發狂歌醉亦攀

甑蔽山在城南二十三里周八里高二十五丈以形似名

牛首山在城南三十里舊名牛頭山週四十七里高一百四十丈雙峯秀起正對晉宣陽門王導指曰此天闕也故又名天闕山又名仙窟山歷代崇飾甚盛由山椒起石級百磴杉檜竹列而上有白龜池天王殿左虎跑泉自龜池右兜率岩一名捨身臺由山磴盤旋以上壘石爲浮圖下爲文殊洞僧搆重樓覆其外名文殊閣下爲含虛閣明狀元羅洪先題額閣卑隘不足以曠覽康熙丙午太守陳開虞拓而新之凭欄縱目巒壑萬千踞牛首之勝公有記勒石閣上又下爲

辟支洞不測深淺即梁時建寺處廣踰丈殊之一高倍之中有石盂形甚古唐神龍中并誌公履取去長安右有安初洞路險僻知至者尠右有煠洞深入窈窅上聳巨壁傍层一石遠望隆起近視則側如龕狀下有地湧泉自石坎中出深二尺許色味俱絶俗呼爲龍王泉山上兩峯間有昭明太子飲馬池冬夏不涸東峯巔有錫杖泉兕率岩下有太虛泉山南有芙蓉峯雪梅嶺大峯之下有石如臥鼓中虛可坐數十人呼爲石鼓天欲雨則石鼓自鳴舊有中峯庵在西風嶺半近庵有龍王泉其東南爲劉宋郊壇處建炎中岳飛設伏兵於此以拒兀朮太守陳開虞含虛閣記金陵山水最秀麗牛首其一也山向南距城可三十里許卯發辰至無輿徒跋踄勞又甚崢嶸非拳石玩兩山矗峙秀若削成出冠雲

表龍門敞乎雙闕晉司徒所稱天闕也故亦名天闕山六代來誌載家數稱之扶輿孕結錯彩鏤形歷千禩未之或改而崇飾則代變焉孕結自天崇飾自人天匪人曷以發厥靈異乎盧嶽奇天台秀華岱巍峩巃嵸其自雲物蒸變草樹鬱蔥外凡磴道亭臺館宇樓閣皆足點映高深俯仰之致而俾僉歎曰曷其邃曷其紆曷其曠杳乎無際浸假童然山也詎憩息無所諮眺覽莫駐山靈能不爲之氣索乎天闕梵宫踞乎山半由山椒稍上登石級級數百步從白雲冉冉升達平地下瞰樹杪與高鳥平睇稍轉緣石壁精舍與坡上下歛履廻步忽入深室戸牖外輙臨千仞每霽冬月午空瀠澄澈衆山倒影窺之如畫矣行人數里外遥望之樓閣嵌空中飛檐複檻參差攢峯欹石間晴日相輝射如芙蓉高挿青旻縹緲不可梯接肆天闕之勝雖曰體絶凡阜更以搆造工特著也而含虛閣尤占勝以其勢陡絶俯睇萬象從空濶中逼見林木蕭森離離蔚蔚共在霞氣之表因顔含虛含虛一山槩而閣領厥全故含虛名閣亦以紀山也遊人來此發澄心抒高嘯悟外身之眞宣神契之趣當于閣乎寄焉而可與之廢之修焉蕪焉是聽也哉閣甚

小歲入且荒圯余守金陵四載丙午偕中翰陳公同
官李公迓登此閣也不禁荊蓁湫隘之慨因與山僧
集庀用材若干鳩工若干捐貲重建視舊高十三而
廣倍焉越明年丁未工竣因再憇于此見夫東巖兜
率西洞文殊未之有異也下冽泉通潮汐無殊禹錫
云法融宴坐慧力感通者也至華巖遙拱江光飛練
異林之葉其色別樹之羽同聲一一具如疇昔自余
增而飭之流連信宿不覺忘返以欣以適日所涉歷
未嘗有也山水有靈詎不驚知己於千古哉一閣也
曩以規模稍狹美弗彰余考金陵梵刹志接引華巖
藏經彌勒諸閣皆彰彰而含虛獨弗著于紀惜哉其
自今以迓必有廣諸傳稱克之文詠以擅勝將來者
而余得附姓氏以存焉將晉唐前有斯閣無斯閣法
公知公諸師曁王導劉禹錫之徒亦曾有過而問之
者乎所弗及深考也夫凡山之屬坦峻不同蜿蜒亦
異而有扼乎要會者以總攬其奇無古今一也由天
闕之含虛觸類求之攝山天印祈澤覆舟三山獅子
燕磯雞鳴鍾阜清涼諸勝界非無一畸勝區或經見
或未經見或有構或無所構或構之廣狹堅頹恨不
徧窮其境俾幽壑藉棟牖以偕新且耳目習玩人跡

罕到之區亦有幸不幸焉幸而傳不幸遂湮沒無聞
逡逡然也余獲有守土責焉殆將採輯舊聞搜訪遺
軼一爲山川闡發乎幽光柳子游山之記酈元注水
之書與宮闕建制人物風華並傳無窮以成金陵盛
紀方自茲閣始于是乎書之以爲記閣題額爲故狀
元羅念菴先生筆茲仍其舊云唐韋莊牛首山詩牛
首見鶴林梯徑繞幽岑春色浮山外天河宿殿陰傳
鐙無白日布地有黃金休作狂歌態回看不住心明
太祖牛首山詩遥峰峙立勢蒼然春聽鶯啼景物鮮
疊嶂倚天江月外三山映帶石城邊顧璘與陳石亭
雪後遊牛首山詩窮冬季月歲云徂策馬牛山興不
孤削壁倚空雲點綴古松沿澗雪糢糊堂垂塔影傳
靈怪人轉巖腰學畫圖形勝江南無可比武皇龍駕
合踟躕　柴惟道詩岩嶢峙天闕飛閣凌層空峯巒
莽迴互晚色遠冥濛磬聲落崖谷梵唄飄虛風景符
九秋後影翳于樹紅靈寶自天設壇影疑神工碑板
盡滅沒徑草披蒙茸至人徒徧邈曠世緲難從搴蘿
梔幽爽穿林閱葱蘢是身忽若遺神理超無窮永懷
謝公趣豈必安期逢皇甫汸詩出郭紆京覽尋山隔
世緣雁垂珠戶壇龍起石巖泉法雨穿花外慈陰甜

樹前寧知禪寂處曾是聖遊年金鑾牛首詩先皇曾此駐龍旂一夜空山擁六師春鳥尚思巡幸處野花不似樂遊時遙聞寺外江聲落倒見天邊塔影垂若問南朝昔年事廢原荒井有殘碑殷邁牛首山閱楞嚴詩一軸楞嚴閱未終四山風靜暮林空忽逢華屋身能入自得神珠道不窮樹影欲迷雲渡處經聲遙聽月明中共傳鹿鳥春深後猶向煙蘿禮法融焦竑牛首山詩龍藏烟蘿閟牛山殿閣幽夜凉僧梵歇地迴佛燈流樹影兼雲合林香過雨收平生飛動意何幸得淹留　錢琦遊牛首山詩青山高傍帝城隈結客相將命酒杯石路草香人獨往楓林葉暗鳥頻來江迴素練雲邊出嵒獻名花雨後開臨眺莫言歸去晚放歌還上夕陽臺何湛之遊牛首山詩禪關窈窕萬峯幽寶地珠林愜勝遊烟瑣懸崖搖薜荔雲迴飛磴夾杉楸憑陵象緯排天闕控引山河拱帝州極目香臺翩自失莅莅身世一浮漚程嘉燧牛首詩城南遍蘭若茲山何穹窿鞍馬上幾盤迫察勢猶雄崕昃日半傾光射東南峯闌于倚峻壁毫末紛玲瓏路迴見塔寺到門羅杉松積翠扶層堦暝色帶遠江高殿夜突兀古木枝巃嵸尚駭仰睇睩未覺俯歷崇細路

繞殿角欲上聞鳴鐘捫蘿踏深影林幽徑難通悄然心神悽却顧來驚風下歸白雲梯微月光朣朧明當上絕頂寘搜恣所窮興劇耿無寐清宵殊未終杜潦牛首山詩遊歷後載籍夙昔漫尋究牛首石城南芙蓉稱其選叚石岡在東商飈館乃右天闕破穹窿石鼓羅星宿淨綠剝陰崖金碧炫淸晝芋葉儼新荷棲實垂靑豆危磴忽十尋直使白雲透我來叩融師諸見不敢狃寧俯兕率巖始覺利名陋陳寶鑰垂影塔詩古塔挂峯腰聳出峯頭上隨樹入幽房塔垂樹則仰此理究不明終古費人想天地如碁盤日月如運掌物齊則觀同橫斜兩不爽辟彼印問文字轉而成象辟彼鏡中窩窩心則懸額兩曜作是觀返照則迴朗室虛白常明閉日能睜鑾挂角於壁中形落在深決此理自然聣古人徒影響陳開虞遊牛首山詩山有含虛閣臨而且圯余爲新之成巨觀焉雙闕分明是帝閽居然人到一天門屢應漸躡松杉頂衣已今沾雲霧痕縹緲下臨千里曠崔嵬更上一峯尊小樓新搆層巖杪時有飛僊跨鶴論

祖堂山在牛首山南十里前爲花岩山周四十里高一

百二十七丈宋大明中於山建幽棲寺因名幽棲山唐僧法融得道於此爲南宗第一乃改爲祖堂山山南有石窟儼若堂宇融師居之有百鳥獻花之異因名獻花巖明翰林陳沂有獻花巖志大藏經云華巖山高千四百餘尺周四十里餘三十步上有芙蓉峰拱北峰天盤嶺西風嶺中峰伏虎洞神蛇洞象鼻洞息泉太白泉長庚池諸勝陳沂獻花巖志畧云獻花巖釋氏書爲唐釋法融居此雩中有奇花又有鳥啣花之異巖因以名而山亦以巖顯故金陵稱叢林必曰牛首獻花巖祖堂而地實相連舊刹惟牛首幽棲寺即今弘覺寺此巖惟僧庵耳明成化間山東僧古道師至巖下堅坐不動數年黔國守何公飯僧於祖堂之山北望雲氣被彩陟岡而北氣自巖出何公愕然步至巖見古道危坐問

之不答而貌又古益怪異之是年即捐金爲佛宮別治堂與之居請勅賜寺額曰花巖芟闢灌莽平衍碕砠因高爲臺緣曲爲梯懸虛以爲樓閣挹曠以爲軒楹凡幽潛秘密之所畢張大榜之於木刊之於石由是獻花巖之名大勝於牛首山顧璘遊花巖詩風林下馬叩龍宮雪磴扶筇踏虎蹤把酒峰頭看海月開門庭際俯雲松鐘聲夜傍諸天動巖翠寒交萬水濃苦說移家身已老暫來猶自未從容朱應登祖堂山詩長廊卷幔得閒凭南國秋容望不勝香閣梵音傳遠磬石幢寒影護懸燈山深疑有長生藥寺古應多入定僧人語忽然飄下界始知身在白雲層顧起元拱北峰詩遙看絕嶠勢疑飛似引羣峰揖帝畿夜宿星光懸地鏡晝籠雲氣曳山衣陽遲四月花初發風輭三春草尚稀愛倚南天看北極五城樓閣望中歸余孟麟獻花巖詩擁錫依龍藏聳鐘度虎溪谷空含露滿槎小宿星低巢樹僧初定啣花鳥不啼如何歸去路常被嶺雲迷王世懋詩紫閣平臨百尺臺清秋人臥碧崔嵬千峰忽避江流出雙闕遙分瞑色開捲幔雲來窺伏枕隔山鐘動喚銜盃扶筇亂拂蒼烟下縹緲諸天首重回陳舜仁從牛首步至獻花巖詩複

嶂層巒紫翠重杖藜還上最高峯亭虛正借江雲宿洞古常留石蘚封鳥解啣花緣底事石知説法竟誰宗直須忘佛兼忘我始信禪門有象龍顧源獻花巖詩緣鬢異今朝酒青山舊日緣香雲連大地花雨纍諸天虎跡留深洞龍光映古禪尚平何日暇同爾奉金仙黃居中獻花巖牛山分別界鳥道入精籃寺杳深藏竹巖高翠結嵐花疑天女獻石向遠公參半榻猶堪借時來聽法譚

岩山在牛首東北吳王皓刻石于此以紀功德後段因名段石岡後移置府學尊經閣內宋明帝泰始中建平王休佑于岩山射雉日欲暮帝遣左右壽寂之等逼休佑墜馬殺之郎此

上公山在段石岡南其東北爲福子山又東爲大山小山皆相連

青山在城南四十里建康實錄梁太清元年置幽巖寺永康公王造大毗曇師傳云承聖

二年浩師入秣陵青山始創舍名幽巖亦不云永康造也

張山在尹山之東與尹山東西對峙橫山之水從中而出

禁龍山在葛塘西自吉山折而東亦名大山

吉山在上郵五峯聯峙宋建城侯吉翰葬山中故名

觀子山在城南三十里周四里一百步高八十三丈東有水下注新林浦

蔣碧山在牛首山西南

朱門山在縣南八十里盛時泰送僧入朱門山採春蘭詩朔風吹雪片洒落細于沙獨有春蘭葉于時吐玉芽玉芽滿谷君能採恐却空山歲年改歸來贈我幾多叢遍種芽堂對烟靄

牛跡山在朱門鄉其半爲太平府界

男山女山姑山在朱門鄉三山聯絡森秀挺拔蒼翠若芙蓉女山有石洞號爲仙靈遺蹟數十里外望秀人雲霄羣山鮮匹又顏料山亦接此山明顧起元詩瑶篸兀聿冠雲鬟玉笋參差列御班日月中分龍虎地雌雄雙挿斗牛間孤論大小依通隱對擁兒孫媚客顏絕壁過雲垂瀑溼坐看歸鳥礙飛還

麻山在江寧鎮此山自太平東奔亘數百里

大青山在觀子山南十五里周三十五里高一百二十五丈西有水下至平陸

紫雲山一名大山與花巖接

鼓吹山在南八十里周一十七丈高八十丈四望孤絕宋孝武大明七年登此望甲子館奏鼓吹故名戚氏志云甲子乃記日非館名實則少帝景和元年九日幸湖熟始登此作鼓吹與此志異

銅山在東南七十里山產銅宋鮑照過銅山掘黃精詩土肪闕中經水芝鞱內策寶餌緩童年命藥駐衰曆矧蓄終古情重拾烟霧迹羊角栖斷雲榼卩流隘石銅溪晝森沉乳竇夜涓滴既類風門磴復像天井壁蹀蹀寒葉離灇灇秋水積松色隨野深月露依草白空守江海思豈愧梁鄭客得仁古無怨順道今何惜

橫山在東南一百二十里周八十里高二百丈屬金陵鎮接太平界四方望之皆橫故名山有十五峯丹陽記丹陽縣東有橫山連亘數十里或云楚子重至于

橫山即此又名橫望山宋楊萬里詩再見橫山滴眼新山曾勸我脫官身燈籠簫鼓年年社酒盞鶯花處處人忽憶諸公壯丹會轉頭五柞去年春野雲墟月空荒寺雨袖寒風一帽塵

陰山在江寧西南一十二里臨大江晉王導至此山神見夢於導事聞于上爲立廟故名

湖山在南三十里周九里二百步高一百丈上有湖大旱不涸

龍口山在西南七十二里戚氏誌有李琮墓三城湖

馬鞍山在城西南三十五里以形似名上元亦有馬鞍山見前

車府山在西南四十里周九里高一百二十丈六朝藏車乘甲器於此

落星山在板橋市臨大江山下有岡即王僧辯連營以拒侯景處近水者曰落星洲又曰落星磯陳顯達以數千人登落星岡新亭諸軍聞之奔還李白遇蓬池隱者脫紫綺裘換酒為歡皆在此明余孟麟落星岡詩綺裘曾換酒片石落岡頭路指林霏曉天涵水色秋風雲窺隱見河漢逐沉浮不作支機去巋然古堞樓焦竑詩樓堞新亭戍山川自昔多曾聞沽酒客一着綺裘過霞舉占龍氣風期叶鳳歌悠然登覽處遺跡責巖阿顧起元詩紫裘高宴是何年星隨何時上碧天鞭石幾曾臨海曲支機誰復飲河邊鐙前酒味鷓鴣杓舷底歌聲翡翠鈿知是玉皇香案吏江湖身遠傍珠躔朱之蕃詩岡頭亂石散繁星歲歲連天草色青不見層樓戍旅盛秪堪環水棹歌停臨沂故址千林圯石步邨鐙數點熒為覓濁醪聊破悶催飛蘭槳繫柴扃

烈山在西南七十里或曰山近烈洲故曰烈山其山四

面峭絶下臨大江風濤洶湧商旅嘗泊舟依山以避之絶頂叢棘中舊有侯將軍廟陳史永定初王琳聚兵寬臺城造黄龍舟千艘泊于荻港西南風急琳謂得天助張帆直下陳將侯瑱泊舟蕪湖遂後而發用拍竿撞琳船琳擲火炬焚之風逆自焚遂大敗奔齊土人以瑱功烈甚大故名烈山宋寶佑初有僧建庵其上自名爲江心護國寺晁无咎嘗以比潤之金山晁無咎詩山如浮玉一峯立江似海門千頃開我欲此中成小隱莫教山腳有船來

白都山在西南七十里白仲都居此上有仲都祠吳孫峻遣張承斬諸葛恪于白都郎此

白蕩山近白都山蕩俗作盪

龍山在西南九十五里周二十四里高一百一十二丈

巖山覆舟山
皆名龍山

上三山在江寧鎮西

下三山在江寧鎮東三峯拱峙大江從西來勢如建瓴而此山突出當其衝一名護國山晉王濬伐吳行師過三山卽此磯上舊有李温叔祠今廢宋鮑照詩泉源安首流川末澄遠波晨光被水族曉氣歇林阿兩江漢平廻三山鬱駢羅南帆望越嶠北榜指齊河關扁繞天邑襟帶導京華長城非壑險峻岨似荊芽攢樓貫白日摛堞隱丹霞征夫喜觀國遊子遲見家流連入京引鄭躅望鄉歌彌前難景促逾近勸路多偕萃猶如玆弘易將謂何謝眺晚登三山望京邑詩灞涘望長安河陽視京縣白日麗飛甍參差皆可見餘霞散成綺澄江淨如練喧鳥覆春洲雜英滿芳甸去矣方滯淫懷哉罷歡宴佳期悵何許淚下如流霰有情知望鄉誰能鬒不變李白詩三山懷謝眺水澹望長安蕪没河

陽縣秋江正北看盧龍霜氣冷鳷鵲月光寒耿耿憶瓊樹天涯寄一歡明黃姬水宿三山聽江樓經落星岡李白換酒處詩空岩香閣叩栖禪坐見歸禽没遠天鐘度寒潮鼉峽外帆移芳草鷺洲前春江半是巴山雪暮嶺全迷楚澤烟忽憶仙人換酒處飄零今古一悽然王守仁詩南望長沙杳靄中鵞羊只在暮雲東天高雙櫓哀明月江濶千帆舞逆風花暗漸驚春事晚水流應與客愁窮北飛亦有衡陽鴈上苑封書未易通金大輿詩白石三山路青春二仲過緣崖窮鳥道倚檻看鯨波夜靜潮聲急江空月色多酒酣雙樹下醉客榜人歌俞彥登三山詩艤棹蘼蕪麓蕭森水國秋千帆散天外一閣俯江流雨脚凌風至山身帶寺浮井泉聊用汲彷彿惠山遊

慈姥山在城西南一百一十里二百步周二里高三十丈積石臨江岸壁峻絶山產竹可爲簫管故俗亦呼爲鼓吹山雪浪法師慈姥磯詩蹤跡元蓬窠天涯自徃迴秋風隨去棹夜色共登臺石面潮初

落江頭月正來最高思欲卧清磬一聲催

天竺山在慈姥山西十里周一十七里高十九丈東有水下注慈姥浦其北連岡十里本名多墅山唐上元間有天竺福興寺僧道融移寺于此山因名今碧峯寺後相傳亦名天竺山

土門岡在長干里即楊忠襄公死節處

鳳臺岡在鳳臺門

石子岡在梓桐山北又有小石子岡在安德門外

赤石磯在聚寶門外

鳳凰臺在花盝岡峙城內秦淮城外城河二水之間城

南下沙也與東周處臺相對作旗鼓萬曆壬辰年李公昭當于鳳凰臺傍掘地得斷碑二曰晉賢阮籍之墓此事志所未載人猶疑之觀白詩晉代衣冠成古坵即指阮墓無疑故楊朗陵詩酒狎高賢臥一坵蓋本此句也唐李白詩鳳凰臺上鳳凰遊鳳去臺空江自流吳宮花草埋幽徑晉代衣冠成古坵三山半落青天外二水中分白鷺洲總爲浮雲能蔽日長安不見使人愁宋周邦彥詩危臺飄盡碧梧花勝地淒涼屬楚家鳳入紫雲招不得木魚堂殿下飢鴉郭祥正詩高臺不見鳳凰遊浩浩長江入海流舞罷青蛾同去國戰殘白骨尚盈丘風搖落日催行棹潮擁新沙換故洲結綺臨春無處覓年年芳艸向人愁劉克莊詩經月疎行臺上路秣陵城郭忽秋風馬嘶衛霍空營裏螢起齊梁廢苑中野寺舊曾開玉帳翠華今不幸離宮小儒記得隆興事閒對山僧說魏公明焦竑詩鳳嬉曾此處秋爽更登臺一望東南盡長天鴻雁來青林隨浦漵白石轉莓苔莫繼浮雲唱空傷蓋代才顧起元詩朱鳳歲翄碧漢遥荒臺題字尚前朝山連古寺秋團樹江繞嚴城晚上潮狂客異時來置酒美人當日罷吹

簫春花秋月堪棲斷梁苑陳宮更寂寥陳開虞鳳凰臺詩臺在鳳遊寺後近爲取士者所殘日就圮矣余既禁止之將謀復故以有勝蹟不朽焉相傳臺傍爲晉阮籍墓云千年鳳去舊遊空遺蹟淒然枳棘叢寺破半封苔蘚碧臺荒猶賸夕陽紅却疑阮氏碑難問翻怪唐人句未工二水三山渾不改欲留名勝古今同

周處讀書臺在城東南蟒蛇倉後

以上江寧

茅山在縣東南四十五里周一百五十里初名句曲山又名巳山以山形似巳字也相傳漢永和間有茅氏兄弟學仙來止此山故名茅山三峰連峙最高者白大茅峰次曰中茅峰又次曰小茅峰大峰之巔有泉

日天池大旱不涸禱雨即應南垂泉流作乳色曰饋飲泉其下爲栢枝壟壟之中曰華陽南洞又南爲茅洞其側曰衆眞巖又黃龍洞黑虎洞在九錫畔左右有水自峰左支流縈紆達于菖蒲潭潭生九節蒲食之可長生一名石墨池潭下九曲澗潭之上爲華蓋岩其北垂方池數尺客至水即湧沸名喜客泉峰之北相連爲抱朴峰有葛洪煉丹處東曰飈輪峰舊傳東海青童君曾乘獨飈飛輪之車駐于此今有跡故名西垂有三泉冬日一氷一温曰玉蝶泉又有華蓋峰叠玉峰石色如玉昔宋眞宗嘗遣左璫詣茅山祈嗣遇異人言王眞人即古燧人氏來生宋朝章懿皇后亦夢羽衣數百擁一仙官至及生宮中火光燭天學步時嘗持槐木以箸鑽之眞宗問故曰試鑽

火耳帝顧后曰異人言不虛也乃遂名元符宮峰之下舊爲崇壽觀觀後有碧巖洞傒山居下爲霧豹巖曲水穴出焉大峰中峰間長阿連石曰積金峰故山有金壇金陵之號邑名由此起也梁時陶弘景居此東有橫壟石形甚瓌奇壁圻開成洞入數丈漸狹而飀飀有風所謂華陽西洞也由西洞而南又有玉柱洞中積石乳旁徑容人跡壟之東南有徑自竇出曰鶴臺澗折而西又有楚王澗亦自石壁出以楚威王嘗憩此故名峰之頂有靈泉曰天窗洞其陰曰道祖峰東南一峰傑然秀出與積金對峙曰五雲峰甚峭峻中峰之東又有華陽

洞小石穴僅容人有㵎曰宜春有泉曰玉沙峯東北有拱辰峪峪中有百丈泉其西乃爲白雲峯水龍洞在其下自中峯至小峯長阿而西曰黑虎峪峯之北林壑幽邃春時花卉紛敷曰桃花峰西有朱砂泉上有小青龍洞又有岡在峯側長緩而隱曰長隱岡又名伏龍岡東南近許長史宅山之中復以山名者曰金菌山在積金東凹小山獨出如菌西有羅姑洞高居洞華姥山在丁公山南艮常山在山北乖始皇東巡登此歎曰巡狩之樂自今以後艮爲常也遂名其山上有艮常洞山志直山嶺南行二百步有始皇埋藏白璧一雙上有小盤石以覆

瑫處李斯刻書壁上曰始皇聖德平章河巡狩蒼州勒銘山素壁方偶山在良常東南二峯偶峙有燕口洞方偶洞龍尾山自大峯一嶺直至山東金壇界宛如卧龍曰平山在大峯之西南有洞穴曰方臺海江山慶雲洞之上其東爲碧玉巖巖下曰丹谷泉欝岡山在小峯東北林木葱欝故名又名大横山山下有泉山東有古越翳王塚麻姑山在岡西靑山在岡東三角山在華林峯北有皇甫峪海泉洞又北爲楂子谷三公山在燕口洞東雲堆山在皇甫峪南仙韮山在大峯西山志姜叔茂種五辛菜以易丹砂今山産大韮遺種也又呼石龍山鼇足山在仙韮西大靈山小靈山幷在鼇足西雷平山在伏

龍之東周時有雷氏豢龍於此下有雷平泉又有柳汧泉一名田公水以田公嘗居此伏龍山在柳汧之間與中峰近即所謂伏龍之地在柳谷之西金壇之右可以高居者也丁公山積金山西麓丁令威止此丁山拱辰谷東虎爪山在丁山西宋禁樵採有碑秦望山在艮常北銜珠山在雷平南獨公山在小峰北小竹山在小峰東吳山在大峰南陶隱居云大茅峰南仙韭山竹山吳山方山從此疊嶂達于吳興天目諸山矣以上山皆在茅山左右上下故相緣以書唐李德裕遊茅山詩何地最脩然華陽第八天松風清有露蘿日靜無烟乍警溪潭鶴時嘶玉樹蟬欲馳千里思唯戀鳳門泉杜荀鶴詩步步入山門仙家鳥徑分漁樵不到處麋鹿自成羣石面迸出水松頭穿破雲道入星月下相次禮茅君宋王安石大茅峰詩

一峰高出衆峰巔疑隔塵沙路幾千俯視烟雲來不極仰攀蘿蔦去無前人間已换嘉平帝地上誰通句曲天陳跡是非今草莽紛紛流俗尚師仙登中茅峰翛然杖履出塵囂雞犬無聲到泬寥欲見五芝莖葉老尚攀三鶴羽翰遥容溪路轉迷橫彴仙几風來得墮樵輿罷日斜歸亦嬾更磨碑蘚認前朝登小茅峰捫蘿路到半天窮下視淮州杳靄中物外眞游來几席人間榮願付苓通白雲坐處龍池杳明月歸時鶴馭空回首三君誰更似子房家世有高風明顧璘茅山迢遞三峰得峻躋到宮唯見衆山低天池水碧蒼龍伏巖樹風高白鵠棲雲際瑤壇開日月林間丹井隱虹蜺仙人只在華陽境松葉桃花咫尺迷王穉登遊茅山詩福地由來称第一入門山閣暮鐘鳴三峰鳥道青天上一雨龍池白霧生石蘚侵階埋玉簡松風吹墓爵銀罌金陵亦在虛無裏虎踞猶疑見石城宋張商英華陽洞詩素虎班虬躋紫烟幾看滄海變桑田赤城玉笥尋眞後又到華陽第八天明王穉登華陽洞詩百畝丹厓秀土屏山深日暗晝冥冥黃冠指路香先入蠟炬穿雲火半青仙家白鹿行千里洞口青天以一星安得眞人開石壁雲中雞犬洞中聽

唐王建菖蒲潭送人詩江城柳色海門烟欲到茅山始下船知道君家當瀑布菖蒲潭在草堂前明王穉登喜客泉詩靈泉喜客至依依石磴籃輿扣竹扉未擲青錢山影動乍窺明鏡鬒雲飛珠浮巧學鮫人淚波細文如羽客衣日暮鶯啼山殿寂春寒休怪客來稀唐顧況桃花崦詩崦裏桃花逢女冠林間杏葉有仙壇老人方受上清籙夜聽步虛山月寒元趙孟頫羅姑洞詩九疑得道女受事易遷家詩贈金條脫人逢蕚綠華唐權德輿柳峪泉詩下馬荒郊日欲曛潺潺石溜靜中聞鳥啼花落無人處寂寞山岡掩白雲

絳巖山縣西南三十里周迴二十四里高一百二十五丈一名赭山地志云漢丹陽縣北有赭山其山色赤故名寰宇記唐天寶中改絳巖山頗險峻上有龍穴五季之亂及建炎時鄉人皆避兵於此又名丹山丹陽縣名義取此

華山縣北六十里梁武帝至此問華山何如蔣山高薛對曰華山高九里似與蔣山等泉水倍多秦淮源本此舊有寶公庵明萬曆三十二年李太后忽夢一山皆蓮因下部遍訪名山禮部以此山對后敕建銅殿一座供大士與武當金殿同其工麗宏峻焉賜額聖化昌隆寺上人渺峰后賜紫衣至今御筆緣册及欽須藏經具存鍾惺華山禮銅殿詩一路陰晴屢不分山中風候易紛紜村過數目無紅葉江近雙峰似白雲蚍虎夜深求巖度鼓鐘人定示聲聞可憐世外僧經濟金火須臾歷刦勳

竹里山北六十里道塗傾側號曰翻車峴郡國志山間有長澗高下深阻舊說似洛陽金谷晉王恭舉兵京口使劉牢之督顏延爲前鋒至竹里斬延以降還襲恭宋武帝起義兵破桓元將吳甫之於竹里即此鮑照詩高上絕雲霓深谷斷無光晝夜淪霧雨冬夏結寒霜淖坂既馬嶺蹟路又羊腸畏途疑旅人忌轍覆行箱升岑望原陸四眺極州梁游子思故居離客遲新鄉新知有

容慰追故游子傷

花碌山北五十里舊產礬

五基山北五十里下有石穴入丈許豁然中設石榻元元統元年崩於大水

戍山北六十里相傳宋沈慶之戍守于此

青龍山南七十里一名洞山上有石窟真誥云與華陽洞相通其中堂臺簾竈及仙人掌之屬俱因石狀以名傍有峴曰牧門洞前怪石森列而流泉貫其中歷旱不渴

虎耳山東三十里舊名苦耳山山有井聞人聲則沸名沸井丹陽記曰沸龍潭上有尚書顏魯公墓

秦山南三里麓有明月灣通秦淮舊傳謝安月夜乘舟垂釣于此

甲山西南五十里峯巒競秀里於左右諸山宋景定間僧行昱愛其山奇秀故

射烏山西北五十里湯水二泉皆源此

白和山北七十里相傳仙人白和居此見抱朴子篇

兎屋山南七十里李白曾登此山望長蕩湖

丫頭山東南七十五里麓有石埂與溧陽爲界

嵛山東北六十里東連駒驪四十二福地也唐肅宗謁者伍達靈在此山得道記於後頂石壁髣髴可辨山下有達靈潭

駒驪山東北六十里吳諸葛恪獵見一小兒衆莫識恪引白澤圖曰兩山間其精如小兒名曰傒囊

土石山龍山東三十里驤首山四十里塗山四十五里

彭山南七里峰巒聳秀泉水環流白崖古刹佳木異卉差池掩映遊覽地也

周山南三十五里仇山四十里土壤種松極茂石麓山白馬山

棠梨山白沙山石角山浮山俱七十里浮山上有朝陽洞洞有流泉灌溉利甚溥

姜石山西北二十五里上有梁南康簡王墓

嚴山西北五十里

亭山北三十里胄山三十五里

牛頭山七星山石幢山官峴山俱在縣西北鳳壇鄉

石鹿山南七十里有石形如鹿

空青山西連五基山

竈石山在良常山東石壘如竈中生一木如曲蓋以上句容

金雞山東五里

雲泉山東南三十五里一名下山山下有泉嘗出雲氣下有雲泉寺唐貞觀舊蹟

鐵山東南五十里唐書地里志溧陽有鐵即此

新婦山東南五十里

銅官山東南六十里唐書云溧陽産銅是也今土中有屑瑩然如麩狀舊因産銅設官故名

三鶴山東南六十里舊經云潘氏兄弟三人得道於此皆化鶴去故名上有潘真君祠

燕山南八里形如飛燕上有雲鶴菴南有駙馬養數松高秀石路磷磷傳爲前朝王駙馬墓

錫華山南四十五里峰崖秀出流泉縈遶登臨勝地

石屋山南六十里圖經云吳王使歐冶子鑄劍於此今山西有鑄劍坑

雞籠山西南十二里以形似名

大石山西南十四里山麓有龍洞龍池雩禱輒應元蔣時中有大石龍洞詩

盤白山西南四十里下有太虛觀碑載盤白眞人事眞人姓李名盤桓隴西成紀人避魏武之役隱居高邃峰之西鬒髮皤然故名盤白

三王山西南五十里說苑云楚威王與眉間尺并一客同葬此烈士傳云眉間尺名赤鼻楚人干將子考伍員眉間一尺得非附會言乎吳越春秋三王塜在汝南宜春縣晉北征記又以爲魏惠王任敬均不可據也

伍牙山西南六十里輿地廣記云子胥伐楚還吳經此山故名建康志子胥齒美避楚慮人識以石擊牙山

神護之不毀故又名護牙山元阿剌罕攻破銀樹東壩至護牙山敗宋兵即此

鐵冶山西南七十里前代鑄錢處

青山西南七十里山子然峻削上有雲岫菴幽閒絕塵明高帝曾駐蹕於此留題一詩青山頂上一茅屋僧舍半間雲半間夜半雲去作雷雨回頭不似老僧閒按此歸宗菴主之偈溧陽舊志以爲高帝作姑存之

塿山西南七十里

茭山西六里上有龍潭東畔石壁臨溪勢如削成宋丞相趙南仲父子宴遊於此子趙稟題石字徑四寸筆法似晦翁南仲書則水石剝落矣

巖山西十里晉李闕追張建韓晃卽此

姥山與巖山接

平陵山西三十五里平陵城在其西晉王允之斬蘇逸於此

黃山西四十里建康志云黃鶴仙人得道於此山下有

黃鶴池仙人吳赤烏閒人

芝山西八十里山產芝草上有十數洞或有沸泉或有石燕雨則飛晴則止或洞中天設石枰石子或洞中復見天宇或洞中滴水不沾衣大者容數千人梅仙洞前一觀音石尤異

分界山西北八十里與溧水分界

土山北三十五里一名獨秀有白龍道院

雷公山北三十七里泉石秀絜昔有雷公鑄劍於此

兎屋山北八十里以形似名李白詩朝登北湖亭遥望兎屋山天靑白露下始覺秋風還

丫髻山北八十里兩峯如髻句容志作恰幘山盔二邑相接孔道也

呂山東北二十五里洮湖之上周處風土記昔有呂姥得道於此因名山巔有優曇岕北望湖光空明如洗有泉甘冽宋時設巡司柵廣龍云呂烏后切音歐山名在溧陽集韻云在陽羨或作瓜山漢建武中封蔣澄爲瓜亭侯故一名瓜亭山朱晦翁送都巡舍人古寨依山麓頹垣近水湄有

兵耕綠野無盜弄潢池歲稔邨邨樂官閒事事宜我來無所餽聊遺一聯詩朱佑達詩邑姥峯高翠倚天船邑人袁正有邑山曉雲歌汪藻有亞亭山野步詩

洮湖春水綠無邊不知楊柳蒹葭外何處泊君書畫

大翁山小翁山洮湖之山山形如釜

落霞山東北四十里有聖塔院

張沒山東北三十五里

屏風山南十里山石新建法輪寺山有宋學士秦梓墓

按秦梓檜之兄也不同檜惡亦猶王氏之安國也

庭子山辰山城子山南十里神山泉山二十里崍山二十五里金山氳里山結都山懸鼓山銀方山五十里

松山七十里

石門山西南十五里茅尖山十九里朝山呂望山二十里桂林山二十三里山後有大盤石二一曰太古元貞一曰留雲宋王藻挹秀堂記云南則翠巘晴崖與人應接者桂林山也

大坏山東北四十五里一名大巫一名大浮在洮湖中周處風土記云洮湖中有大坏山地里志云溧陽有湖山陶隱居云石孤聳以獨絶岓垂天而似浮小坏山輿地志云延陵永世界有小坏山山有石室室有虎蹟謝天選有宿大坏山詩

龍潭山荆山四十里虎山五十里獨山六十里龍潭山有潭澄泓一碧荆山二桂峰石怪峻師志云山有靈氣出雲必降霖雨又二泉大旱不涸田穀賚之獨山形勢聳秀爲金陵發脉之宗

秀山西七里姥山投龍山十一里漁父山十五里烏山二十里谷山四十里

花山西北四十里翼山七十里曹山八十里

横山北四十五里小山六十里黄金山七十里句容界

真誥云金陵古伏龍地以句曲金山生黄金一名句金所謂金壇之地肺居者可以度世因號金陵云地紀謂始皇望秣陵有天子氣埋金寶以鎮之非也

落馬嶺南七十里茶曹嶺南十七里胡冶嶺十九里頭陀嶺二十里高官嶺六十里

金牛嶺南七十里四面皆山一嶺長亘十五里與廣德界

駟馬嶺三十五里鵓鴣嶺三十七里鷺鷥嶺三十八里

艸鞵嶺四十里金冶嶺出鐵山謙之丹陽記云今揚

州鼓鑄之嶺以冶名職此也白沙嶺五十五里仙人

嶺石砯嶺重九嶺六十里

缸垚嶺南六十里又一里有長岡嶺年荒嶺垚音遥高貌

鯉魚嶺南五十五里松嶺六十里碧嶺七十里

上湖嶺南三十里丁山嶺四十里

新婦嶺西二十里伏脊嶺西八十里

以上溧陽

中山東十里孤聳不與群山伍一名濁山輿地志云溧

水縣濁山有濁水流演不息舊志云濁山卽獨山獨山又卽中山謂獨立於中也而邑志又云舊志云中山卽獨山者誤郡國志山出兔豪爲筆精玅唐史至德二載江寧郡宋史建炎三年建康府皆貢筆時溧水隸二郡製筆之說所由來也

東廬山以形名東二十里相傳嚴子陵曾結廬于此有水源三一入秦淮一入馬沉港一入丹陽湖隋史設縣只名廬山山謙之丹陽記云縣東有廬山故又名東廬山邑人袁艮有詩

官山東二十五里一名官塘山有大塘築堰以資灌漑分界山詳見溧陽

馬鞍山東南十二里一名溧陽山

石城山東南二十五里舊有石城書院冷水亭今廢

回峯山東南四十里渟滀一泓曰龍池濡縷一流曰龍泉東有水注平陵

仙杏山東南四十三里一統志云巔有杏林又有三仙壇及丹井清泉流入丹陽湖又名壇山

芝山東南七十里此山跨溧陽溧水二邑境詳載溧陽志

荆塘山南十里

甗船山南十二里一名感泉山陰有青絲洞泉脈澄泓四時不竭有張沈二士讀書堂不知其人井臼尚存甗音感船泉又同韻甗船無字義似即感泉之誤也

杜城山南十二里隋大業間杜伏威屯兵於此築石城故名有戰塲近有僧結廬其巔名巢雲菴泉木幽勝

無想山南十五里上有南唐韓熙載讀書堂古檜古銀杏皆唐宋間植有元謝瑛捫雲亭碑記山頂有泉下注成瀑布

澳洞山西南二十五里上有龍潭

石羊山西南三十七里舊志云金華山即黃初平起石羊處有牧羊仙洞

銅山西南四十里昔產銅縣志不載

李墅山東三十里浮山三十七里烏　山二十五里落步山二十五里

蘆塘山東南二十三里清洪山二十五里邑人常炳以形家言此山爲縣治來脉不宜斬鑿請示嚴禁

馬占山東南三十五里赭山五十里東破山五十五里縣志又有靈嶽山方山荊山雲鶴山大山俱在六七十里外據縣疆東南至溧陽分界山五十里則諸山不得書又高淳志亦有荊山大山俱在疆域外似與縣分隸然志云在東南何也

土山南五十里紫雲山六十里東壘山邑志壘作疊六十五里玉泉山一百一十里

丁公山西十二里山項石有宋潘弁刻乙亥三年潘弁過旺竹巖看山望馬十六字

琛山十五里稟丘山三十里左仙山四十里琛山產玉稟丘山上有泉及唐太和古寺石龕方丈尚存

岐山西北十五里靈龜山二十里縣志二山不載梅山上義山四十里

愛景山烏山北二十五里雞籠山麻山三十里

鸞山東南二十五里巔有育德泉渟渟一窟味甚甘冽中有蜥蜴歲旱取水祈雨輒沛下建龍霖庵山影倒潭兩翼飛舞狀如青鸞

臘山西南六十里跨石臼湖東接鳳棲西朝雀壘一望烟波萬頃西北諸峰皆成遠黛可並芝山諸洞稱溧水兩勝

鳳棲山西南七十里昔有鳳止山巔故名雀壘山西二十里

遊子山南六十里舊志云　孔子適楚曾經此山故名山有石壇海內山名秦望甚多皆以始皇曾登故名況大聖先師乎當日遊子爲聖遊山

段家山南六十里上有仙壇名石南社
小茅山西南三里一名玦山璚山一名竹山
竈山東十五里南項有天池四面天然石嵌
荆山東三十里東南亦有荆山
覲山東南五十里山形陡峻有石屋可容數十人有泉不竭
西山南三十里平安山半山南十二里箬帽山大山東南四十五里
圓山北一十里白石山北二十里臥龍山二十三里錢山南山烏山北二十五里雞籠山秀山六姑山北三

十里赤龍山三十五里

乳山西三十里巖石巉削山下有玉乳泉渟注澄澈味極佳處士林古度曾隱居於此

大人山夾山北三十里軍山塔子山馬頭山望湖山俱石臼湖中嶢山北二十五里陡峻因名

華山塔山西十五里石山冶山麗山西三十里

横山西三十里高百丈周百里跨上元界葛山西北二十五里白蓮山茅蓮山西三十里唐家山三十五里

以上溧水

鎮山東北一里縣原爲高淳鎮因以名山從石臼湖迤

運而來濱於固城今縣治在下

學山東一里儒學在山麓

馬鞍山東二十里鳳棲山二十五里縣志鳳凰山橫山三十里大游山三十七里南有石牛古蹟

遊子山東三十五里一名小游山即溧水游子山中有介子推墓遮軍山五十里城門山五十里大山六十里有水入固城湖經五堰東入溧陽三塔港

荊山六十里舊志云即卞和獲玉處界溧水即溧水志荊山朱之蕃有記

秀山東南王十里舊名秀山舊志云有仙過此以鞭畫路形如之字今見存

禪林山南二十五里

大城山東六十里突起平地甚奇峻昔紅巾之亂民樹柵其上守之故名

花山東南四十里高出諸山上產白牡丹舊有看花臺

饒山東六十里山勢聳秀下有天泉秀水也天旱遠近皆取汲於此

象山東五十里明崇禎九年三月風雨起一龍土裂路分首尾鬣爪遺跡成範有醫士汪姓者掘其首下之土煎出水片數升

以上高淳

鳳凰山在縣治後一名曠口山

陸家山西一里歲旱則禱雨其上

馬鞍山西十五端凝秀峙若屏邑人石准有詩

福龍山北十二里孤峯揷漢郡嶂連雲大江帶前長河繞後中饒巖洞爲江北大觀萬曆間建眞武行宮於其巔前有獅山象山西華皂纛七星巖香爐峰諸勝兩澗夾天門有杏花邨桃源洞東有靈泉邑學博陳廷策有記

西華山西十五里矗起平地

龍洞山西二十五里上有泉泉中有小青蛇稱爲神龍之種禱雨得立應見秦觀游湯泉記

天井山西三十里上石罅深不可測

蛾眉山西三十里孟澤山五十里翠雲山一名北大山

陰陵山西四十五里即項羽失道處

赭落山西南六十里四潰山七十里項羽敗走至東城漢兵追之羽依山

爲陣卽此一名四馬山

東龍山西龍山南四十五里白子山南四十八里

定山東北二十里跨六合境卽六合之六合山屬縣者曰獅子峰西南麓有卓錫泉達摩宴坐石山陰有平遠樓爲浦人李嗣畊隱居耕讀處

珠泉一泓寒玉藻荇如浮鏡中中吐珠連貫而起拊掌則愈多一名喜客泉樓臺松竹甚佳今皆圮孫國敉篋有定山志珠泉志邑人定山先生莊㫤居此㫤建七亭於山皆賦有詩六首湖西不了曹溪約江北扁舟未肯閒多謝先生眞好夢果然此會不入間紫金丹好神仙過太極丸空日月還但得晦翁同老此定山須作武夷山蓬萊人自到蓬萊此老眞堪此地來眼底風光拈筆有空中樓閣接天開敢拚千古留公醉却有雙泉是我醅何處江門聞老子題詩到此亦忘回萬事人間偶喚醒數椽我屋傍秋藤醉眠老石三千丈知在青天第幾層望外虛名何我敢眼前門戶是君撐十年面

壁收心坐祗好平生去一矜乾坤契合有吾山公馬來時便一攀老眼不隨塵俗亂此心元共白雲閒石逢古色看何厭水愛源頭坐不還只我相留貧草屋洞雲溪月也三間杖屨頻過活水灣我山眞果是何山烟霞豈斷于巖路天地誰偷萬古閒明月高梧無俗照桃花流水有仙寰時人識否公休問此樂予心自孔顏萬里風光散遠林晚峰羸馬正于尋手中日月九天地眼底風雲變古今幾筆畫工山水迹五經尼父聖賢心可堪白首猶多病鳳鳥河圖感慨深又陳獻章婁謙司馬亜皆有唱和詩曹學佺珠泉詩祗入巖巒迥誰知泉水生在淵猶自媚出澗始成聲好鳥沿涯映繁花徹底明石家金谷妓見此倍盈盈孫國敎十四日同錢次父珠泉坐月詩澤國秋能潤幽期獨往便于峰藏畫舫萬斛迸寒泉魚留聞歌起龍宮借客眠笑看今夜月猶讓此珠圓一定山也南畿志於江浦稱定山於六合則稱六合山蓋以定山有六峰拱合故六合名山即以六合山名邑一統志又謂六合七十里又有六合山誤

金家山東二十里壁立數百尺望江南諸峰如畫下有金賢

文漪樓湯賓尹題額有記

象山北五里獅子山北七里七芃山北十里

石洞山北十二里山頂有龍池南有香巖極幽勝莊昶詩肩偶横擔拄杖斜一頭山月一溪霞閒隨夢覺入間者未醉天樵洞主家禪自西來多栢樹詩非叅透在梅花夜來堪笑廬陵米又向山翁酒伴誇

黄悦嶺北十五里明初鑿通江淮東葛驛路爲南北孔道

駱駝嶺東北二十五里

龍洞嶺西三十里

白篠嶺東華山北一十五里

以上江浦

六合山即江浦定山在縣南六十里有六峰拱合曰寒山獅子石人雙雞芙蓉玅高高二百六十丈屹嶒拱合邑所由名也張和志云眞州六峰元時縣屬眞州明初又割六合地置江浦故山南西屬江浦有達摩崖冥坐石珠光崍卓錫泉虎跑泉一人泉白鼉泉珍珠泉皆勝地晉置秦郡南朝王元初借號齊伯生獲璽宋崔臯擊敗金人皆於此山

靈巖山東十里高二百二十一丈郟滴敘巖峻常有靈氣故名靈巖有偃月巖磨盤石（兩石相疊懸立欲落）龍王泉鹿跑泉蔡老人洞白龍池瑪瑙磵（產五色文石有雲霞艸木人物鳥獸狀甚）

至篆楷字畫工好天然一石享數金邑人以山爲市山靈乃自珍秘之近不易見知縣張啓宗建塔湯賓尹孫國敉各撰碑記

石帆山東南四十里矗起江中通體皆石若張帆然舊志云山北有出佛洞唐會昌中因太浮屠教曾藏僧神建肉身於此宋鮑照有石帆山銘孫國敉有石帆山記

瓜步山東南二十里表裏江河爲六合五十三道水重鎮廬州滁陽水皆出山下宋鮑照稱其因廻爲高據絕作雄魏主燾侵宋鑿井與蟠道址尚存揚州志曰瓜步城在儀眞縣陳宣帝大建五年置蓋因地利當水陸之衝當守也今但有巡檢司唐獨孤及詩蕪城西眺極蒼流漠漠春烟睹戍樓瓜步寒潮催建業蒜山晴日照揚州

冶山北五十里巑岏九十九峯峯廻障合聳青曳翠鎮六合天長江都三邑界相傳吳王濞鑄錢所故名上有天井白龍池鐵牛洞通臂泉

赤岸山一名紅山東三十五里南兗州記赤岸山南臨江中濤水自海入江衝激六七百里至赤岸其勢始衰羅含詩赤岸若朝霞郭璞江賦鼓洪濤於赤岸杜甫山水圖歌赤岸水與銀河通王維送封太守詩忽解羊頭削聊馳熊首轓揚舲發夏口按節向吳門帆映丹陽郭楓攢赤岸邨石城多侯吏露冕一何尊皆指此孫沂如日南兗州記云海潮至赤岸始衰南徐州記云京江禹貢北江也春秋朔望輙有大濤聲勢駭伏極爲奇觀濤至江北激赤岸尤爲迅猛衰猛二説相反則眞州東有三赤岸也

方山東三十里舊志云宇文周置方州隋合置方山府皆于此山梁建寺其上日輿雲後更名

日梵天古樂府云聞歡遠行去相送方山亭即此

橫山東三十里柘跋魏置橫山縣宋建炎間劉綱常保聚咸律中施忠等立功俱在此上有禪證寺梁天監中建即昭明太子讀書堂

馬頭山東北三十五里絕頂一名高丈餘嵬然矗起中一穴方徑尺亭水清旨不竭里人懸絲籰石投之莫量其淺深

唐公山北四十五里一山突起作金星伏田五里南起爲屏山而結縣治

牛頭山東北五十里蛾眉山東北四十里堷山唐貞觀間敕改堷子山枝子山東北三十里桂子山四十里吳沛山三十里尖山五十里黃董山三十五里西陽

山二十五里

東龍山西北四十五里綿亘入來安界烏石山上有烏石寺寺有古桂奇極

練山西北二十里

熨斗山西北四十里地龍山三十里盤石山四十五里

巴山西北四十五里黃宏字巴山家此天啓間秋山庵僧夢堂所奉地藏菩薩右趺下生蓮花一莖凡四十餘瓣如栗玉色逾月又生一枝孫國敉繪圖爲記以誌其事

桃葉山西北七十里隋開皇間置六合鎮於此山見嘉定志

盤城山西南四十里傍有郭汾陽玉帶樓

平山西南六十里立江滸颯颯大觀也祝世祿平山閣詩一尊相向碧山頭俯瞰長江萬里流城闕南標龍虎氣水雲中泛杜蘅洲婆娑地盡三千界縹緲天垂十二樓飛鳥夕

陽低遠樹從人署我醉鄉庚太泌山人李維禎平山閣詩虛閣凌空控上游東南名勝望中收征帆遠影飛青雀坐釣閒情對白鷗千里深山猶負郭半江遺堞已爲洲年華逝水滄桑變有酒那能解客愁公安袁宏道詩石路突寒松柔嵐被遠封白波千里船青靄六朝鐘雲老蛟遷窟窓晴雨洗峯文心踰烟水吞吐幾重重

宣化山西南六十里嘉定志晉安帝隆安初置秦令於六合之宣化鎮六合之名始此

晉王山西南六十里沿江蜿蜒隋煬帝嘗爲晉王總共伐陳兵出六合駐於此故名今山造塔

馬鞍山北二十里以形名

屏山北三十五里盤旋若屏頂皆作阡陌多泉竇中有竇勝古剎銅佛皆唐像昔有盜銅佛以石擊佛使碎佛大呼如雷孫國敉飲屏山新泉詩爾時得意事非但讀

奇篇養痾不廢醉買山兼得泉苔花連杭石析葉島詩箋閉戶逢時忌常辭賣賦錢

牟尼峯南二十五里達磨初祖折蘆渡江止長蘆寺今佛齒貝葉經尚存前有鐵參沙神牟尼峯菴乃寺之下院也

符融山東北三十五里嘉定志云秦符融嘗城此因名

蜀岡東北三十里南接儀真東連江都綿亘數十里一名崑崙岡鮑照蕪城賦云軸以崑岡卽此葢六合爲蜀岡之首而蕪城其尾也唐右衛將軍陸孟俊自常州將兵萬餘趨秦州進攻揚州屯兵蜀岡卽此

以上六合

江寧府志卷之

江寧府志卷之八

山川下

金陵山環水遶鍾阜來自東北而向西南大江來自西南而朝東北垣局包羅甚大其中支分潤溢於千雉內者以古秦淮爲勝源發自溧水句容環經方山屈曲至中和橋由通濟門上水關入歷鎮淮橋縈迴至三山門下水關出口循龍江關抵燕子磯與江流合形家言水來處謂之天門天門宜開故通濟上水關造十一水門所以廣其入也水去處謂之地戶地戶宜閉故三山下水關止造一水門所以防其泄也

當日陪京重地國用充足官府尊榮百姓富庶號稱天府自壬子年忽塞上水關止通一孔水道既壅遂失其性反從城濠旁駛而去城中膏澤立減自此財賦不繼官民受傷百貨蕭然無復昔日京華之盛矣揆厥所由不過因寇警防奸耳夫奸細何門不可入而必借水關乎舊有栅欄何不易以鐵石之固以關防內外乎今宜挑濬壅滯仍通十一水門全納淮流以復舊制爲計之得也昔人云秦淮灌輸都邑爲隨龍養蔭之乳水灌其灑潤之河貫通血脉然後出水關由龍江入大江復遶鍾山之後可謂迴旋盡致故

開源節流爲一城生聚之所繫不可不講也前上新河嘗開掘舊壩以便私販使去水一瀉無餘且江船遂可直抵城下又何以戒不虞乎紳士力請於當事塞之繼以運木木復開城居益多不祥再塞之乃稍安大約都會之山水當仍其舊切勿以穿鑿傷之近多於青龍山掘煤挾大力者負之不知金陵之地名曰地肺岷山之盡脉也地肺云者謂其浮沉軒輕土氣原最清貴所當愛護之以厚其結聚上水關之塞如扼其吭青龍之鑿又劚其骨欲元氣之固可得乎

大江發源岷山合湘漢豫章諸水繞郡城之西南經西

北過鎭江東流入海隷府境者江之南上自慈姥浦下至下蜀港江北上自浮沙口下至東溝南二百里而遥北不及二百里即禹貢所謂中江亦名楊子江又名宣化江江之支流旁出其大者曰河小者曰港曰溝曰渡石激水曰磯水中可居處曰洲兩水之間曰夾縈迴者曰套水所注曰浦昔時江泊石頭後漸徙而北今又漸南長老相傳南岸民居今當在北岸然尚去石頭十餘里也以此知陵谷變遷典籍難據茲特志其可知者慈姥浦在城西南慈姥山下與太平當塗縣接舊志云慈姥港洩慈湖以東水入於江

近港又有慈姥磯今曰和尚港東下爲鐮刀灣又東爲烈山乾道志云吳舊津所也四面峭絶下瞰大江商旅泊舟於此以避風山之下洲爲烈山洲港曰烈山港伏滔北征賦謂之栗洲以山形似栗因名又謂之栗洲世說云桓宣武在南洲與會稽王會於栗洲有磯突出於湍間名曰亂石磯洲之東北名曰白鷺洲丹陽記云白鷺洲在縣西三里大江中多聚白鷺因名據今西關中銜水環繞處當爲白鷺洲此特蒙其名耳非李白所詠也犢兒磯在南岸合板橋浦新林浦一流吐納大江自大勝河以東有水數曲達於秣陵曰響水溝燈盞溝上新河次曰中新河次曰下新河明朝所開皆瀕江要地江北一帶稱險要者曰芝蔴河曰穴子河曰王家套曰八字溝皆列墩瞭望又有長洲白沙

洲梅子洲句容洲秀才洲火藥洲皆江浦境自下新河而東分爲三股一引石城橋一引江東橋一自草鞋夾以達於江名曰三汊河夾之外爲道士洲上有屯駐處曰江心營近南爲護國洲中口洲自道士洲直抵北岸爲浦子口左右二水環抱縈迴名東西溝自東溝而下以達於瓜埠濱江之地以洲名者曰攔江洲工部洲官洲老洲柳洲趙家洲匾檐洲洲之東曰匾檐河其北曰滁河沿瓜埠鎮東南流以達於江江之名曰宣化漾有洲亦名新洲自是而下爲石帆山山屹立中流如揚帆然故名又數里爲西溝近黃

天蕩者爲東溝二水自江出皆折而西與儀眞縣接六合江境盡於此焉自中口洲而下有山踞江而出者曰焦家嘴又其下爲觀音山水曰觀音港有石臨瞰江水形如飛燕名曰燕子磯丹巖翠壁遠望如畫江水勝處也磯上有漢壽亭侯關羽廟觀音閣俯江亭大觀亭水雲亭多名賢題詠由弘濟寺歷濤山唐家渡袁家河東陽港遂接黃天蕩中有洲屬上元其上有草場自龍潭而東洲渚限隔有斜腊洲太子洲洲之外有老鴉夾又東爲天寧洲皆句容界其諸水分流有曰白家溝楊家港雙溝港羅四港而邪溝尤

爲津要自此而下遂與鎭江接江之中可紀者若此稽諸舊志多有不合其今昔殊稱名存實亡者據舊志亦附入焉磡沙夾在西南七十里馬家渡合興洲西南九十五里龍潭洲西南九十五里馬昻洲西北晉元帝渡江牧馬處梁南康王會理率兵二萬至馬昻洲即此槪洲東北七十五里茄子洲西南十三里蔡洲西二十五里宋高祖破循郎此鷄距洲西南三十五里烏沙洲西南三十五里楊林洲西南二十五里木瓜洲西南二十八里浮洲西南八十里鰻鰲洲西南七十里重雲洲西南十五里西有小江名澧江丁翁洲西南二十五里簰檐洲西南三十五里落星洲見落星山魚袋洲西南八十里形如佩魚因名烏江洲西南六十里與烏江縣接張公洲西南五里長命洲石頭城前梁武帝放生之所查浦石頭城南上十里

蚵蚾磯石頭城下唐書江台符上書陳民間利病十餘條顯祖愛其才宋齊丘疾之使所親誘之痛飲沉蚵蚾磯下

蟹浦西北六十里齊崔慧景軍敗走蟹浦即此

新洲一名薛家洲與幕府山相對即宋高祖微時伐荻之處

迷子洲西南四十里

投書浦石頭城北晉殷羨爲豫章太守赴郡人多附書至石頭渚以書擲水中祝曰沉者自沉浮者自浮殷洪喬不能作致書郵〔唐李白金陵望江詩〕漢江迴萬里派作九龍盤橫潰豁中國崔嵬非迅湍六帝淪亡復三吳不足觀我君混區宇垂拱衆流安今日任公子滄波罷釣竿〔權德輿晚渡楊子江詩〕返照滿寒流輕舟任摇漾支頤見千里烟景非一狀遠岫有無中片帆風水上天清去鳥滅浦迥寒沙漲樹遠疊秋風江空翻宿浪胷中千萬慮對此一清曠迴首碧雲深佳人不可望〔明姚福白鷺洲詩〕十里芳洲一水吞香風雨岸起蘭蓀蜃樓遠映朝暾出漁浦深添夜雨渾野鷺野鷗閒寂歷江花江草自黄昏何人得似扁舟侶欸乃一聲烟水村〔邢昉大勝河看落日詩〕片帆來别浦落日忽銜山水色浮遥岫秋風臯故關浪低孤

鷲過月出斷雲還戍鼓何勞急淒淸岸草間

秦淮始皇用望氣者言鑿方山斷長壟以泄王氣其源二一出句容華山一出溧水東廬山合流入方山埭自通濟水門入於郡城北經大中橋與城濠合西接淮青橋與青溪合南經武定橋而西又歷鎮淮飲虹上下浮橋自三山水門沿石城西北流以達於江或云本龍藏浦也支流屈曲不類人功惟方山西賣屬土山三十里許是秦開六朝建都咸倚之爲固 唐杜牧詩

烟籠寒水月籠沙夜泊秦淮近酒家商女不知亡國恨隔江猶唱後亭花 羅隱詩

冷烟輕淡傍衰叢此夕秦淮駐斷蓬樓雁遠驚沽酒火亂雅高避落帆風地銷王氣波聲急山帶秋陰樹影空六代英靈人不見

思量應在月明中。明楊希淳秦淮曲：誰家樓閣隱修篁，門對清溪一水長。細雨捲簾還日暮，數聲欸乃送漁郎。何湛之午日秦淮泛舟行：秦淮十里波搓空鏡中，魚鳥荷花紅。飛梁橫亘玉虹舞，鍾山水際浮嵸巃。朱甍夾岸鬭奇麗，礙日含風綺疏通。驚鴻飛燕簾櫳下，香靄空濛錦繡叢。江東逸士誇孫楚，銜杯鼻息吹霓虹。老子勝情殊不淺，霍然起色隨郡公。射黍共泛青絲筰，蕩漾雲日凌蒼穹。人歌人哭不可辨，酒船銜尾如游龍。巨艑鳴鑼載傴僂，小刀鼓枻喧兒童。吳儂別擅秦青鏡，移舟靜聽迴天風。曲終小技更迭奏，鼓鐃螺梵諧南宮。江南遊冶自其俗，況乃佳節逢天中。歌聲漸稀景將夕，空留烟月浸孤蓬。繁華變幻亦如此，悲喜合離俱轉蓬。曾史長貧蹠蹻橫，禍福視天天夢夢。上官讒成在徒溺，千載誰分佞與忠。江魚之腹不可飽，國殉之齒何其雄。險矣人心眞叵測，傷哉世態難爲工。但爲五絲能續命，年年勝賞故人同。馬世奇秦淮曲：淮水潮來不起波，江天芳樹暮烟多。殘花落盡空秋色，到處西風惜芰荷。六朝金粉一樽愁，手捲雙蛾勸客留。別後相思都不見，旗亭羌笛幾聲秋。萬騎南巡正德年，內家前隊鐵連錢。白衣舞罷乘鸞

去應有霓裳曲未傳

青溪發源鍾山吳赤烏中鑿東渠名青溪通城北塹以洩後湖水其流九曲達於秦淮後楊吳築城斷其流今自太平門城由潮溝南流入舊內西出竹橋入濠而絕又自舊內傍周遶出淮青橋乃所謂青溪一曲也懷古者每多題咏宋馬光祖青溪詩人道青溪有九曲如今一曲僅能存江家宅畔成花圃東府門前作菜園登閣自堪觀疊嶂汎舟猶可醉芳樽料應當日皆無念苕霅瀟湘不足言明宋濂晚步青溪上詩溪色灧膏綠溶溶漾疋堪飡十步九還辟清芬襲肺肝渚牙既戢戢岸花亦戔戔潔鷗近宜押貴鮎清可捫流念梁陳際甲第遶其壖南灘綺錢結北津銅綱繁倒景浸寥曠蒸氣濕鉛舟有時作清游肅艅艎軒尊泛爵溢朱綬籩筵到蟬冠荆倡逞妍曲秦豔發清彈唯恐懸象墮不憂芳年單縈華

隨逝水崇替起哀歎黃鳥背人飛響入華林園高起晚過青溪詩王謝池臺兩岸空水禽爭哢夕陽中麗華妖血流難盡化作荷花別樣紅顧起元詩溪流如帶引青羅睍日輕移畫舫過石縈雲花搖樹晚風香水葉蕩蘋多漁人尚指江淹宅商女猶傳子夜歌漫向欞橋倚欄望蒼茫宮月下江波柳應芳青溪詩泛雨還牽月舟中夜景芳就橋尋酒徑開岸閘魚梁細荇搖風帶低荷偃露虖林踈恒覺曙溪淨好追凉鳥宿驚柔櫓流螢觸短墻只愁行欲盡歸路轉思長

御河明初開在舊內東出青龍橋西出白虎橋至百川橋入城濠

運瀆吳鑿引秦淮抵倉城以通運道今自手門橋南引秦淮北流至北乾道橋東經太平景定至內橋與青溪合北經鼎新崇道橋又西連武衛橋從鐵窗櫺出

城

桃葉渡秦淮上今文德橋北 渡新設石橋以通往來按此渡自東晉以來歷代久遠未有設橋者良以通濟水關來水天門欲敞故也明萬曆壬子築壩應天脫科今順治太守李公惟設木橋固有深意以宜木不宜石耳康熙癸卯易木為石以垂永遠意非不善然識者謂天門來水因橋閉塞非歷代設渡之意公議留此說以待後之君子酌而行之晉王獻之詩桃葉復桃葉渡江不用楫但渡無所苦我自來迎接明史謹桃葉渡詩重經古渡立斜曛愁見桃花兩岸春欲向東風唱桃葉江邊怕有別離人沈愚過桃葉渡詩江花含笑欲爭春江水籠烟柳色新商女停舟唱桃葉東風愁煞渡江人施閏章桃葉渡詩萬事東流去爭傳桃葉名當年曾照影終古尚含情畫舫停歌扇悲笳動冶城秖留一片月猶是六朝明

麾扇渡古朱雀航南今秦淮上

長樂渡秦淮上古朱雀航在今武定橋西

桐樹灣秦淮上今鎮淮橋東

楊吳城濠楊溥城金陵時所開自北門橋東流歷珍珠橋折而南截於通濟城支流與秦淮合又自通濟門外納重驛澗子諸橋水遂從西北至三山門復與秦淮合以達於江

珍珠河宋行宮後今成賢街南金陵志云陳後主泛舟遇雨水生浮漚宮人指爲珍珠故名通護龍河至太平橋西分兩派一出柵寨門一出秦淮戚氏云前志及史傳不見所起疑即運瀆也今自元武湖繞國子監號房後達珍珠橋者爲是大抵潮溝珍珠河二水皆引元武湖合於秦淮後南唐築城遂絕其流今惟存西北一帶云

御溝古御道兩傍實錄云朱雀門北對宣德門相去六里名爲御道夾開御溝歲久湮塞唐吳融詩一水終南下何年流作溝穿城初北注過苑却東流遶岸清波溢連宮瑞氣浮去應涵鳳沼來必滲龍湫激石珠爭碎縈堤練不收照花長樂曙泛葉建章秋影炫金莖表光搖綺陌頭旁沾畫眉府斜入教簫樓有雨難澄鏡無萍易擲鉤鼓宜堯女瑟盪必蔡姬舟皋著通鳴鶴津應接斗牛迴風還灩灩和月更悠悠淺憶觴堪泛深思杖可投祗懷涇念慮不帶隴分愁自有朝宗樂曾無潰亢憂不勞誇昔勝清渭在神州宋王安石詩渺渺金河漲欲平數支分綠報清明常穿輦路漂花去更飲流杯送酒行靜見金輿穿樹影清含玉漏過墻聲哀顏一照自多感回首江南春水生

潮溝吳鑿以引江潮東接青溪南抵秦淮西通運瀆北連元武湖按建康實錄云潮溝東發青溪西行經古

承明廣莫大夏等門則今十八衛處也西極都城墻對歸善寺西南角則今雞籠山東也經閶闔西明門接運瀆則今笪橋西北也據後湖水經舊內城下流入竹橋者殆其故跡

護龍河宋鑿即舊子城外三面濠也今自昇平橋達於上元縣後至虹橋南出大市橋而止

新開河宋元鑿自三山橋歷石城橋定淮諸門由草鞋夾以達於江又自三汊河而南過江東橋與元運道合韓世忠碑記云建炎四年開

元運道在陰山下至元間以通糧運由大成港入江

明城壕朝陽門外自西折於北

古漕河一名靖安河自靖安鎮下缺口取道入儀真新河八十餘里宋吳聿靖安河記畧曰江出岷山道峽與荆湘沅澧至洞庭積爲巨浸合沔水經潯陽東連彭澤別爲九道會爲中江東北至南徐州爲北江入於海惟中江自湖口合流而下奔放蕩潏吐呑日月山或磯之則其勢悍怒觸舞大艑兀若轉梗至其廣處曠數百里斷岸相望僅若一髮而舳艫上下中流遇風則四顧茫然亡所隱避自金陵抵白沙其尤者爲樂官山李家標至急流濁港口凡十有八處稱號老風波而玩險阻者至是鮮不袖手東南漕計歲失於此者什一二宣和六年發運使盧公訪其利病得古漕河于靖安鎮之下缺口謂其取逕道于靑沙之夾河趨北岸穿坍月港踰港尾越北小江入儀眞新河以抵新城下往來之人高枕安流入十餘里以易大江百有五十里之險實爲萬世之利役之始與楊子六合上元分治之云

蘆門河在上元縣六十里

竹篠港西至靖安東至石步南至直瀆北臨大江屬縣金陵長寧兩鄉張羽竹篠潭詩凍雨不成雪客行利新晴迥睇三山外殘陽靄餘明江神不揚波歸流淡且平使者誠寡德國家有威靈笳鼓登中州櫂歌悲且清釃酒淩長風篇翰倏已成常讀皇華章征夫在匪輕愧無咨詢劾何以荅聖情

後湖在太平門外周四十里一名元武湖又名蔣陵湖湖本桑泊吳赤烏四年鑿青溪洩湖水寶鼎二年開城北渠引後湖水入新宮湖名始著晉元帝時名北湖宋明帝改名習武湖元嘉中黑龍見又名元武湖至明五年大閱水軍又號昆明池唐乾元中爲放生

池顏眞卿爲記宋熙寧廢爲田元大德中僅爲一池明初復爲湖貯天下圖籍於湖中洲上遂爲禁地燈火不入湖中洲凡五舊洲新洲龍引洲蓮蕚洲郭璞墓天語亭歷代傳爲勝地

宋張敦頤六朝事蹟云元武湖吳後主皓寶鼎元年開城北渠引後湖水流入新宮廵逹殿堂窮極伎巧本朝天禧四年改爲放生池今城北十三里有古池俗呼爲後湖見作大軍教塲處是也明計宗道過後湖紀略云天下板籍盡貯後湖南京戸部官率歲一往磨勘正德中壬申秋予叨職斯役過湖必出太平門命舟行可七八里許閲立四顧其嵯峨霄漢之表王氣欝葱而峙乎東南者鍾山也叠連如屛如幃在西北者幕府山也巒嶺偃蹇盤伏於地而松森其上者覆舟山也挺拔而凸出城頭殿閣參差浮屠聳空者鷄鳴山也山東西一帶列如懸榜者世傳臺城也峻嶒冒水而出者島嶼也傍視三法司隱隱錯落雲水之湄重崗叠阜逶連於其外巋然而鸞鳳峙騰然

而蛟龍走矣其中遠近芳洲相聚如五星紅紫烟花華絢如匹錦鷗鷺鳧鴨載飛載鳴鰷鱨鰋鯉以潛以泳則已目飫而心怡矣忽驚風暴作洪濤舂撞篙人惶懼拏舟艤岸而行經敗荷間香氣循襲人浮藻亂荇牽舟綴楫已乃引入曲港兩岸薈蔚須臾抵小陂遂舍舟以陟焉命隸剪荊分莽排霧穿雲逡巡而進見數處頹垣廢址意前朝遺跡令人慨嘆復進望一高丘隸指曰此相傳郭僊墩也衆徂徙以上四圍樹林蔽日復下故道向新建籍庫過石橋延佇其上見日光射水晚霞相蕩回視湖上諸宇在蒼烟杳靄間不啻蓬萊閬苑然豈不信爲勝地哉顏延年觀北湖田詩周御窮轍迹夏載歷山川蓄軫豈明懋善游皆聖僊帝曍膺順動清蹕巡廣廛樓觀眺豐穎金駕映松山飛奔互流綴緹縠代迴環神行埒浮景爭光溢中天開冬眷徂物殘悴迎化先陽陸團精氣陰谷曳寒烟攢素旣森藹積翠亦蔥芊息饗報嘉歲通急戒無年溫渥浹輿隸和惠屬後筵觀風久有作陳詩愧未妍疲弱謝凌遽取累非纏牽陳張正見詩上苑奢行樂滄池聊薄游汎荷分蘭櫂沈槎觸桂舟殘紅初度雨缺岸上新流欲知有高趣長楊送來秋明蔡汝

稱元武湖供事解說澄湖上高齋擬石渠九州分職
貢萬戶入圖書常侍傳符後郎官對草餘綠緗隨處
滿八事此中蹟積水神龍澤青蓮太一居烏啼宣靜
院雲煖護幽墟式重思周典先收憶漢初不知供事
日仰止意何如程嘉燧雨中出太平隄詩元武湖隄
似掌平澄湖淼淼淡微明水邊椰色浮官舍雨外松
聲遠禁城佳氣忽連鍾阜變輕陰欲傍織山晴春衣
一一從沾濕故拂林花並馬行文翔鳳後湖行日中
有邊池月下有藻淵其精墮爲朱雀元武之二水鍾
陵疑即須彌巔遂就前湖作殿闕五風攝處駐行天
滄溟操築又桑田自是水輪扶地軸不比羲仲御虞
泉籍石豈伏神鰲戴銜木非憑精衛塡琉璃推現天
人界香水捧浮帝釋蓮獨留後湖照嬋娟金銀氣已
貯秋烟中有羣玉爲策府由來曲洛是書淵靈沼未
聞還宴鎬昆池何況本學滇鍾阜如龍下飲之島嶼
負橫過海船雞籠龍舟碧相楫雙蛾對鏡畫春妍君
出太平門試拂堤邊柳天絲樹樹堪垂手錦衣繡嶺
低回否長生新館立烟波萬頃明月萬頃荷荷柄發
花香入帶風來湖上竟如何王野後湖看荷花詩芬
馥滿湖田燁燁朝霞綺朱顏笑倚風分影與秋水

燕雀湖一名前湖或云白蕩湖即此窮神秘苑云梁昭明太子在東宮有一琉璃盌紫玉盃乃武帝所賜既薨置梓宮後更塋開墳爲閹人携入大航有燕雀數萬擊之爲有司所縛乃獲二寶器帝聞之驚異詔賜太孫封墳之際復有燕雀數萬銜土以增其上故名湖

太子湖一名西池又名樂遊池在城北六里吳宣明太子創晉明帝爲太子時修西池養武士於內時人呼爲太子西池又太子東湖在丹陽鄉太子臺下梁昭明太子植蓮於此晉謝鯤詩回阡被陵闕高臺眺飛霞惠風蕩繁囿白雲生層阿景昃鳴禽集水木湛清華褰裳順蘭沚徙倚引芳花

迎擔湖在石城後五里晉南渡時衣冠南遷客主相迎負擔於此今廢

張陣湖在石頭城相傳蘇峻與晉軍戰處

穩船湖在金川門外明初開引江水瀦以泊舟

蘇峻湖在迎擔湖北本名白石陂郎李陽斬蘇峻處

夏駕湖在丹陽鄉卽晉惠時石浮來處今廢

半陽湖一名半湯湖在城東北四十里週迴十五里水同一壑而冷熱相半考舊志卽湯泉

攝湖在攝山之側

白米湖在城東與句容下塘村接

三岡湖烏意湖西干湖俱在東白杜湖劉陽湖在東南

瓆石溪在東南四十八里源發白石巖經攝湖六十餘

里達於大江

長溪在東南六十里丹陽記云湖孰前有長溪受句容赤山湖水入秦淮謝靈運賦潭結綠而澄清瀨揚白而載華飛急聲之瑟泊散輕文之漣羅始鏡底以如玉終積岸而成沙

鐵冶溝在鍾山鄉馬鞍山之下有地三畝餘皆鐵梁時作三壩堰淮水灌壽州融江南之鐵載往築之

烏龍潭近清涼門相傳有烏龍見故名潭傍有唐時妙意菴明顧起元詩澄潭百頃靜含風虎踞西臨隔瀼東客路半穿紅樹外人家多在綠蒲中蘋交不礙看魚戲蓮密惟堪倩鳥通共說波心龍臥穩每驚雲務接虛空吳兆烏龍潭詩潭光與月色清徹一團中陰過臨城樹涼當隔岸風空虛涵若水亭厰坐如空幽極不成寐高懷有客同

天淵池在華林園一名天泉池宋元嘉中開江總池銘曉川漾碧似日馭之在河宿夜景流金疑月輪之馳水府景定志云今宮城後法寶寺西南荒池尚餘一畝即此池也晉孝武太元七年大旱井瀆皆竭供膳皆資天泉池明帝太始二年天泉池白魚躍入帝舟梁武帝詩薄游朱明節泛漾天淵池舟楫互容與藻蘋相推移碧沚紅菡萏白沙青漣漪新枝拂舊石殘花落故池葉軟風易出草密路難披

善泉池在臺城東一名九曲池梁昭明太子所鑿嘗泛舟池中或謂此中宜奏女樂太子乃徐詠左思招隱詩曰何必絲與竹山水有清音

覆杯池在臺城晉元帝以酒廢政王導諫之帝因覆杯池中以爲戒

飲馬池宋大明中立於上林苑中

濛汜池在臺城內晉張載賦麗華池之湛淡開重壤以停源激通渠於千金承渥洛之長川挹洪流之汪濊包素瀨之寒泉既乃北通醴泉東入紫宮左面九市右帶闤闠周墉建乎其表洋波迴乎其中幽瀆傍集潛流獨注仰承河漢吐納雲霧緣以釆石殖以嘉樹水禽育而萬品珍魚產而無數蒼苔氾濫脩條垂幹綠葉覆水芳蔭布岸紅蓮煒而秀出繁葩赩以煥爛游龍躍翼而上征翔鳳因儀而下觀想白日之納光覩洪暉之皓旰於是天子乘玉輦時遨游排金門出千秋造綠池鏡清流翳華蓋以逍遥攬魚釣之所收纖緒挂而鱸鮪來芳餌沉而鰋鯉浮豈斁踰於巨壑信可樂以忘憂

鍾山水李衛公浮槎山水記云孝侯以鎮東留後出守廬州因游金陵蔣山飲其水既又登浮槎至其上有石池涓涓可愛蓋陸羽所謂乳泉漫流者飲之甘則

鍾山水與浮槎之水其味同也

石頭城下水中朝故事云李德裕居廊廟有親知奉使京口李云還日揚子江中冷泉水取一壺來其人醉而忘之泛舟至石頭下方憶乃汲一瓶歸李公飲後訝嘆非常曰江水味異於頃歲矣此頗似建業石城下水其人謝過不隱

梅花水在觀音門內興善寺源自石罅中出明顧源梅花水詩獨樹依山脚寒泉浸石根潤通滄海脈雲沁玉池痕勝品標茶譜清寒逼酒樽冷然發眞性已見滌塵昏顧起元梅花水詩翠壁參天秀可捫靈泉清淺浸雲根波香自合花千影光滿惟涵月一痕鬪茗好從烹石鼎漱流應許注山樽何人挹取蘋蘩味爲薦孤山處士魂

曲水晉海西公於鍾山立流杯曲水延百僚水經注云舊樂遊苑宋元嘉中以其地爲曲水晉慶闡臨曲水詩暮春濯清汜游鱗泳一壑高泉吐東岑迴瀾自淨縈臨川叠曲流豊林映綠薄輕舟泛飛觴鼓枻觀魚樂梁簡文帝三日侍皇太子曲水宴詩震德協靈年芳節淑濯伊臨灞蕩心愉目驤騎晨野縱金曉陸蕙風卷旌神飈擊轂層岑偃蹇聳觀岧嶤烟生翠巘日照綺寮銀華晨散金芝暮搓綠水動葉丹蹈映條

醴泉在神樂觀明永樂初醴泉湧出勅右庶子胡廣撰文

王兎泉在儒學二門內秦檜見白兎入地掘之得泉劉基疑檜僞爲之乃作銘嗚乎泉乎夫何辜爲檜所汚世無吳隱之孰昭其誣嗚乎泉乎尼父大聖猶言其主瘠瘓與癰疽白兎之傳夫何傷於爾歟檜死爲蛆泉潔自如我作銘詩衆惑斯祛嗚乎泉乎終古弗渝

白騎泉北十五里石邁古跡篇云吳大帝時蔣帝乘白馬執白羽扇見形於此馬跑地成泉故名

玉泉在張山下味極甘冽瀵出如倒斛珠舊名張山大泉

景陽井在臺城內陳後主避隋兵處一名臙脂井有石欄題十八字曾南豐集云辱井有篆文云辱井在斯可不戒乎不知誰爲陸龜蒙詩古堞烟埋宮井樹陳主吳姬墮泉處舜没蒼梧萬里雲都不聞將二姬去

龍天王井在臺城前舊傳梁武爲帝郗夫人未及册立因忿投井化毒龍帝立祠井上號龍天王井歷陳猶

享祀

汝南灣東八里當秦淮曲折處晉汝南王渡江家於此有東治亭在灣東南乃晉太元中餞送之所齊陸慧曉清介自立張緒目爲江東裴樂家於灣前張融自稱天地逸民牽船駐岸劉瓛弟璡幷居其間水有異味至今取以釀酒極佳事見覽古詩註

開善塘　銅塘　王塘　水門塘　赤山塘　長塘俱東南　蠡湖塘　劉塘在西北　義溝瀆臨賀塘在東以上舊志溉田畝數因大旱小旱不同未可定論故不載

圩岸建康縣志一百三十五處

以上上元

上新河在江東門外由大江至江東門壩上爲商賈百貨所聚上新河壩係郡城外護昔人設此恐江水逼近郡城冦盗直行出入且郡城來水西流直瀉與本郡官民大不利前此有人網利誑詞通便甫開數月便有海冦近城之變又鄉會科名脫落城外商賈竄逃其明驗矣萬曆間鄉紳賈必選力阻其議順治丁酉紳士劉思敬吳樹聲白夢鼎等公請永塞奉督撫司道府縣各上臺允詳勒石永不許開眞一郡萬世之利也

新河在江東門外一名中新河又名直江口流通大江官舟馬快船所泊處

古新河一名新開河在白鷺洲西南入大江

陰山河在陰山元浚上至官庄鋪下至毛公渡

大城港今名大勝關納大江東流又東有尾肩壩其東南會聚寶門城濠納重譯橋落馬澗諸水西南北與秦淮合又北爲三汊河至龍江關外入江

莫愁湖三山門外相傳舊有伎盧莫愁居此因名明爲中山王園對莫愁湖有五顯庵臨河水檻周以高柳爲遊人小歇脚極幽勝縣志云楚有石城莫愁居之故因古樂府而誤顧起元又引唐鄭谷詩云莫愁家住石城西今湖甚邇石城故縣志辯其仍在金陵是也但梁武帝詩云雒陽女兒名莫愁十五嫁爲盧家婦未知郎此莫愁否古樂府莫愁樂莫愁在何處家在石城西艇子打兩槳催送莫愁來唐吳融詩莫愁家住石城西月墜星沉家到迷一院無人春寂寂九原何處草萋萋香魂未散烟籠水舞袖休翻柳拂堤蘭棹一移風雨急流鶯千萬莫長啼余孟麟詩名湖今復作名園烏榜依然白下門畫槳菰蒲通酒巘綵雲樓閣傍花源風迴珠幕鳴絲出日映璇

題賜額存更是美人歌舞地年年春雨長芳蓀焦竑莫愁湖詩水濶菰蒲淨城開睥睨斜懷人倚高閣落葉見平沙眉黛餘山色鈿金但野花徘徊湖上月一倍惜芳華顧起元詩蕩漾澄湖玉鏡光羣峰環帶畫螺長酒人樓隱千波濶溪女船迴一水香鷗夢不離捐珮渚燕泥還上欝金堂石城人去遺芳在誰憶雙鴛向維陽

三城湖龍口山下在今江寧鎮湖中舊有三小城因名

河湖在西南石均湖笪湖銀湖俱在南白都湖在白都山下

婁湖在東南十五里水流入艦澳輿地志婁湖吴張昭所創宋時築爲苑張昭封婁矦故名

梁墟湖高亭湖葛塘湖俱東南丹陽記王仲祖墓東南亦有高亭湖

艦澳在南十里梁武帝開以藏船水出婁湖

慈湖在南五十里連慈姥山今爲田石季龍入寇歷陽趙應屯慈湖蘇峻敗司馬流於慈湖皆此南北通衢也

白家湖縣東南二十里其浸甚廣相傳有九灣十八汊名未詳

和尚港在江寧鎮西

板橋浦在南二十里濶三丈深一丈下入大江李白秋夜板橋浦泛月詩天上何所有迢迢白玉繩斜低建章月耿耿對金陵漢水舊如練霜江夜清澄長川瀉落月洲渚曉寒凝獨酌板橋浦古人誰可徵元暉難再得灑酒淚塡膺范汭板橋詩板橋斷後無復春蒲荒柳禿波粼粼依稀一片昔時月來照鴛鴦不照人

江寧浦南七十五里源出當塗界梁書徐嗣徽任約領齊兵據石頭陳高祖遣兵往江寧要險斷賊路賊水步不敢進即此

秣陵浦南五十里輿地志以舊縣得名

牧馬浦西南三十九里晉永和中置南朝放牧於此

查浦在石城南上十里盧循犯建業宋武栅石頭斷查浦即此

新林浦西南二十里宋開寳中曹彬破南唐兵於新林浦即此宋謝朓出新林詩江路西南永歸流東北鶩天際識歸舟雲中辨江樹旅思倦遥遥孤游昔已屢既懽懷祿情復協滄洲趣囂塵自兹隔賞心於此遇雖無元豹姿終隱南山霧又發新林詩大江流日夜客心悲未央徒念關山近終知道路長秋河曙耿耿寒渚夜蒼蒼引領見京室宮雉正相望金波麗鳷鵲玉繩低建章驅車鼎門外寄思昭

丘陽馳驛不可接何況隔兩鄉風雲有鳥路江漢限無梁常恐鷹隼擊時菊委秋霜寄言罻羅者寥廓已高翔梁何遜初發新林詩伊昔負薪暇慕義游梁楚短翮忘連翩追飛散容與優游沐道教漸漬淹寒暑大德本無酬輕生竊自許舟歸屬海運風積如鵬舉浮水暗舟艫合岸喧徒侶凛凛窮秋暮初寒入洲渚饒吹響清江懸旗出長嶼危檣迥不進沓浪高難拒回首泣親賓中天望宛許帝城猶隱約家園無處所去矣方悠悠含意將何語

九里汀東南五十里戚氏志云城南大路過郭公橋長堤一道凡九里直達秣陵鎮吴永安山賊施但及丁固諸葛靚逆於九里汀今俗乎九里埂

落馬澗南五里一名南澗宋孝武討元兇劭劭軍敗入馬墜澗中故名戚氏志南史有南澗寺慶元志南澗即今落馬澗宋有南澗樓題其榜曰躍馬澗見荆公詩今澗子就灣等橋所跨是也

柵塘在秦淮上通古運瀆王隱晉書王敦反沈充自吳至與之合司馬顧颺說充決柵塘灌京邑即此

橫塘在淮水南吳大帝自江口築堤謂之橫塘吳都賦橫塘查下邑屋隆夸樓臺之盛天下莫比

倪塘東南二十五里晉書王敦自湖陰使王含等逼京師帝親率六軍大破之于越城含率餘黨自倪塘西置五城如却月勢即此處也南史劉毅當之荆州東還辭墓去都數十里不過拜闕宋武帝出倪塘會之胡藩請殺毅不許其後北討謂藩曰若從卿倪塘之無今舉也

義井二一在石子岡唐保太間置一在報恩寺側李廸唐李廸有鑿義井記

鳳皇泉井在鐵作坊內

響井在陶吳鎮西北以紗帛蒙其上擊之作鼓聲投以瓦礫則作鐘磬響闌上有元祐五年四字

保寧古井舊在保寧寺即今驍騎右衛倉門內深數十丈大旱不涸味甘美與鳳皇泉俱爲郡城第一闌下有四鍥人相傳爲怪蓋緣下空洞恐易圮故以此承之無可怪也

三井在瓦官寺後金陵故事瓦官寺後有三井汲一井則二井俱沸

金沙井在鳳泉稍東

忠孝泉近忠孝亭

雷山義井在德恩寺內闌上刻雷山義井篆畫甚古

永豐等圩二百八十七處韓無咎永豐行丹陽湖中好風色晴日波光漾南北湖岸

人家榆柳竹風颭低昂似迎客繫船並峙聊一呼老農指視官田圩長衫紫領數百輩見我羅拜長嗟吁政和同顧五十載官築長圩究然在東西相望五百圩有利由來得無害官圩民圩奚所拘此地無田但有湖圍湖作田事應爾底用徹地還龜魚民圩不堅自招水水潦何嘗鎮如此官圩六十里如城削平爲湖定何理請看今來禾上場七百頃地雲堆黄縣官糶米三萬斛度僧給牒能商量我聞此語汗生面千聞不如目一見吾君神聖坐九重輕易獻言誰復辯却憶吳中初夏時畚挿去決湖田圍鷄鶩上籬犬上屋水至不得携妻兒無田赴水均一死善政養民那得爾寄言父老且深耕爲汝馳書報天子

附明南京工部尚書丁賓題准開濬河道疏略云留都形勝鍾山雄峙盤踞大江以水爲脉城中舊有正支等河自水西門簽渡橋起進水西水城門西水關內下浮橋上浮橋新橋南門橋卽鎮淮橋武定橋文德橋至通濟水城門內東水關西水關內大中橋復成橋延津橋竹橋珍珠橋新浮橋通賢橋北門橋之西潭止此爲正河又由陡門橋紅土橋乾道橋又由淮清橋四象橋內橋會同橋笪橋二水會合俱從鼎

新橋倉巷橋望仙橋周家橋鐵窗櫺水關出城是爲大支河又由東西長安門下流水至白虎橋會同舘橋烏蠻橋柏川橋出正河是爲小支河又由後湖水閘從土橋浴賢橋珍珠橋出正河亦爲小支河又由十廟西門舊名進香河內新建橋西倉橋大石橋嚴家橋蓮華橋出正河亦爲小支河其陡門橋淮清橋二水總至鐵窗櫺之大支河包藏於正河之內其柏川橋出口者珍珠橋出口者蓮花橋出口者三小支河環於大河之外用以吐納靈潮疏流穢惡通利舟楫故居不病涉小民生業有資譬如人身腑臟居內有血脉榮衛以周流也若使血脉一淤則元氣底滯而身必受其病故河道之開塞所係良非輕也考自萬曆四十三年十一月內允公請開濬於次年五月疏濬告成計支官費四千六百有奇以故明季水道安瀾人文蔚起

本朝以來正河淺狹極矣支河壅塞更不可問如康熙二年八月間河水泛溢瀰漫闤闠觀湍流而追往績能忘前事之師乎但今昔時移勢異昔有存留經費今則餉用爲亟不能爲無米之炊昔有都水專官今則裁汰不復亦誰爲任勞之人然經費固不可支

而令各戶以門面計濬河之工都水雖無專官而以街道兼水利之政事尚可行伏惟加意地方幸甚邑人丁灝記

顧文莊云興化李君思聰嘗建議自南都抵京口沿水險惡往來舟楫嘗有風波傾覆之苦謂大勝關至燕子磯一帶有內河故數十里無長江之險今燕子磯以下抵京口一帶舊有河形宜加開濬則一百八十里江險可以引避此漕運與士商往來之永利也余甚韙其論因考舊志古漕河一名靖安河在龍灣市上元金陵鄉宋吳聿靖安河記略云自金陵抵白砂江險其尤者爲樂官山李家漾至急流濁港口凡十有八處號稱老風波而玩險阻者至是鮮不袖手東南漕計歲失於此者什一二宣和六年發運使盧公訪其利病得古漕河於靖安鎮之下鈌口謂其取逕道於青沙之夾越北岸穿坍月港由港尾越北小江入儀眞新河高枕安流八十餘里抵揚州新城下可易大江百有五十里之險按此論正與李君意同特彼在逕越北岸此則專傍兩岸抵京口耳此岸之河今亦堙塞葢江水東西衝決不常松江洲地時有坍卸入江者今上新河舊傳自江東門可數里至江

岸今不過里餘矣陵谷變遷江上尤速李君之意甚美俟再與習江上地形者籌之

顧文莊城內外諸水考曰江寧自秦淮通舟外惟運瀆與青溪古城濠可容舴艋然青溪自淮青橋入至四象橋而阻運瀆自陡門橋入西至鐵窗櫺東亦至四象橋而阻以河身原狹又民居侵占者多易爲湮塞也頃工部開濬青溪運瀆其意甚韙然此河之開僅城中利搬運耳若郊外諸湖湮塞既多秦淮源遠而受水復衆湖秦淮之發源一自黃堰壩而東上抵句容之南門一自方山東南上抵溧水其諸水相灌注一支繞方山東面上抵彭城山一支自張山上湖金陵鎮過馬家橋抵橫山一支西抵後乾橋一支西抵陳墟橋一支自上方門外小河東歷高橋門抵滄波門郭內一支自澗子橋南上至天界寺此皆可以行舟而爲田地侵蝕遂多狹窄且易淤墊伏秋水漲處處梗咽蓋溧水溧陽句曲諸水惟一秦淮爲之尾閭夏秋江潮盛大上壅下泛無支流分洩所以近年江寧時苦水而鄉閭尤甚正坐此耳若當事者肯議爲挑濬或令傍河有田者計其畝數幇出工值委兩縣官分程督濬功成之後不但支流分派水無汎濫

之憂而往來搬運舟航所至省財力無限關係國賦民食者非輕此當首宜講求者又續考曰余前會言城內外水利因考金陵新志載東南利便書曰建康古城向北秦淮既遠其漕運必資舟楫而濠塹必須水灌注故孫權時引秦淮名運瀆以入倉城今斗門橋以北一帶河至鐵窗櫺者是開潮溝以引江水今北門橋至珍珠河一帶是又開瀆以引後湖又鑿東渠名青溪皆入城中由城北塹而入後湖此其大略也自楊溥夾淮立城今自通濟門起西至石城門皆是其城之東塹皆通淮水今通濟門外上至南門一帶是其西南邊江以爲險然春夏積雨淮水泛濫城中皆被其害及盛冬水涸河流乾淺在今日正與宋無異宋隆興二年張孝祥知府事奏秦淮流經府治正河自鎮淮今南門橋新橋入江其分派爲青溪今洞神宮後一段經四象一帶是自天津橋今內橋出柵寨門今鐵窗櫺入江宋時水西旱西二門外未有土也石城下即臨江柵寨門近地屬有力者因築斷青溪水口創爲花圃每久雨水暴至則正河不能急洩水勢於是泛濫城內居民被害今古潮溝青溪運瀆河身皆爲住民日久侵占堙塞不通故水患正與

此類今欲復通柵寨門使青溪竟直入江則城內永無水患及汪澈繼孝祥知府詔澈指定以聞澈言開西園古河道通柵寨門尤便從之戚氏志云秦淮水源甚遠小川流入者衆又古來貯水湖衍後世築爲圩田日多每夏雨暴至江潮復涌水即泛濫皆經流城內一河入江自源及委所過不計幾橋凡遇一橋皆爲水石岸堰束扼及居民築土侵狹河道故水失其常橫流弗順是以必資柵寨門河今內橋以西至鐵窗櫺及長干橋下河今南門外大橋分洩其勢其關於國賦民食者非輕如云通便舟楫特是小事自前如孝祥所言止謂城內被水然多不過數日即退其害亦輕若觀鄉外圩田始見其害可畏耳上元江寧溧水多賴圩田每遇水至則舉村闔社日夜竝力守圩辛苦狼狽於淤泥之中如遇大寇幸而雨不連降風不涌浪可以苟全一歲之計其爲壞決則水注圩中平陸良田頃刻變爲江湖哭聲滿野挐舟結筏走避他處國賦民食兩皆失之是皆水不安流之故耳其言城內外水患最爲明切痛快與余前言郊外水患合第今諸湖旣難議復惟濬支流一節稍可舉行是在有地方之責者亟議求利爾

論曰顧文莊諸水考謂城內支河淤塞久雨泛溢民間受害宜從天津橋出柵塞門則氿瀉易退不知青溪必與秦淮合襟繞南出三山門水關方環抱有情故內橋以南得環抱力大中橋以東得合襟力乃富貴輻輳而各衙門峙焉明高帝經營大內集天下明堪輿者效謀卜築經營豈猶未善再考古建鐵窗櫺時水固易退而秦淮一帶不過洲渚相瀠黃蘆白蔣之鄉其明驗矣然則今城內支河當濬鐵窗櫺必不可開或非無據也愚不揣妄言莫若於鐵窗櫺三山門水門各設壩一道若久雨城中湮沒暫開鐵窗櫺

分泄水勢少退即閉以固其氣三山水門貼城墻築壩一道立禮樂射御書數六版以觀水信水及禮樂版則枯涸矣水及射則低田沾足矣水及御則高田亦可桔槔矣水及書則低田潦矣水及數則高田亦潦矣立十尺之地而四方數百里水勢如在目前視其高下之準以爲遠近疏通開鑿之功不亦善乎若冬日水落即閉壩蓄水以通商民販載往來之事則城中血脉流通而諸病或可不作矣宋蔡君謨引水繞壺宫山後莆中人物遂盛近常州鄒之麟築文成壩遂科第蟬聯甲天下由斯觀之水何可無情宜出

哉

以上江寧

古漕河北七十里西入江官塘河東五十里東北流入延陵新河東四十里其源出駒驪山由丁角入長塘湖注太湖黄堰河四十五里流入絳巖湖崛河縣東絳巖湖一名赤山湖西南三十里周百二十里下通秦淮上元句容兩縣溉田二十四圩南去百步有盤石爲水疏閉之節吳赤烏中創宋明帝復使沈瑀築赤山塘即此唐麟德中令楊延嘉因梁故堤置後廢大曆十三年令王聽復置周百里立二斗門以節旱澇

明萬曆二十九年縣令茅一桂欲洛訪水利以圖民生永賴議得高鄉以地之凸凹爲水之盈涸相地置閘謹啟閉時畜洩灌溉之利不勞餘力低鄉自秦淮河以西蘇培橋以東相距數里若濬爲一河自可宣達仍東西置閘防其壅涸從中經紀其陂池鱗次其塍隴不失前代築堤建二斗門之意上諸臺不報

江城湖西北六十里周家湖南五十里今爲圩

白李溪東南四十里

上容溪南三十里源出中茅峰經蘆江橋赤山湖入秦

淮

丹溪南七十里源出尾屋入蒲里溪龍淵溪南四十里源出仇山入絳巖湖

高平溪后白溪南四十里出浮山入絳巖湖石溪北五十里出胄山入絳巖湖

楚王東西二澗大茅峰下冷水澗茅山玉晨觀北即蒼龍溪水漱石出其色如玉即今茅山石也

破岡瀆東南二十里吳鑿上下十四埭上七埭入延陵界下七埭入江寧界晉宋齊如故梁堙之更開上容瀆陳高祖復修破岡瀆至隋乃廢

九曲溝東一里泉水清冷縈迴九曲土不崩湮中有一培形如龜雖大水不沒茂林脩竹掩映

春和士人觴詠竟日忘歸

龍潭北八十里臨大江今設巡檢司蔣主忠經龍潭故居詩不到故園久寧辭歸路遙山光自今昔人物嘆蕭條古鎮東西市長江旦暮潮何當尋舊業來此伴漁樵

菖蒲潭茅山許長史學道處

下蜀港北六十里

葛公煉丹井陶隱居井茅山華陽宮前歲久湮沒政和初道士莊慎修索而得之瓦井闌雖破合之尚全環刻大字云先生丹陽人仕齊奉朝請壬申歲來山自號隱居

沸井東三十里虎耳山週十二丈聞人聲則沸

冉里丹井在潭家橋澗底冉里先生煉丹處井方圓十餘處昔有西域胡人飲水因取其土囊之去

梁昭明太子福鄉井在茅山鴻禧院東

市曹義井在坊郭東南隅唐李衛公屯兵於此所鑿飲之益人壽

喜客泉撫掌泉在茅山二泉客至撫掌則有珠連貫而起

田公泉茅山玉晨觀眞誥言華陽田公泉飲之除腹中三蟲

玉蝶泉茅山飈輪峰西至冬一冷一熱又名陰陽泉

朱砂泉小茅峰西泉色赤西山記云司命君埋西湖玉門丹砂於中茅峰之巓泉水赤

石龍泉在仁信鄉石龍岡南有石山自西轉北若龍自天而下有洞如口深數十丈泉自洞中淙淙下味比錫山惠泉句曲最勝境也

湯泉湯山之麓東南皆有泉噴而出熱不可手探

放生池宋紹定間建邑令張偁記

掬月灣池縣西葛僊菴每中秋月圓則水中月影方半相傳葛稚川幻術也

洗心池茅山乾元觀西池上石壁陡立下石坡斜衍池在其中相傳爲魏元君洗心處石壁上有洗心池三字筆法遒勁隱而不見必以池水洗之方見眞奇蹟也

郭干塘水常滿鄉人涸之必有震電

圩岸舊志九十六處今惟存六十三處餘已廢不知所在

以上句容

間史載溧陽水記曰溧陽諸水於東於東之南於南皆去之道於西於西之南於西之北於北皆來之道其西由固城踰五堰而下經昇平三墖諸渰至南渡橋又由溧水曹姥山過舊縣來會直注雙橋至城下繞城之東南出秦公橋過戈旗壩折而西入荊溪戈旗壩之未築也可一帆以西水類以折爲秀壩築而城之氣靈其由雙橋分流者三其一南渡以來之水也其一曰中河迤入瀨溪重洲小渚楊柳如堡人家相接舟行若窮忽又得路而水之由舊縣橋分流至謝達渰來會亦名前馬蕩其一則由胥渚橋北行由崑

崙橋東流直注楊巷入荊溪則正東之流也其向正北歷沙漲渟至鼉橋則大江之水由金壇行六十里潮汐往來正與之合中折而東則由坟橋至長蕩湖水畢滙焉方言湖水上下無恒流經此輒會曰坟義若有取於交聚云蘆葦魚族之利濱湖者得有之而未嘗多辱賢者之幽棲於此也豈其氣未深與湖之港隸於金壇者又不知其幾也而稍南則由石塘橋直注荊溪又稍東則仍會於楊巷焉其西北髻峰芼屋諸山之水則北下鼉橋而注長蕩湖其東南銅官諸山之水則由戴埠支折分入黃墟白雲諸蕩而注

荆溪水之源流如此此則凡啓閉修廢之故庸可忽諸或曰溧陽東南多山西北多水而水直注則無奇蓄不深則難久故氣之靈常遜於義興金沙雖然依渚結茆力諸田者有以自食則又水利之通而可久者予故詳列諸水俾知所考焉

溧水一名瀨水西北四十里前漢地里志云溧水出南湖水北曰陽今宣城南湖正在固城湖北故曰溧陽

中江西北三十五里相傳古三江之一桑欽水經云中江出蕪湖縣西南東至陽羨入海符志誤引禹貢注之淞江婁江東江爲三江似非

投金瀨西北四十里源出曹姥山入長蕩湖伍子胥避難溧陽道中有女子擊綿瀨上子胥乞食曰掩爾壺漿女子遂投瀨死以明不洩後子胥欲報德不知其家投金瀨水而去

五堰西八十里堰即廣通鎮春秋時吳王闔閭伐楚用伍員計開河以運糧今尚名胥溪河及傍有五牙山云左氏襄三年楚伐吳克鳩茲今蕪湖至於衡山今在烏程哀十五年楚子西子期伐吳至桐汭今建平蓋由此道自是河流相通東南連兩浙西入大江後不知何時漸湮景福三年楊行密攝宣州孫儒圍之五月不解密將臺濛作魯陽五堰拖輕舸饋糧故軍

得不困卒破儒魯陽者銀淋分水等五堰壩左右是也壩西北有吳漕水言吳王行客所漕也至宋時不廢故高淳水易泄民多墾湖爲田者而蘇常湖三州承此下流水患特甚宜興人進士單鍔採錢公輔議著吳中水利書以爲築五堰使宣歙金陵九陽江之水不入荆溪太湖則蘇常水勢十可殺其七八元祐中蘇軾稱其有水學并其書薦於朝時未及行元阿剌罕敗宋兵實出此道久之河流亦塞至明初定鼎金陵以蘇浙糧運自東壩入可避江險洪武二十五年復浚胥溪河建石閘啓閉命曰廣通鎮又於湖中

開河一道鑿溧水臙脂岡引湖水會秦淮河入於江于是蘇浙經東壩直達金陵後遷都北京運道廢希入震澤餘見高淳固城湖下按東壩之築相沿已久東坡奏議略云溧陽西有五堰者古所以節宣歙金陵九陽江之水直趨太平府蕪湖縣後之商人販賣簰木東入二浙以五堰爲阻因詒官中廢去五堰既廢則衆水暴漲皆入宜興之荆溪明初雖通運道隨鑿溧水石河引而北注而于五堰築城堅壩矣

謝公瀆在城北下傳爲謝朓洗硯池宋盧多遜詩園柳鳴禽春色深江山可待謝公吟研池香墨今餘幾欲與名家寫四歲

謝娑瀆在南城下即齊宣城太守謝朓故宅

長蕩湖北二十里舊名洮湖其水東連震澤酈道元水

經注以此爲五湖之一一作長塘湖與金壇宜興界張籍詩一斛水中半斛魚言鮮食之廣也中有山望之若浮名浮山亦名大坯山周處風土記云洮湖中有大坯山地理志云溧陽有湖山陶隱居云石孤聳以獨絕岸垂天而似浮又有小坯山祥符圖經云湖周廻一百二十里晉咸和四年蘇逸以萬餘人自延陵湖將入吴興又王恭兵潰走至長蕩湖即此明朱多炡泊長蕩詩蒹葭一望暮蒼蒼長蕩湖頭烟水長怪道今朝楓葉盡夜來七十二橋霜

黄山湖西三十七里黄山下周五十里

三塔湖西七十里周四十里一名梁成湖西南與昇平湖接俗名三塔渰

昇平湖西七十里水自五渰東流入湖又有溪水南自建平梅渚來會

瀨陽渰西北四十里即瀨溪也

朱湖東南八里郭璞江賦云其旁則有具區洮滆朱滻丹漅水經注云朱湖在溧陽或云即曹蕩圩是

千里湖東南十五里一名千里渰陸機云千里蓴羹未下鹽豉沈文季云千里蓴羹豈關魯衛皆指此今湖已淤蓴不復生

百丈溝南三里一名百步溝源入燕山東流入白雲溪舊有壩三十四儲水以灌高田歲久淤塞明弘治初

知縣楊榮開濬餘八百丈中存九壩民賴其利

黄壚蕩南十里周五里東北流入白雲溪

繰車涇南十里連黄壚蕩下屬白雲溪歲久淤塞明成

化間知縣熊達疏濬

高友溪南二十里源出廣德下經黄壚蕩合白雲溪

舉善溪南三十里源出廣德東北入高友溪

白雲溪東南十里一名白雲涇溪流清澈雲色輝映東

流入荆溪

香苗塘西南六里宋塘二十里廣三十五畝丁家塘西六十

里廣一百五十畝

葛浯瀆西十五里周四十五里西連西昌瀆今成圩僅存一派可以通舟楫

新昌瀆西三十里

舊縣江西北四十五里水自分界入上興埠東流至南渡瀆會

涇瀆北三十里

沙漲瀆北十里宋謝朓詩綴步遵莓渚披襟帶蕙風芙蕖舞輕帶包筍出芳叢浮雲自西北江海思無窮烏去能傳響見我綠琴中

以上溧陽

溧水東南九十里在溧陽境內分於溧水

吳王漕水東南四十里源出東廬山南流入吳漕馬沉港入丹陽湖

大山水南六十里源出固城湖圖經云經五堰東入歷陽三塔港

橫山水西三十五里兩源東會於望湖山下至石湫壩入秦淮大河

秦淮河詳載上元

臙脂河西十里明初定鼎金陵欲通蘇浙糧運乃命崇山侯李新焚石鑿河引石臼湖水會秦淮以入於江自永樂遷都運道廢

丹陽湖西七十里春秋左氏傳哀公十九年楚子西子朝伐及桐汭杜預註廣德州有桐水

出臼石山入丹陽湖

石臼湖西南四十里湖中有軍山塔子山馬頭山雀壘山處士邢昉隱居處

砂湖南六十里今開堰周五十畝

龍潭西南二十里南通石臼湖北連臙脂河歲旱雩禱有應

石龍潭南九里源青洪山北流入秦淮河

蒲塘港南二十里還步港東南三十五里縣志云二源出自方山西流入石臼攙金陵志方山在六十五里之外似爲未確

馬沉港東南三十七里源出分界山西流入石臼湖

花溪西南四十里源出左山入石臼湖

丁公澗南三十五里自丁公山流入臙脂河

冷水澗東南二十五里源出荆山塘西流入石臼湖

稟丘泉稟丘山頂　長山泉　育德泉鸞山頂　鳳泉無想山知縣王從善鑿　龍泉迴峰山下　王乳泉乳山石巖下

官塘上原鄉　草塘仙壇鄉　土塘上原鄉　兩重塘白鹿鄉　尚書塘周數十畝淵深莫測大旱不涸

藕絲堰南與高淳連界內有羅城等九圩六埠四堰舊有土壩數爲洪水衝沒明末請造石閘春閉秋開永水患

上方井西二十里上方寺中井上刻字云唐貞元記相傳

即孫鐘種瓜井

以上溧水

官溪河自縣南西環四門即淳水與固城湖相連北入

石臼湖

溱橋河東三十里

胥河縣東南四十里春秋時伍員伐楚鑿河由鄧埠抵廣通鎮故名

澄溝河縣西三十五里宣水由此入蕪湖太平近宣岸

水濁近此岸水清

石臼湖詳見溧水

丹陽湖西南三十里中流與當塗縣分界東連石臼固城二湖其源有三出黟縣者爲舒泉出廣德白石山者爲桐水出溧水東廬山者爲吳漕水三湖滙合其流分二一西出蕪湖一北出當塗姑熟出江唐李白嘗游此湖愛其風景舟張帆載酒任意往來有詩湖與元氣連風波浩難止天外賈客歸雲間片帆起龜游蓮葉上鳥入蘆花裏少婦棹輕舟歌聲逐流水

固城湖縣西南五里北通石臼丹陽二湖與當塗宣城分界縣志云與宣城慈溪相界府志載與當塗界謬湖東有廣通鎮壩壩外有河築五堰設閘啓閉導湖水由常州宜與入太湖後因蘇常水患乃以石窒五堰浴鐵以錮石明洪武

間復疏通之以便蘇常松浙糧運永樂元年蘇常被水乃築壩設官管理湖水遂不入太湖

舊志論曰廣通鎮壩者所以障宣歙金陵姑孰廣德及大江之水使不入震澤也前代若蘇軾單鍔及明朝吳相伍周文襄皆議築五堰以成蘇常陸海之饒其爲壩下諸郡者善矣第堤防一築水勢日壅淳之田將圯爲湖者未有紀極也嘉靖戊戌覈田致虛懸米八千夫田日淪没而賦額不減淳民之困可不思所以蘇之哉

橫溪在東牛兒港於家港東溪俱南蘆溪煉溪俱西北

宫溪河龍潭灣月潭灣俱西王母澗在東

白龍潭縣南十五里秦家圩内每白龍見則有水變

以上高淳

大江在縣治東三里上曰揚子江抵浦子口曰宣化江

其中流爲鰻鱺洲與江寧界

王家套河在縣南三十五里上通三山下通八字溝爲

往來要渡

三汊河治北三十里滁河與黄山水合流於此經六合

瓜步口入江

浦子口河東二十里源出定山卓錫珍珠二泉由浦子

口城西入江

新開河東二十里自三汊河由六合出瓜步口入江

沙河東三十里宋天禧間開引江水支流下至瓜埠入江舊志云范仲淹領漕時以大江風濤之險乃開此河通瓜埠入江明初新開路建沙河橋

穴子河南四十里白馬鄉界南自大江通芝蔴河石蹟橋河水合流至西江口入江

脂麻河南六十里由大江入遵教崇德鄉合白馬河入江

白馬河在白馬鄉通石蹟橋出西江口

後河西北三十五里源出廬州舊梁縣至境內茅塘橋

出瓜步

八字溝渡東八里濱江

虎跑泉　白鼉泉俱在定山獅子峰下　卓錫泉在定山寺內樓下暗流出池世傳梁時初祖達磨宴坐石崖思西域水以錫杖卓地遂得泉

珍珠泉詳定山下

湯溝泉北三十里北流入三汊河

湯泉西南三十五里水溫有香氣昭明太子嘗浴此呼爲太子泉明高祖賜名香泉泉上有松二株昭明太子手植極攫拏之勢秦觀詩溫井霜寒碧甃成飛塵不動玉奩清老翁仙去羸騄共

太子東歸廢治平據石聊爲跋陀觀決渠還落偃溪聲洗腸灌頂雖殊事一洗勞生病腦輕

東龍塘西龍塘俱遵教鄉

孤塘在狄家坪

義井西南六十里宋張萁爲觀察使其家析役族人漸貧乏復同居聚飲於二井鐫其上曰義井事聞旌表今井尚在

以上江浦

大江自唐家渡至瓜步東溝一帶皆屬縣境廵哨江界

滁河在西南自廬州府梁縣發源經滁和界會五十四流入縣境東南三十餘里至瓜步入江水經註云滁水出俊縣唐大典淮南道大川有涐滁吳涂塘晉涂中宋時金元屢犯滁口即此

治浦河縣東二里源治山水北通天長自縣東關帝廟前與滁水合襟出瓜步知縣顧高嘉因縣民貧瘠用形家言欲於二水反出處河東西築石爲基堆土瀕河以作捍門之勢已損買石百丈後以位置異議不果行邑人因唐獨孤及清風亭之舊重建亭於河畔顏曰秀水顧公清風亭吳偉業撰碑記

皂河縣西北三十里濁河四十里皆自北合滁河

馬昌河在南五十里南與滁河合

西河在長蘆鎮郎今九家灣范文正領東南漕計始開又名

沙河

河子溝東南二十五里古稱急流江今稱急水溝宋淳熙間開新河卽此

岳子河在河子溝北昔岳飛遣子雲鑿此以襲金人俗呼鴨子河

東溝在瓜步山東二十里宋紹興間淮南運判沈調開以艤舟今爲防江口岸衝要處

程鴛港西二十里入滁河米穀帆檣往來處

芳草澗東北三里通沈家湖横塘入冶浦河唐韋應物詩青青滿地鋪顔色曲曲一溪流水聲總爲游人逞風景亂雲初捲碧天晴

冷泛澗近屛山瑪瑙澗靈巖山中産五色文石

石脚灘在滁河東岸以河底有石故名宋紹興間嘗造浮橋於此以達兎梁今呼爲張果灘以張果曾灌園

於此

惜水灣在東南十五里縈迴曲折三繞靈巖即今大小長灣也宋隆興間鑿其灣曰過盤洋

葫蘆套西五里地形如葫蘆浮水束處相望僅數十步河身則遠數里此滁水來處亦如去水之大小長灣也

龍池南五里水清可鑑淵邃莫測相傳神龍居之靈巖塔影臥其中大中丞佟國器佃爲放生池翰林鄧旭捐金五十兩勸募建大悲閣放生菴知縣顧高嘉刻碑立菴永禁盗竊歲活生命以數百萬計

胡敬德洗馬池在治浦橋西相傳爲尉遲敬德洗馬處瀕池草水涸冬榮

石梁溪寰宇記曰在六合縣西北自滁州清流界流入
宋元嘉中於溪中得古銅鐘九口如人行列引次向
南刺史臨川王以獻

瓦梁堰西南五十里此齊嘗置郡金元屯兵於此

劉城堰東五里南接崇岡中築城

茆城堰在岡上與劉城堰相對

草塘西五里天旱無水必產一物以濟人

冶山井在大聖寺有章武二年字

羿山泉山北嶺下沙石瀠流五六里溪中藥苗四時皆

春

寶勝寺泉山坳泓然味甘冽冠諸泉之上

以上六合

論曰金陵山川險絕不及秦晉峭削不及巴峽幽邃不及閩越瑰奇不及滇粵瀦澤廣衍不及洞庭飛瀑奔渾不及台宕驚濤巨磧不及瞿塘灧澦然而廬蔣衡邵作鎮南國金陵實有其二江淮河漢灌輸九州金陵實滙其全顧文莊嘗云在外諸山逆江而上以收江水爲蔣山護其在內則逆諸山內局之水亘奔而南以收淮流山川迴環垣局固密固宜宋臣請回臨安之駕吳兒不食武昌之魚也若夫豪傑之士採

險要以立功名仁知之英發幽块以光典策巖居川觀之侶愛其靜深火耕水耨之夫享其生植取不禁而用不竭古者柴望告虔所以報也乃有鑿山埋金謂王氣之可斷臨江繫鐵矜地利之足憑者非愚則妄徒玷山水之高深而已

江寧府志卷之九

帝王世系 封建附

昔史遷譏世之儒者以空言著書而歷代統系無所考訂於是作三代世表然按圖而索往往牴牾誠如丞叔貴與所云世遠事湮固無足怪金陵建國創始孫吳六朝自東晉迄陳凡歷五代要皆偏安半壁無當正統至明太祖建都茲土歷建文永樂稱畿輔者凡五十年文帝北徙乃號陪京金陵王氣驗於期矣若後粱蕭詧南唐李昪爲地無幾附大自存茲不具載志帝王世系

金陵建都統系圖

三國

吳大帝

帝亮

景帝

帝皓

六朝

東晉元帝

明帝

成帝

康帝

穆帝

哀帝

廢帝

簡文帝

孝武帝

安帝

恭帝

宋武帝

營陽王

孝武帝

廢帝

文帝

明帝

蒼梧王

順帝

武帝

鬱林王

齊高帝

明帝

東昏侯

海陵王

和帝 卽位江陵

簡文帝

梁武帝

敬帝

孝元帝 卽位江陵

文帝　臨海王

陳武帝

宣帝　後王

明高帝

建文帝

成祖

三國

吳大帝姓孫氏名權長沙太守堅次子堅起兵討董卓入洛陽修諸陵寢長子策謀襲許以迎漢帝權藉父兄餘烈稚據江東屈身曹魏丕封爲吳王及獻嗣立稱帝即建業爲都任用周瑜魯肅張昭等然性多嫌忌果於殺戮在位三十一年改元黄龍

嘉禾　赤烏　大元

帝亮大帝太子綝誅權臣孫綝綝廢爲會稽王自殺在位六年改元建興　太平

景帝名休大帝中子封瑯琊王孫綝迎立之在位六

年改元永安

帝皓景帝之姪封烏程侯嗣位不修德政徙都武昌驕愎殘虐深於桀紂及還都建業而晉師東下矣面縛輿櫬不亦宜乎在位十七年改元元興 甘露 寶鼎 建衡 鳳凰 天璽 天紀

六朝

東晉

元帝名睿宣帝懿曾孫瑯琊王覲之子母夏侯氏與小吏牛金通而生長爲安東將軍鎮建業愍帝遇害即位於建業恭儉有餘而明斷不足大業未復而禍亂内興在位六年改元建武 大興 永熙

明帝名紹元帝太子明敏有幾斷故能以弱制強誅滅王敦克復大業在位三年改元建興

成帝名衍明帝太子五歲即位庾太后臨朝庾亮徵蘇峻不應命與祖約舉兵反逼遷乘輿焚燒宮闕衆議遷都賴王導而止在位十七年咸和　咸康

康帝名岳明帝次子封瑯琊王成帝二子丕奕皆幼庾冰迎立之在位二年改元建元

穆帝名聃康帝太子二歲即位褚太后臨朝朝廷雖云無事而桓温威權日盛矣在位十七年改元永和　升平

哀帝名丕成帝長子封瑯琊王大臣迎立之以服藥求長生藥發而崩在位四年改元隆和　興寧

帝奕成帝次子封瑯琊王大臣迎立之桓温廢爲東海王尋降封海西縣公在位五年改元太和

簡文帝名昱元帝少子封會稽王桓温迎立之以虛白之資在屯如之會政由桓氏祭則寡人在位二年改元咸安

孝武帝名曜簡文帝第三子委任謝安摧折秦寇可矣惜其湛於酒色爲張貴人所弑在位二十四年改元寧康

安帝名德宗孝武帝太子不能言不知寒暑饑飽桓
元廢爲平固王遷之潯陽乃自立劉裕誅元復謀
簒遂弑帝於東堂在位二十二年改元隆安　元
興　義熙
恭帝名德文孝武帝次子封瑯琊王劉裕弑安帝迎
立之未幾廢爲零陵王尋弑之在位二年改元元
熙
宋武帝姓劉氏名裕彭城人晋元興三年誅桓元復安
帝以功封宋公尋弑安帝而立恭帝進爵宋王又
弑恭帝而自立都建康少賤長勇健嚴正有度尚

威力任機數在位三年改元永初

帝義符武帝太子居喪無禮遊戲無度檀道濟等廢爲營陽王而弑之在位一年改元景平

文帝名義隆武帝第三子檀道濟立之仁厚恭儉勤於爲政吏不苟免民有所係末年政事漸衰置東宮兵與羽林等爲太子劭所弑在位三十年改元元嘉

孝武帝名駿文帝第三子封武陵王誅邵即位警敏博洽奢欲無度在位十一年改元孝建　大明

帝子業孝武帝太子自少狂暴宗室百官濫被誅殺

壽寂之弑之在位一年改元永光　景和

明帝名彧文帝第十一子封湘東王壽寂之立之雖能剪除叛逆然奢淫好殺戮其昆弟殆盡在位八年改元泰始　泰豫

帝昱明帝太子寔宫人陳氏賜嬖人李道兒迎還乃生十歲即位蕭道成弑之追廢爲蒼梧王在位四年改元元徽

順帝名凖桂陽王休範之子明帝立爲嗣十一歲即位蕭道成弑之而滅其族在位二年改元昇明

齊高帝姓蕭氏名道成蘭陵人漢蕭何二十四世孫仕

宋封齊公進爵齊王弑順帝遂即帝位都建康性清儉深沉有大量博學能文在位四年改元建元

武帝名賾高帝太子嚴明有斷盜賊息百姓足在位十一年改元永明

帝昭業武帝太孫即位無道蕭鸞弑之追廢爲鬱林王在位六月改元隆昌

帝昭文武帝庶孫蕭鸞立之起居飲食皆諮於鸞鸞廢爲海寧王尋弑之在位三月改元延興

明帝名鸞高帝之兄子封宣城王弑鬱林海陵而自立性清多慮在位五年改元建武　永泰

帝寶卷明帝太子蕭衍廢爲海陵王爲國人所弑衍

入建康追廢爲東昏侯在位二年改元永元

和帝名寶融明帝第八子封南康王卽位於江陵蕭

衍廢而弑之在位一年改元中興

梁武帝姓蕭氏名衍齊之疎族也仕齊封梁公進爵梁

王弑和帝遂卽帝位都建康性恭儉慈孝而僻好

佛法後爲侯景所逼而殂在位四十八年改元天

監　普通　大通　中通　大同　中同　太清

簡文帝名綱武帝太子侯景立之未幾景逼禪位於

豫章王棟尋弑之棟禪位於景湘東王繹與王僧

辯攻景斅之在位二年改元大寶

孝元帝名繹武帝第七子封湘東王簡文帝被弑即

位於江陵魏遣于謹等攻江陵猶於龍光殿講老

子百官戎服以聽廵城口占爲詩城陷出降尋被

殺在位三年改元承聖

敬帝名方智孝元帝第九子封晉安王乃即位建康

陳霸先廢爲江陰王尋弑之在位三年改元紹泰

太平

陳武帝姓陳氏名霸先吳興人漢太丘長寔之後仕梁

封陳公進爵爲王弑敬帝遂即帝位都建康性雄

傑節儉務從寬簡而好佛法在位三年改元永定

文帝名蒨武帝之兄子封臨川王明察勤儉在位七年改元天嘉　天康

帝伯宗文帝太子國政盡歸安成王頊頊廢爲海陵王在位二年改元光大

宣帝名頊文帝之弟封安成王廢伯宗而自立在位十四年改元太建

帝叔寶宣帝太子淫奢無度隋開皇九年諸道兵已渡江猶奏妓縱酒賦詩不輟師入朱雀門自投於井軍人以繩引之而上執送長安在位七年改元

至德　禎明

明高帝姓朱氏名元璋自布衣起兵濠泗剛斷明察收攬英雄擒士誠滅友諒繼元而有天下在位三十一年改元洪武

建文帝名允炆高帝長孫懿文太子蚤卒高帝崩即位帝慈仁有餘而英武不足在位四年因靖難兵起帝遂遜荒去最後僧于廣西之福壽寺天順時迎入大內號老佛壽崩

文帝名棣高祖第四子因建文削奪諸藩爵帝迺起兵號靖難建文四年入金陵至宮中火起遍覓建

文不得誤認后尸爲建文以天子禮葬之遂即帝位七年幸北平議建都十五年復幸北平建城郭宮闕遂定都詔以應天府爲南京在位二十一年改元永樂

論曰孔明勸吳大帝都金陵言鍾山龍盤石頭虎踞千古帝王之都孔明葢就權所屬地以爲都武昌不如金陵耳若統天下大勢計之則域中三大榦龍條分縷晰昔人論之詳矣北榦之正結爲冀都中榦由蜀隴結關中盡于洛陽南榦折而東北定于建康其餘氣爲吳閩越要之南榦氣弱不如中

北二支龍身强固也世之論者謂金陵建都長江天塹難于飛渡惟宜守淮以防外庭東固淮安泗州則淮之右臂堅西固鳳陽壽州則淮之左臂振而建康可以無患殊不知江南恃以爲固者長江也蜀地據長江上遊而下臨吳楚其勢足以奪長江之險晉王濬之樓船隋楊素之黃龍數千艘皆用舟師蔽江而下長江安足恃哉夫燕都之地滄海遶其東太行峙其西後枕居庸前襟河濟此所謂天府扼天下之吭而拊其背也關中三面守險一面距敵臨機制勝以逸待勞猶居高屋之上建

瓴水也秦關百二豈虛語哉乃若安邑蒲坂三晉稱雄汴梁洛陽宅中居勝斯其次矣至金陵不過名勝之區文物之藪耳夫自河北而渡河南則易自河南而渡河北則難由關中而取河南則易由河南而入關中則難天下形勝瞭如指掌豈得以

明祖肇興于此而遂誤執武鄉忠武之言哉

江寧府志　卷之十　十

封建附

金陵建國求之三代邈焉無稽即泰伯之居荆蠻不過自屏荒裔之地而人翕然歸之因號勾吳非封也自漢以來乃可得而考云要止食其邑戸與古分茅胙土畫疆列城制已大殊迨至後世則又錫以郡邑號而已其廪禄仍頒之王朝所封邑戸並無與焉顧其間功業彪炳垂史册者多矣帝王統系旣明則宗臣宜附其後志封建

漢

堂邑陳嬰 東陽人高帝六年封

食邑六百戶謚安

祿 嬰子高后五年嗣封十八年薨謚共

午 祿子文帝三年嗣尚帝館陶公主武帝立其女爲后四十八年薨謚夷

季須 午子元光六年嗣十三年爵除

句容劉黨

長沙王發子元光六年封二年薨謚哀無後國除

丹陽劉敢

江都王非子元朔元年封六年薨謚哀無後國除

湖熟劉胥行

江都王非子元朔元年封十六年薨謚頃

聖　胥行子元鼎五年嗣免國除

秣陵劉纒　江都王非子元朔元年封十五年薨謚終無後國除

溧陽劉欽　梁王定國子建昭元年封

畢　欽子嗣免國除

溧陽史崇 杜陵八建武中封謚壯以下金陵志

顥 崇子嗣

茅 顥子元初三年嗣謚頃

洽 茅子嗣

澤 嗣

鉉 嗣改封蘭山

溧陽陶謙見下

溧陽潘璋發干人獻帝時受孫權封吳志

溧陽芮元見下

丹陽孫蔭吳主權再從弟權追錄其父功封無子吳志

睇蔭弟嗣後爵除

吳

永平何洪見下

邈

溧陽何蔣見下

晉

江寧陸吳人咸和四年以平蘇峻進爵金陵志

丹陽孫楷吳人嗣臨成侯咸寧二年來降以車騎將軍封吳志

秣陵戴淵廣陵人以功賜爵後爲王敦所害謚簡

晉書

丹陽張闓見下

永世王俊琅琊臨沂人任太子舍人封

梁

秦郡蕭撝宗室初封永豐侯承聖元年受武陵王紀封邑三千戶

江乘陸法和承聖元年以都督剌史封加司徒尋降齊

溧陽杜龕杜陵人大寶三年受貞陽侯淵明封加鎮東大將軍以叛誅

以下俱本傳

丹陽元景隆

魏宗室來降歷刺史改封彭城

魏

丹陽劉昶　秦郡宗愛

宋宗室來奔和平六年封　宦者正平元年在爪步封後進馮翊王再行弒逆伏誅

丹陽蕭贊　丹陽蕭寶寅

梁宗室叛降永安二年封累官太尉尋走　梁宗室來奔景明四年任東楊州刺史封

死

號齊王以反誅

唐

溧陽史淨滋　見下

溧陽史務滋　見下

五代

蔣李從鎰

南唐主璟子封國公煜立進封鄭王

五代史

鍾山李建勳

南唐主璟時以司徒賜號

金陵志

宋

昇受益 金陵吳淵見下 建康魏良臣見下 溧陽錢時敏見下 溧水吳潛 溧陽李朝正見下

眞宗子天禧二年以壽春郡王行江寧尹充建康軍節度管內觀察處置等使進封壽立爲皇太子改名禎後即位廟號仁宗宋史

金陵吳潛見下

建康秦堪檜孫 高宗時封郡侯

溧 吳潛

金陵吳淵

金陵吳潛

建康秦檜 紹興二十五年封郡

王尋死後追奪王爵攺謚繆醜續綱目

元

溧陽班都察　牀兀兒

居玉里伯里山因以爲氏至順二年以曾孫燕帖木兒追封

句容帖木兒普化　任建康牧馬戶達魯花赤以子阿魯忽都贈榮祿大夫大司徒上柱國追封國公

昇土土哈　追封延國公謚武毅　國追封國

進句容王　公

至順元年以孫燕帖木兒加贈

句容趙鑑　見下

句容牀兀兒 初封容國公至大二年進封至順二年以子燕帖木兒加贈揚王

答里 牀兀兒孫襲 以上元史

明

溧陽聰 代惠王子

江寧厚煉

趙莊王子
諡恭懿

句容憲𡖫

遼莊王子
尋嗣王

高淳謨㙐

韓王子

金陵志成周封爵有吳越楚唐有吳王杜伏威楊行密齊王徐知誥是邦雖嘗隷之然非專封也張昭侯婁韓當侯石城孫謙侯永安顏眞卿子丹陽迺昔方輿當麗松江寧國湖州鎮江諸郡溧陽志孫洪封永平六合嘉定志司馬亮封堂邑新安鄉史俱無考故缺之

郡人受封

王公侯伯子男

漢

烏程東鄉抗

徐 丹陽人桓帝時以平賊封遷都尉

溧陽陶謙 丹陽縣人獻帝時封歷徐州牧以上漢書

溧陽芮元

丹陽人吳主權封

永平何洪句容人吳主皓母昭憲后之弟永安六年皓立以后故封

邈洪子嗣爵爲監軍

溧陽何蔣洪弟永安六年同洪封

宣城何植 蔣　永安六年同蔣封累官大司徒　以上吳志

撫陵史嵩 溧陽人歷中郎將

陽羨史韶 溧陽人任屬國都尉　以上金陵志

晉

宛陵陶璜　康樂陶回

秣陵縣人歷刺史

秣陵人以破韓晃功封

臨湘紀瞻

秣陽人初封都鄉侯

汪 田之子嗣爵

以封陳敏功進封縣侯謚穆

宜陽張混 闓之子嗣伯爵

友 瞻孫嗣爵歷廷尉

以上晉書

安陽薛兼

丹陽人以佐翼勳賜爵鄉侯

丹陽張闓　丹陽人以佐翼勳賜爵縣侯後改宜陽伯

關内葛洪　句容人元帝以平賊功賜爵

秣縣史淵　溧陽人任太守封

當安史諒　溧陽人以討蘇峻封

山陰史憲　溧陽人任太守

宋

始興南亭劉係宗　丹陽人元徽初封歷寧朔將軍

新陽紀僧眞　建康人建元中封縣男加建威將軍

陳

始安淳于量　汝南吴超　建康人梁秦郡人以謝沐縣侯功封縣侯光大元年贈州刺史進封醴陵諡飾

縣公大建五年又進郡公

邵陵吳惠覺 明徹子以功累官刺史至德元年嗣郡開國侯

南平吳明徹 秦郡人以功封新安侯天嘉五年進公爵大建五年進郡公歷司空侍中

唐

溧陽史淨滋 溧陽人金陵志

潁川許儒 句容人以弘文館學士封縣男唐書

溧陽史務滋 溧陽人景龍四年任侍中

宋

襄國李琮 江寧人歷上柱國封隴西郡開國侯追封國公宋史下同

建康魏良臣 溧水人歷參知政事贈光祿大夫追封郡開國侯謚敏肅宋史

溧陽錢時敏 溧陽人權兵部侍郎封縣開國伯金陵志

隴西李田 江寧人封縣開國男累官知政事

溧陽李朝正 溧陽人封縣開國男金陵志

金陵吳淵 溧水人以觀文殿大

義烈秦鉅 江寧人嘉定十五年

學士封金陵侯復進公爵拜參知政事贈少師

以死節追封淳祐十三年加封顯節

許國吳潛

溧水人嘉熙三年封縣開國男淳祐四年進封子七年進金陵侯十一年進公開慶元年進崇國慶國改今封

元

英烈闞文興　建康人至順二年以死節追贈

句容趙鑑　溧水人追封縣男

明

潁國楊洪　六合人累官左都督正統十三年以功封昌平伯食祿千石十四年進封侯景泰二年賜世券加鎮朔大將軍追封國公謚武

昌平楊傑　洪子嗣侯爵

俊　傑庶兄以功歷左都督嗣爵

珍　俊子嗣爵改世指揮使

溧陽紀廣　句容人以功歷右都督景泰中追封謚僖順

丹陽孫炎　句容人明初以死節追封

武強楊能　六合人左都督鎮朔將軍天順元年以功

彰武楊信

襄　六合人都　封食祿千
名臣錄　督同知總　石無子攺
兵官天順　世指揮使
阜國王鎮　四年以功
上元人以　封伯賜世
皇后父歷　劵食祿千　彰武楊瑾
都督同知　石成化十　信子嗣伯
弘治五年　三年贈侯　爵
加贈諡康　諡武毅　吾學編
穆
吾學編
下同　瑞安王源　質　瑾子嗣
爵
鎮子嗣都　宣府志
督成化二
年封伯弘　質子嗣
治五年進　儒　爵
封眾加太　儒子嗣
傅食祿千　炳　爵歷掌
石贈太師　左府兩京
諡榮靖　後府總督

安平方銳　京營

江寧人嘉靖十九年以皇后父封伯二十一年進封祿千石

崇善王清　源弟任都督同知弘治十年封祿千石

安仁王濬　清弟任左都督正德二年封祿千石

瑞安王橋　源子嗣伯爵

桓　濬子嗣爵

慶陽夏儒　上元人以皇后父任都督同知正德二年封祿千石

臣　儒子嗣爵加太子太保

安平方承裕　銳子嗣伯加太子太保

溧陽恩寵志趙葵封益國公陳康伯魯國公虞祺贈秦國公攷諸本傳貫長沙弋陽仁壽一統

賦註淮南王英布十國紀年吳王楊行密吾學編湖廣總志永嘉侯朱亮祖俱爲六合人蓋緣英山合肥六安誤也茲不復著云

江寧府志卷之十

學校

記曰建國君民教學爲先蓋人材之消長關乎國運學校之盛衰係乎人材振古如兹莫能易矣江寧在古爲荆蠻地未嫺雅化漢晉以後人文蔚起遂爲天下名區豈非漸仁摩義移風易俗之所致與今我
皇上崇儒重道以學宫典廢爲考成大哉斯典視漢祖過魯祠以太牢唐宗視學而命釋奠曷足多焉夫承流宣化以振起斯文固當世良司牧之責也志學校

本府儒學即明國學舊址漢丹陽太守李忠起學校及

孫吳立學舍皆莫詳所在

晉建武元年十一月征南軍司戴邈上疏曰喪亂以來庠序隳廢世道久喪禮俗日弊今王業肇建萬物權輿謂宜篤道崇儒以勸風化元帝從之始立國學咸康三年國子祭酒袁環太常馮懷以江左寢安請興學校帝從之立太學於秦淮水南太元十年尚書謝石請復興國學於太廟之南

六朝宋元嘉十五年立儒學於北郊命雷次宗居之明年又命丹楊尹何尚之立元學著作郎何承天立史學司徒參軍謝元立文學宮苑記儒學在鍾山之麓時人呼為北學元學在雞

籠山東棲元寺側史學文學並在耆闍寺側

梁大同六年於臺城西立華林館延集儒者講學其中

南唐主李昪濵秦淮開國子監特置學官鳩集典墳

宋雍熙中有

文宣王廟在府西北三里冶城故基天聖七年丞相張士遜出爲太守奏徙廟於浮橋東北建府學給田十頃賜書一監景祐中陳執中又徙於府治之東南建炎兵燬紹興九年葉夢得更造學援西京例奏增置教官一員淳熙四年劉珙重修慶元二年張杓建閣以奉宋御書閣下爲議道堂稍重釋奠禮儀儲典籍

增餼廩文風大振淳祐初年别之傑增修學宇六年趙以夫即命教堂更名明德增造兩廊以妥從祀十年吴淵側祀先賢增學廩創義莊寶祐中馬光祖興學校舉孝廉集周漢以來名賢贊而祀之士氣興焉元改集慶路學基仍舊

明洪武初改爲國學後又改爲應天府學即今上元江寧兩縣學也洪武十四年夏改建國學於鷄鳴山之陽名國子監永樂北遷以陪京仍之謂之南雍

國朝定鼎改置江南省學毁獨

先師廟存順治十六年督臣馬國柱題有改建黌宫以弘

皇化之疏奉

旨依議行遂因其舊改建今學立學門甬道修飭

聖殿兩廡櫺星門戟門等改彝倫堂爲明倫堂設志道

據德依仁游藝四齋修

啟聖祠及學官公署易其坊曰江寧府學勒石爲記十

三年復多傾毁教授朱謨暨諸生上督臣郎廷佐倡

修期年工成康熙二年知府陳開虞復修會奉

上諭有地方官以學宫興廢入考成之旨五年布政司

金鋐督糧道周亮工知府陳開虞會僚屬捐俸合修

二十年復多傾圮知府陳龍巖修之兩廡墻垣繕葺

完固二十一年知府于成龍履任始謁
文廟見其工爲未備捐俸增修榱桶丹雘煥然維新每
朔望夙興躬謁無間風雨學本故國子監地原無泮
池二十二年本府會集紳衿公議商酌遂具開鑿泮
池事宜詳諸上臺命陰陽官方顯詳勘地勢據顯報
江寧府學坐北面南癸丁向其櫺星門爲氣口第一
層戟門延年金星二層大殿文曲水星三層明倫堂
生氣木星木到坎宮大勢美矣但前案山散亂須鑿
泮池取左巽右辛之水雙收到堂以聚文秀乃於五
月二十九日通報　督撫司道各憲命工開鑿兩閱

月告成引秦淮水注之迴以石欄法製完密又立照墻一座石橋二座東西木柵戟門對聯扁額罔不釐然整飭百度維新更念學宮內名宦鄉賢爲崇德報功之祠啟聖大殿係敦本尋源之地今皆缺焉不備何以欽崇至教妥侑名賢訂議庀材鳩工循次建造行將聿觀厥成而府學規制於是大備矣

知府于成龍請修丁祭禮儀以崇祀典詳文竊惟萬世傳心

道先宗聖百王紹統禮重尊儒是以俎豆維虔特薦馨香於報饗祼將必肅用昭誠敬於駿奔由歷代以迄今茲自國學而及鄉校莫不高山共仰大典彌光查江寧係省會名區且府學爲八庠領袖凡遇

先師春秋丁祭合用牲牢玉帛黍稷之屬執事者自宜遵照律文中祀典定制散齋七日宿淨室致齋三日

宿本司且豫戒判署刑殺文書及預筵晏屆期灌獻陳禮樂以昭其敬歌詩章以揚其德舞麾翟以明其功潔粢盛以致其孝務曲盡有孚顒若之意以對越鑒觀在上之靈始稱克殫厥心無曠乃職茲八月初八日恭遇秋祭職府先日詣學省牲業經呼集生儒諄諄告誡及拜謁之頃目擊諸凡祭品祭具或烹飪失節土羹塵飯以興嗟或陳設不倫鐘鼓盤匜之雜列廢弦歌而捐佾舞棄雅樂而尚鄭聲舉凡昔人有嚴有翼精心制作之良規悉蕩然其無餘矣竊思盛德在人雖千秋其不泯流風未墜越百世而可師即彼先輩之芳徽猶切後生之私淑況乎口讀其書身被其澤爲生民未有賢於堯舜之孔子乎縱使邑處窮荒亦宜欽崇勿替而茲且爲省會具瞻之地即無存留款項亦當修祀孔虔而此又有

朝廷特設之條在生儒不過舉手投足之勞在有司不過按領開銷之力而乃戲渝從事漠不關心且或有不廢刑威沉湎於酒者將祭神如在之謂何而褻瀆祀典之至於斯也揆厥由來蓋自故明末季紀綱隳棄刑政不修馴至庠序學校之區亦任其崩壞而曾不一爲計沿及於今遂日就廢墜耳獨不思前者軍

興旁午時凡屬額支可緩錢糧俱從捐省惟
先師丁祭與修理
龍亭丙欵普天率土翕然獨存亦可見君師之道所關
於治術人心者誠非淺鮮故特爲並隆於天壤間如
此也物思報本人乃忘源試一反求實深內愧倘不
即爲修修明而作新之將江河日下濫觴其未有底矣
除一面行文八縣九學飭令嗣後丁祭前三日在廟
執事生儒務令洗心齋戒恪恭承應外竊念職府叨
爲諸縣之表率職守所關不得不爲申飭伏望　憲
臺主持文教扶植人倫嚴飭該學師生並八縣一例
遵守上體憲臺致敬之藎忱以仰荅
朝廷右文之至意倘日後尚有仍前縱玩者作何處分
記飭大張曉喻榜示士民庶幾四十年久廢之威儀
創興於一旦而億萬祀不朽之聲聞永鐫於人心矣

先師廟在學舍之左前爲櫺星門中爲
先師殿崇高巍煥碧瓦朱甍規制宏麗山川環拱氣象
鬱葱兩廡七十二楹欄楯周遭穆深廣闊松栢蔭之

悉作左鈕天印在前元武湖居後鍾山峙左鷄鳴環右元武湖之水循宫墻面南合於青溪秦淮之水入青溪而北抵於鷄籠皆合襟於前以爲

聖宫衞護天生靈秀人文之奥區也殿前左右碑亭四座一爲明洪武尊祀孔子之碑一爲永樂視學之碑一爲

大清督院題請改學之碑一爲順治九年禮部欽依刊立曉示生員臥碑順治九年欽依刊立曉示生員臥碑

朝廷建立學校選取生員免其丁糧厚以廩膳設學院學道學官以教之各衙門以禮相待全要養成賢才以供

朝廷之用諸生皆當上報

國恩下立人品所有教條開列於後　一生員之家父母賢智者子當受教父母愚魯或有非爲者子既讀書明理當再三懇告使父母不陷於危亡　一生員立志當學爲忠臣清官書史所載忠清事蹟務須互相講究凡利國愛民之事更宜留心　一生員居心忠厚正直讀書方有實用出仕必作良吏若心術邪刻讀書必無成就爲官必取禍患行害人之心往往自殺其身常宜思省　一生員不可干求官長交結勢要希圖進身若果心養德全上天知之必加以福　一生員當愛身忍性凡有司官衙門不可輕入即有切己之事止許家人代告不許干與他人詞訟他人亦不許牽連生員作証　一爲學當尊敬先生若講說皆須誠心聽受如有不明從容再問毋妄行辯難爲師者亦當盡心教訓勿致怠惰　一軍民一切利病不許生員上書陳言如有一言建白以違制論黜革治罪　一生員不許糾黨多人立盟結社把持官府武斷鄉曲所作文字不許妄行刊刻違者聽提調官治罪

啓聖祠在學舍右今把議修

名宦鄉賢祠缺今議建

學租春秋二祀每年題定學房田租銀內動支四十八兩九錢以供祭祀其學租學田載後一學院耿開墾上元縣清化鄉學田一百三十一畝地十八畝荒地二畝四分房基場地三畝每年納學租銀七兩四錢六分七厘四毫一按院王設置官房平市街行口佃房三間六披每年納學租銀七十兩八分八厘一學院高清出社學房地內常平倉河灘地一塊木匠坊基地二間又溝披二間伎藝坊社學地一塊江東二廂學地一塊瀾字橋社學房六間馬路街學地一塊通濟門外學房一間地一塊廣藝街學房四間披二間下街口學房一間地一塊府軍衛二鋪學房三間地一塊梳子廊學房三間正西一廂學房三間馬府隔壁學房六間城中臨字鋪學地一塊以上房地共十五處每年共納租銀一十九兩二錢六分三項田房每年共計交納學租銀九十六兩八錢一分五厘四毫歲終俱解赴學道衙

門支銷　一於順治十五年正月二十六日按院劉發追逃犯毛遵六贓銀六十一兩置買上元縣盡節鄉六啚田一處計二十六畝八分每年交租銀四兩以供文廟繕掃之用餘銀二十兩係民人李樸領每月交學息銀四錢奏濟繕掃應用　一順治十六年十二月內分守兵備道王憲牌開蒙巡按察院衛憲行發銀三百兩分給典鋪取息二分歲計六十兩每年令府學彙收分賑三學貧生永著為例

上元縣儒學舊在今縣治東按京城圖志云存義街卽上元學基宋寶祐戊午東陽陳寅宰邑始以廢圃為宮梁倚撰記景定二年知縣鍾蜚英創建學宇元至元中縣尹田賢重修進士李桓記明洪武初省生儒併於府學其貢士計偕之費生員廩餼之需猶給焉

江寧縣儒學宋景定四年知縣王鎧建在縣治北元仍

宋舊明初省生儒併於府學而計借廪餼之費猶縣給焉

國朝改國學爲府學改府學爲上江兩縣學卽宋景祐所建府學也明永樂六年廟學災宣德七年襄城伯李隆府尹史怡重建楊公榮爲之記成化七年燬提學嚴銓復建尹魯崇志成之弘治間尹秦崇以石堤障秦淮水正德間尹白圻繚以石檻嘉靖初都御史陳鳳梧平學後山重建尊經閣增敬一亭侍讀黃佐有記萬曆三年濬月河以石甃岸易學前戸部地爲屛墻四年成之十四年太常少卿周繼署篆造青雲

樓於學舍北建天下文樞坊及聚星亭於廟之前焉
國朝漸圮康熙十年督學簡公上捐資修飭二十二年
知江寧縣事佟世燕見廟中榱棟已朽丹堊久湮捐
俸興建且行勸募俾廟貌肅然改觀焉
尊經閣在明倫堂後閣中貯有明國學經史書樓所藏
十三經二十一史通鑑綱目通典會典通考通志諸
書順治十七年布政馮如京修整廿一史板逾年告
成制府郎公廷佐爲之序邇年椽柱敝壞屋瓦無着
書板爲風雨淋漬腐敗殊甚康熙十八年制府阿公
席熙臬憲金公鎮捐俸修葺較前倍加完固上元學

訓導陸禬江寧學教諭徐哲訓導劉廷獻亦各捐捧
製木架以貯書板而諸生中則江寧學程禎生曹新
里鄭鵾上元學周銘陸太寧杜琰襄厥事焉

啓聖祠在明德堂左明嘉靖十年增建

名宦祠在儒學左正德九年建內祀

漢揚州刺史魏憲公相　揚州刺史何公武　丹陽太
守李公忠

晉丹陽尹褚穆公翜

唐昇州刺史顏文忠公眞卿

宋昇州通判呂文穆公蒙正　昇州知州張忠定公詠

知江寧府包孝肅公拯　江東運判范忠宣公純
仁　上元縣主簿程純公顥　建康府通判楊忠襄
公邦乂　建康留守司統制岳鄂武穆王飛　贈太
傅江東安撫制置大使趙忠簡公鼎　江東轉運使
朱文公熹　建康府知府安撫江南東路劉忠肅公
珙　江東轉運司副使眞文忠公德秀　建康府通
判汪公立信
明應天府丞王公公亮　京學教授許公存仁　京學
教授張公統　巡撫應天等處工部尚書周文襄公
忱　提督南畿學校監察御史孫公鼎　應天府尹

顧公佐　應天府尹鄺忠肅公埜　督學御史陳恭愍公選　巡撫王端毅公恕　提學御史戴恭簡公珊　應天府尹魯公崇志　提學御史林公瑭　提學御史婁公謙　提學御史陳公琳　應天府學教授鄭公汝舟　應天府學訓導鄧公德昌　應天府尹王公纘　應天府尹孫公懋　提學御史楊公宜
應天府學教授王公道　應天府治中龐公嵩
巡撫都御史周公如斗　提學御史耿恭簡公定向
巡撫都御史海忠介公瑞　應天府尹汪公宗伊
提學御史陳公子貞　京學教授張公履正　提

學御史柯公挺　應天府尹黃公承元　應天府通
判進治中平和李公棠　應天府尹鄭公璧　操江
工部尚書丁清惠公賓　巡撫應天都御史周公起
元　應天府學教授楊公以任　應安兵備副使馮
公叔吉　應天府丞錢公士貴　禮部尚書尉公綬
　應天府丞張清惠公瑋　提學御史陳公起龍
皇清總督三省軍務官保尚書馬公國柱　總督兩江
軍務宮保尚書馬公鳴珮　誥贈奉政大夫陳公玉
輝　江南右布政使馮公如京　江寧知府事陳公
龍巖

鄉賢祠在儒學右正德九年建祀

吳輔吳將軍婁侯張文公昭　尚書僕射唐公固

晉驃騎大將軍臨湘侯紀穆公瞻　太常賀穆公循

太傅丞相始興郡公王文獻公導　侍中散騎常侍

西平縣侯顏靖公含　交州刺史王公諒　散騎常

侍康樂伯陶威公回　尚書散騎常侍宜陽伯張公

闓　叅軍樂公道融

宋秘書郎劉貞簡公瓛

齊孝子陶公子鏘

梁太子昭明蕭公統

宋開州監軍秦公傳序　西京留守封襄國李公琮
兵部侍郎資政殿學士胡公銓　蘄州通判秦義烈
公鉅
元翰林待制楊公剛
明靜誠先生陳公遇　處州府總制丹陽縣男孫公炎
晉王府錄事杜公環　翰林院侍讀學士張文信
公益　太常寺少卿王公一居　國子監祭酒李忠
文公時勉　南京禮部尚書童公軒　太子少保吏
部尚書倪文毅公岳　友菊處士賀公確　巡撫湖
廣右副都御史陳公鎬　廣東提刑按察司副使陳

公欽　工部營繕司主事何公遵　工部尚書劉清
惠公麟　太子少保户部尚書梁端肅公材　南京
刑部尚書顧公璘　户部尚書周襄敏公金　廣西
按察司僉事郜公清　總督陝西三邊太子太保兵
部尚書王襄敏公以旂　吏部驗封司郎中王公鑾
　南京禮部右侍郎殷公邁　南京尚寶司卿許公
穀　蕭山縣知縣沈公九思　禮部主客郎中李公
逢陽　應天府學貢生楊公希淳　河南新野縣知
縣李公登　南京鴻臚寺卿顧公起鳳　吏部右侍
郎顧公起元　提督四川學政王公芝瑞　翰林院

修撰焦公竑　江西瑞州府判紀公三才　南京工部營繕司郎中劉公安節　湖廣寶慶府知府顧公國輔　河南按察司副使顧公璵　陝西按察司副使張公祥　江西瑞州府知府湯公有光　南京刑部右侍郎吳公自新　四川布政使司左叅議張公後甲　南京刑部員外郎何公世守　湖廣辰州府沅州知州朱公衣　四川道監察御史何公淳之　四川崇寧知縣劉公旋　陝西苑馬寺少卿盧公璧　福建邵武府知府鄭公宣化

皇清敕贈文林郎鄧公艮材　敕封文林郎王公承芳

山西督學按察司僉事史公允琦　平山縣知縣湯公聘

周公祠祀明衡府紀善周公是修明建文之變是修縊死尊經閣中萬曆中建祠學中祀焉詳見祠祀志李東陽樂府云尊經閣閣高不可攀前有宣尼宮後有鍾陵山

明道書院在鎮淮橋東北宋淳熙初留守劉珙以明道程先生嘗爲上元簿祀之學宮朱文公熹爲之記紹熙間即縣西偏祀之嘉定間改築新祠眞德秀爲之記淳祐己酉郡守吳淵更創依白鹿洞規聘名儒爲山長理宗賜明道書院額後馬光祖姚希得增修

元廢弘治間御史司馬亜祀於學嘉靖初御史盧煥始即今址爲書院祠祀焉御史劉隅章衮增飭之康熙六年知府陳開虞同推官謝銓倡修復舊制康熙二十二年知府于成龍奉　總制于　倡募重修募疏載藝文志

新泉書院在長安街西嘉靖初湛若水爲禮部侍郎史際以宅舍爲之因掘地得泉乃名焉有學田

崇正書院在清凉寺東提學御史耿定向建有學田

南軒書院在天禧寺方丈後本南軒先生張宣公講習之地眞西山先生建祠祀焉淳熙中馬光祖重建有

主一堂求仁任道等齋極高明樓後王埜又設西山像配食祀中至元中遷城東大德元年創建祠宇今廢

昭文書院在湖孰鎮梁昭明宴遊之地有太子東湖讀書臺宋咸淳中方拱辰扁曰昭文精舍里人杜氏守之元至元中定額昭文書院今廢

文昌書院在府學成賢街原國子監文昌閣也明萬曆乙卯國學助教許令典創建

國朝順治庚子學博朱謨同學生鄭之璘白夢鼎董欽重修建坊申請額曰文昌書院以爲讀書講學之所

上元社學洪武中每坊廂建社學一區以學行耆舊爲之師教一坊子弟悉令通孝經小學諸書其俊秀者選入郡學鄉飲酒禮旣舉於學每坊卽社學爲會飲之區以禮一坊高年行禮讀法如儀社學久廢唯嘉靖中學使楊宜稍簡諸生堪教習者與爲社學師數處至今相襲廬其居餘基地可稽小民佃居者入租於官餘多爲豪猾侵占不可盡考云 佃租六處 織錦坊五圖一

木匠坊三圖一 伎藝坊二圖一 南北埇坊一

江東二廂一 三山門外莫愁湖一 生員居五處

聚寶門外澗子橋一 馬路街一 通濟門大街一 英府對廊一 廣藝街一 閒廢五處 糖坊橋一 下街口建安坊一 府軍衛前所二鋪一

梳子廊一 倉巷一

江寧社學一在城南技藝一廂　一在城南針巷生員居　一在正東新廂　一在新廊地方居民佃住　一在正西舊廂常平倉左　一在儀鳳門　一在淸江門　二皆佃種

上元學田學租共租銀六十二兩七錢九分四厘六毫

江寧學田學租本縣鳳西三圖學田地山塘六十畝一分惠化一圖學田地山塘共二百七十一畝六厘以上除地丁漕米等項銀兩外每年共實徵租銀六十一兩七錢九分九厘七毫解學道項下彚解藩司

貢院在秦淮上縣學之北地廣十餘畝中有樓曰明遠堂曰至公左右爲監試提調院列以謄錄對讀供給諸所前空處卽東西文塲地號若干間堂之後又堂

七間三間爲會堂左右各二間爲考官燕居兩序則五經同考官室堂後大池架梁於上池北之堂曰飛虹左右掖皆有屋明隆慶初都御史盛汝謙購隙地繚以土垣四通以巡警外設公館及羣舍以備供饌江寧府領之宋乾道四年知府史正志建貢院於建康面秦淮接青溪疑即此也

句容縣儒學在縣治南唐開元十一年始建於縣衙之東宋開寶中重建皇祐二年太常博士知縣事方竣再建泰定二年令程恭延聘名士訓誨生徒遠近嚮慕邑民獻地增廣學宮設唐忠臣劉鄴孝子張常洧二祠於講堂之西至順四年達魯花赤那懷重修明

德堂後至元戊寅令李允中教諭劉德秀刻累朝奉誥綸音於石明洪武巳未令韓思孝修殿廡置齋室壬戌令韓宗器重修明德堂永樂間令徐大安增修丁酉令周庸節教諭趙學拙重建戟門國子祭酒胡儼爲之記正統八年令韓鼎建會饌堂立倖廩倉改文昌樓於學之東南十三年復立進士題名碑於講堂之內翰林院學士周敘爲之記景泰間令浦洪劉義相繼修理東廡齋號三十餘間俱被回祿遂設法新之景泰四年府丞陳宜增置學西民地建立校官廨宇成化十四年令徐廣重建大成殿兩廡戟門規

模宏大視昔有加侍郎尹直爲之記嘉靖十六年令
周仕修建嘉靖三十二年應天府通判汪宗之署縣
事移名宦鄉賢祠於戟門左右按察使楊洵爲之記
嘉靖四十年應天府通判閔宜部署縣事修飭先師
廟參議許彥忠爲之記嘉靖四十五年署縣事應天
府推官張夢斗見學宮傾圮且前曠後偪思重營建
積楮贖四百金令胡師繼之遂移先師廟兩廡戟門
櫺星門道義門各前數十步間如舊廟後建明倫堂
高五丈五尺廣七尺深四丈五尺間如舊左建博文
齋三間號房十間右建約禮齋三間號房如左庫房

四間神厨二間土地祠一間明倫堂後建尊經閣三間閣前建敬一亭亭左右建啓聖名宦鄉賢三祠俱各如舊改菁莪坊曰興賢棫樸坊曰育才隆慶三年令周美於櫺星門外橫置石欄於巽方建文星樓後撫臺鑑塘朱公移稍西北改名文昌閣修撰焦竑爲記萬曆元年令張道充於學前開左右掖門濬渠引水曲注泮池三年令丁賓繪飾明倫堂並泮宫

國朝順治十三年知縣葛翊宸重修康熙十年督學簡公上捐俸三百金復加修飭焉江賓王記畧曰鄉校不可一日廢也尚矣青衿逸城闕鄭詩以爲刺下車修庠序漢史偉之蓋申孝弟勵賢才取士論政養老享賓悉由於此故君

子於其興廢也有以徵國之盛衰見人之賢否句容舊有夫子廟在縣之東謹按古碑立自唐開元十一載我宋之興文物隆盛元豐二年葉公領縣病其卑陋且惡俗不喜儒相廟之南有驛焉寬閑亢爽面對三峯佳氣勝槩可坐而致於是斷然徙之歷時滋久廟貌昏翳甍舍傾毀非所宜稱東平龔壽仲山履行端方飭吏治以儒術凡有施設知所先後紹興壬申以左奉議郎出宰謁廟之初喟然歎曰創於前者欲美而彰承於後者欲盛而傳今鄉校若此有忝厥初人其謂何越明年八月乃率僚屬鳩工賦役儀門正殿講堂精廬雄深巨麗規模宏偉廼左廼右各有攸居棟宇屹然可瞻可仰閏十一月丁亥告成集師生賓佐以落成之且舉釋采禮奉祭於先聖先師籩豆簠簋列於殿廡升降進退躋躋蹌蹌父老來觀低回留之而不忍去諸士欲鑴石記之以無忘令之德猥以見屬賓王忝桑梓義不獲辭然天下之事務其大者遠者則可書不然徒寫琬琰奚益春秋之世魯僖公能修泮宫有史克者作誦鋪張揚厲惟欽其采芹采藻獻馘獻囚而已至若棟宇時制則略而弗言意固有在矣矧今日之事哉吾知今之意不在挈楹計

工誇耀一時也蓋欲後進方領矩步升堂入室敦詩書說禮樂然後發策決科致君澤民以繼踵先達者益知教化之所自來其所務遠且大誠可嘉也於是乎書

先師廟三間兩廡三十間戟門五間

啓聖祠在明倫堂後

名宦祠在戟門左

鄉賢祠在戟門右

射圃在縣治東陳敬宗有記 記云惟射之義廣矣大矣古者天子諸侯卿大夫士皆重之周官司裘共王虎熊豹三侯設鵠諸侯熊豹二侯卿大夫麋侯皆設鵠此大射之侯也王射三侯五正諸侯射二侯三正卿大夫射一侯二正士射豻侯二正此賓射之侯也而州長射於州序其侯亦同賓射天子熊侯白質諸侯麋侯赤質大夫布侯畫以虎豹士皮侯畫以麋豕此燕射之侯也茲三射之侯

以其飾之多寡而别尊卑焉天子射百二十步諸侯九十步大夫七十步士五十步所以明尊者所服之遠而卑者所服之近也其制度有如此者夫射不特施諸武事將以習禮樂焉故諸侯之射也必先行燕禮卿大夫之射也必先行鄉飲酒之禮所以明君臣之義與長幼之序也天子有事於郊廟必先習射於澤宫擇士以助祭焉士者諸侯所貢之士也其容體比於禮其節奏比於樂而中多者得與於祭否則不與於祭而有慶讓黜陟之典焉所以重有德也諸侯繼世而立矣卿大夫有功而升矣而又試之以射考其德行與其才之高下焉所以愼其封爵也天子以騶虞爲節諸侯以貍首爲節大夫以采蘋爲節士以采蘩爲節節者禮樂之節也必修其節而矢焉則射豈可以藝道觀哉孔子射於矍相之圃賁軍之將亡國之大夫與爲人後者不敢入而唯幼壯孝弟耆耋好禮者得在賓位則射執弧矢者其賢可知也故曰射之義廣矣大矣句容射圃郎古州長之射於州序之禮也凡習射於是圃者苟能揖讓進退不失禮節内正其志外端其體操弧挾矢審固而發庶幾乎習禮觀德克合古道矣予故歷敘古之天子諸侯卿大

夫士禮樂制度以曉之使觀者咸知射禮之重如此而罔敢易視之也

學田一百三十三畝店十間提學御史聞人佺知縣周仕置後續置者詳載縣志共租銀七十七兩四錢五分七釐七毫

南軒書院在縣治北知縣周仕改接待寺爲之

正心書院在崇明寺東萬曆三年建

社學在縣治者五東西北與東南西南各一在鄉者十有六

溧陽儒學在縣治東南隅宋皇祐四年崇寧中李亘增廣齋舍續建堂閣建炎末潰兵撤屋爲營惟餘大

成殿絡與慶元間知縣施佑周倧李抃趙贇夫輩修葺之嘉定中王棠李泰原陸子遹相繼重修而齋廡庖湢罔不皆備元陞爲州學重設小學齋粫置尊經閣遭張士誠之亂悉淪兵燹明初知州林公慶仍粫建焉天順七年民居火延而明倫一堂獨存知縣員賢陳福繼修之熊達始置鄉賢祠符觀始置名宦祠沈瓚楊榮修號舍坊表府丞龔綺修戟門兩齋弘治中廓城址以濬泮池嘉靖元年湯砥闢迎秀門鑿泮池引注五堰之水四十三年成之馬一龍易學後民地建尊經閣

國朝制如舊
先師廟宋初建後徙置大都與學同明永樂中教諭梁本之請於朝修之楊士奇有記知縣李成張眞相繼修飭天順間燬而復建萬曆時知縣李光祖重葺
國初漸圮康熙五年知縣徐一經更新焉廟前櫺星石閎剏於宋之王棠李泰原修於明之李銘鄔璠漢潘乾校官碑在廟門右卽宋溧水尉喻仲遠得之固城湖中者移置於此
啓聖祠在文廟左嘉靖十年詔郡縣皆立祠祀啓聖公以泰清觀址改建焉萬曆二年知縣帥蘭重修

名宦祠在戟門右弘治間知縣符觀建祀名宦十八人
鄉賢祠在戟門左成化間知縣熊達建祀鄉賢三十人
楊忠襄公祠宋令陸子遹建今入名宦
射圃在學右
學田嘉靖十七年知縣吕光洵始置後巡撫都御史張烜易田收租一百二十八石有奇知縣鄭一龍巡按御史董鯤邑人史際楊孟元相繼助田共田四百五十四畝工部尚書劉麟有記 記云古之君子聞人有賜則與辭讓之心苟辭之而已焉則居之者爲誰是不然貧可也有故可也四教優入者可也噫嘻原憲之辭叔世希矣冉求之請當時少之將非今日用財之斷案乎君子於此恒日可以取可以無取少有未安即持遜避一國與讓

其風穆如是心推之天下國家何施不可曰文曰道先立乎其本有士如斯亦足以仰荅今日置田之義

共租銀一百四十二兩二錢四分

社學在縣東南隅商輅有新建社學記

記曰古者人生八歲入小學十五入大學小學教以灑掃應對進退之節禮樂射御書數之文大學教以窮理正心修己治人之道教之以小學所以立大學之根本教之以大學所以收小學之成功此其人才之盛治道之隆有由然已鄉社之學即小學也郡州縣學即大學也然郡州縣學著在令典有司奉行也易鄉社之學家自爲教有司往往視爲外務有能以作興爲己責者幾何人哉成化壬辰歲刑科都給事中白君昂奉命往丞應天下車首詢學政時溧陽令靳璋提調激勸之餘有志興建社學君力贊其决未幾堂搆有成齋序秩然迺相與延致儒士周南唐鑑分領教事愼擇民間子弟之秀俾從遊其中朝夕講求古人立教之意與夫嘉言善行以收其放心養其德性庶幾將來小子有造進可以備大學之選退亦不失爲子弟之良由是而鄉歲

增月益殆見百里之外無地非學無人不學人才何患於無成風俗何患於不厚此令之功實君之功也君懼久而易弛屬令具事狀徵予爲記將刻石以勸竊爲三代小學教人之法散見於經傳至宋儒朱子輯爲成書而後節目詳具綱紀不紊惜乎爲師者不知所以教爲弟子者不知所以學於是記誦辭章之習勝而致知力行之功泯矣何怪乎鄉無善俗世乏良材不有以來先正之所慨也夫使爲師爲弟子者果能仰體聖哲之心下副有司之意不忽近者小者以馴致乎遠且大者則入孝出弟之間萬理咸備其爲風俗治道之補豈淺淺乎庸書此爲記其勗之

溧水縣學在大西門內唐武德間建宣聖廟於縣治東宋熙寧二年知縣事關起遷於崇儒坊內寶祐改命教堂曰明倫元陞爲州學明復爲縣學知縣鄧鑑高謙甫相繼修之成化重修修撰羅倫有記嘉靖十七

年知縣陳光華徙於京兆館東謝廷蒞成之三十九
年知縣曾震復卽朝元觀基爲今學周之屏成之萬
曆二十八年知縣徐必達重修尚書徐元太有記
國朝順治十三年知縣閔派魯重修有記羅倫記曰夫天下事有大
而無難得人倡之而已矣禮義人心同然未有倡而
不和者事無大治天下禮義治所自出學校又禮義
所自出建學以明禮義固治天下大事也以癯然儒
者任天下大事一倡而上下和者如嚮費者忘其財
勞者忘其力出謀於左右者忘其功吾是以知天下
治無難也得人倡之而已矣倡之非其人不以其道
而已矣禮義在人心固不泯也善治天下者先善其
倡之者而已公卿百執事所以佐天子以倡天下者
也得其人則治且安不得其人則亂且危士之學於
今日者固異日公卿百執事也師之倡於今日之士
之學其固異日公卿百執事之倡也倡之無他明義
禮以正其心修其身以爲天下國家安且治之具也

非徒倡之以奥其學校以僥利達而已且勞人之力而費其財人情常難從事功常難立也若明禮義以道之則不費其財不勞其力宜其易也二三君於爾邑人之甚難者旣相與以有成矣則爲其易者其不能相與以有成哉吾固慶其將相與以有成而天下之人將被其澤也

先師廟唐初廟址在舊縣治東三十步宋熙寧徒於學內紹興八年知縣事李朝正修明初更建正德間知縣何東萊重修萬曆五年建屏墻於泮水

啓聖祠在廟左前爲敬一亭

名宦祠在廟左

鄉賢祠在廟右

射圃舊在學東今廢

學田共二百五十畝有奇明知縣高翀教諭李旦置後遷學欲鬻巡按御史董鯤贖存之隆慶知縣賀一桂萬曆知縣傅應禎吳仕銓徐必達增置有記

中山書院在北門外祀明兵部尚書齊泰知縣謝廷蒞置義田給其子孫在歸政鄉租銀一十八兩四分一釐六毫

社學十一在崇儒坊唐橋巷南門內北門外郎村東巷郎倉西郎村倉後柘塘市蒲塘街洪藍埠孔鎮各一今俱廢

高淳縣學在縣治東通賢門外明弘治六年創十二年

應天府丞龔綺增修廟學規制始備知縣劉傑董其事萬曆十七年上元知縣劉元泰重修廟門廨舍新之二十六年丁日近再爲修輯太常少卿宣城詹沂記載藝文志三十三年知縣項維聰增建敬一亭於尊經閣後諸所圮廢並加整飭

國朝初學宫廟宇兵燬順治十三年知縣紀聖訓重建規制如初

明倫堂正德丙子年燬知縣施懋奉御史徐翼周鵷捐鍰復建久之將圮嘉靖三年知縣劉啟東撤而葺之並增勝焉布政使當塗邢珣爲記載藝文志萬曆十三年堂又圮知

縣董良遂倡率邑人韓邦本邢世文楊廷禮捐資再
建
國朝康熙十四年復圮知縣劉澤嗣鼎新之二十一年
又圮知縣山左李斯佺議建
先師廟五間
國朝康熙十二年災知縣劉澤嗣重建工未竣東西兩
廡各七間仍頹康熙二十年知縣李斯佺捐資修葺
啓聖祠在廟之東北明嘉靖十年建
名宦祠在戟門左
鄉賢祠在戟門右俱明嘉靖三年知縣劉啓東建

書院在縣治西北明嘉靖四年知縣劉啓東建

國朝康熙二十一年知縣李斯佺創設義塾

學田共二百七十九畝五分七釐五毫四絲租銀二十

五兩六六分四釐

江浦縣學在城東明洪武十年創於浦子口城內二十

五年徙縣曠口山之陽遂遷學焉郎令處宣德初修

陳璉有記景泰中知縣勞鉞重建明倫堂嘉靖中張

峯建青雲樓侯國治鑿泮池改建名宦鄉賢啟聖祠

建文明樓明倫堂王守正又建文昌樓於明倫堂左

崇禎中李維樾重新之

國朝如舊制

陳璉記曰洪武初肇置縣於浦口隸應天府其土地人民乃滁和六合所割者復分江寧二千戶以實之二十四年改關驛道始設江淮衛於縣西南二十里曠口山之陽遂遷縣與衛俱復徙儒學縣治之東隅繚垣四周櫺星中峙由戟門入南向為大成殿距殿之北為明倫堂堂左右為二齋廊廡環合締搆精緻至於笔庫庖湢亦皆完美罔弗如式剏地去京師纔隔大江每一延矚龍蟠虎踞形勝舉在眉睫而儒學適據江山之會負出埃壒之表肄業於此可以澄心滌慮有優遊名教之樂奈歲久且敝縣當要衝庶務糾棼令丞簿月朔望一入學詣先聖課諸生為故常講席未撤則匆匆上馬去奚暇按脉而加修理乎宣德元年春大同廣靈李文煥來為丞始力贊同寅修飭躬自程督刮絕蠹蠹自殿堂門廡齋舍次第以新舊規復矣所費一出僚寀俸資及縉紳君子佽助官町不與焉教諭廬陵孫鼎與訓導嘉禾孫珙議曰自始置縣建學垂六十餘載然未有以紀其實後將焉考以予嘗守滁陽知之頗悉乃述顛末徵文為記予惟學校之設於世關繫甚重教化於是乎興風俗於是乎厚人材於是乎作成若學

政既行教養法備則三者歲月可冀否則欲求乎教化興行風俗不媮人材盛於古難矣江浦爲畿内名邑士俗素美作興有人令學於斯者當相與薰淑扶植偏紀磨厲志氣則德行可觀文藝可取他日進就天子器使尤當攄忠竭忱懋建勳業砥礪名節爲邦家之光豈徒干利祿釣聲名取貴重而已若然庶不負國家建學之意與司教化者之望也其尚勉旃

先師廟明洪武中創立成化十二年教諭吾啍重修萬曆丁己陳庭策建東西廡戟門櫺星門

啓聖祠

名宦祠

鄉賢祠二祠俱在學門東隅明弘治十三年知縣胡昉始置嘉靖二十九年移今處

射圃在學右山下

社學在縣治右明知縣蕭育建李大瀾修扁曰養正館設教讀一人

學田十項有奇明知縣王之綱以絶戶餘田入學租三百六十石又按院宋纛贖銀五十兩置田塘二十四畝有奇租穀三十石督學徐鑒官銀一百兩置田塘二十二畝有奇租穀三十三石租銀五十八兩六錢九分一釐

新江書院在縣治南祀定山先生莊昶南京禮部尚書湛若水建

江干書院在浦子口知縣余樞碑記

六合縣學在縣治西唐咸通中在滁河南光化中徙東門街北再徙縣治東宋治平中復徙城東臨河尋徙縣西高崗上建炎兵燹紹興十四年暫寓縣東古官舍遂因經藏廢院爲學二十九年復遷高崗故址紹熙四年知縣鄭績拓之嘉定七年劉昌詩重建明洪武五年知縣陸梅創立正統間史思古黄淵相繼修之祭酒陳敬宗有記成化五年唐詔修學士倪謙記之正德九年萬廷瑆修南京鴻臚卿王守仁記嘉靖三十年董邦政修之隆慶五年重建改向西南

國朝康熙六年知縣顧高嘉改制創修

陳敬宗記曰惟學校育才以德行爲先成周盛世以鄉三物敎萬民敎之六行六德然後敎之六藝先其本而後其末也故其賓興之賢無非濟濟多士藹藹吉人焉聖朝崇尚儒術而以文學取士然其文皆出於六經聖賢五常之訓仁義忠信之言所謂六德六行六藝之敎即此而在非若唐宋詩賦之比今之涖其職者切切以興學校爲務式觀盛美而凡講習於中者宜何如其用心哉事君必思所以極其忠事親必思所以極其孝至於夫婦兄弟朋友必思所以各致其極存之於心而不失措之於躬而弗違見之於事爲而不可奪涵養純熟習成自然充之以學問發之於文詞蓋無非六經聖賢五常之訓仁義忠信之言與成周三物之敎無以異他日賓興又何愧於多士吉人哉系之以詩曰伊儒之黌迭更廢興聿崇新規顯厰層宏惟聖有居於穆清廟惟賢有廡赫其有耀鼓鍾於論講肄之堂朝學暮書誦聲洋洋豆籩靜嘉禮樂攸備重觀盛美肅將祀事隆師親友是習是諏昔也怠荒今則進修緇衣有雅肉粟攸繼廩養豐潔非習之儷聖代右文督勵孔

勤樂育菁莪以陶以甄有偉名卿克相厥事作而新之益振士氣青青子衿報稱何由敦德勵行不愧成周翼翼其亭隆隆其碑於千百年斯文在玆　王守仁記曰甚哉誠之易以感民也甚哉民之易以誠感也有司者賦民奉國鞭笞累縶不能得則反仇讐視之今縣尹學諭一言而民之應之若響使天下之爲有司學職者咸若是天下其有不治乎此可以爲天下之爲有司學職者倡矣民之愛其財與力至競刀錐斬舉手提足寧殆其身而不悔今六合之民咸其上之一言捐數十百金瘁精力爭先恐後使天下之爲民者咸若是天下其有不治乎此可以爲天下之民倡矣夫民敝於欲而厚於利苟有以感之然且不惜費己之財勞己之力以赴其上之所欲爲士者秀於民而志於道修其明德新民之學以應邦家之求固不費財勞力而可能也苟有以感之有不翕然而興者乎

先師廟在明倫堂前

啓聖祠在先師廟之左

名宦祠在啓聖祠左

鄉賢祠在啓聖祠右

射圃在學西今廢

學租嘉靖御史鄭光琬入房租銀二十三兩四錢有奇知縣茅宰邵漳敎諭陳洪表置田二十四畝又置田地七十六畝又置丈量多餘田地七十九畝每年額租以供本學給貧生之用租銀四十四兩八錢五分

四釐

社學在縣治東正德間捐其地於民别於四門各建一區

論曰學校爲人才所自出教之不先學何由而成宋安定先生胡瑗教授蘇湖分經義治事兩齋以崇實學故天下謂湖學多秀彥出而筮仕適於世用此才之所以成於教也官之不擇教何由而尊宋紹聖中三省立格侍從臺諫國子長二歲舉堪任諸州學官一員非制科出身及由上舍入官者報罷此教之所以賴有人也誠如紹聖立法以重其選湖學立教以精其業菁莪棫樸拔茅彙征遑多讓哉至若學宮興建上崇

先聖下育羣英制甚重也今琳宮梵刹爲之徒者必求

增廓其基宇丹雘其廟貌而後卽安而吾儒從學校中掇巍科躋顯秩食報亘奢矣迨宦成家食視學舍之傾圮如越人視秦人之肥瘠曾不一過而問焉抑何二氏之徒之不若也我

皇上誕敷文德興起大化而賢司牧咸經營擘畫振頽起廢以襄右文之治於論鼓鐘於樂辟雍猗歟千載嘉會也而宇下鄉祭酒先生報本反始獨無意乎吾知必有奮然興起而共襄厥成者其拭目俟之也夫

江寧府志卷之十一

戶口上

周禮司民掌登萬民之數王者隆登拜之儀宣尼存式負之敬重民籍也然戶口殷繁由於厚生正德之有道而人丁增盛本於休養生息之無虧粤稽漢唐以前祇詳戶口之煩簡而不言人丁之多寡何也蓋西北戶口有丁無銀東南戶口有田始有丁有丁始有銀無田與有田者合而言之則曰戶口分而言之則曰戶口曰人丁此今昔之所以異耳志戶口

大清戶口

一府屬戶口大總

戶一十三萬六百三十五

口男婦共六十三萬一百零七

一府屬人丁銀數大總

人丁原額一十九萬八千五百九十二丁三分五釐

自順治十四年至康熙二十年共審增二萬二千一百四十九丁八分三釐除優免五千五百八十九丁五分續奉文鄉紳舉貢生員止免本身一丁共免二千七百四十一丁六分餘不免二千八百四十七丁九分共徵銀三百八十二兩七錢三分八釐四毫另

項觧　部充餉
實在當差人丁二十一萬五千二百零三丁六分八
釐各縣納銀科則不等共徵銀二萬六千九百四十
二兩六錢二分二釐
一府屬併衛歸縣十六衛人丁銀數大總
江寧左　江寧右　江寧前　江寧後　上元中
上元前　上元後　江淮左　江淮右　興武
廣洋　鷹揚　石城　鎮南　江陰
橫海
戸口人丁六萬九千七百二十三丁半內除屯丁二

萬三千六百五十六丁領田納糧不納丁銀共納銀各丁四萬二百二丁半內黃快竈丁并三則閑丁納銀科則不等共該納銀一萬三千五百三十一兩一錢八分二釐五毫銀七錢三內徵銀一萬三百七十四兩五錢六分七釐五毫錢三百一十五萬六千六百一十五文

順治十六年四月江南按察使司署司事張文光奉

總督部院郎　歸併各戶鋪分併准各紳民議給總甲食米詳文爲呈報事順治十六年三月三十日奉總督部院憲票內開仰該司官吏卽將

司道與在城鄉紳公議過百姓自養總甲緣由并在議鄉紳爵諱明白具詳以憑移撫按二院會行等因

蒙此查得先該分守江寧兵備道詳爲申飭畫一以衛民生事開奉部院憲牌內開照得甲夫工食一事前據該道冊內所開某鋪原額徵銀若干每銀壹錢加銀捌分有奇明屬加派有違嚴禁此豈可久又稱以有餘銀兩協不足鋪分豈有此地之居民養彼鋪甲夫之理如此牽混安能經久本部院從恤民起見莫若以本鋪之人養本鋪之甲夫但各鋪房間多寡懸殊一槪照例養甲必有不均之患反爲民累今將房多鋪分及二百間者俱仍照舊其百間上下并數十間者俱附於接壤鋪分或兩鋪或三鋪共養一甲夫總不經由官役悉聽民間自行給養除移會撫按二院外合再飭行爲此牌仰該道官吏照牌事理卽便轉行府縣速將冊開各鋪除房多鋪分照舊外其房少之鋪或三鋪或兩鋪共養總甲壹名火夫壹名其房少鋪分不許另設甲夫累民多費務要彼此適均可垂經久至食力之夫賃房住者其養甲之費仍出於業主不許累及貧民此乃地方之事該道卽當上緊酌擬明妥速速回報該道愼勿聽信經承私照向來房號加添銀兩或不論房間多寡承機槪設夫甲希圖多派侵蝕致干

朝廷功令等因到道奉此遵卽備行江寧府均派去後
據該府呈稱行據上江二縣回稱遵將在省伍百伍
拾貳鋪除將每鋪原編貳百間者及壹百捌玖拾間
者照舊巡守外有壹鋪陸柒拾間者肆伍拾間者在
於接壤鋪分遵奉歸併尤有城北地廣人稀處所壹
鋪原編叁肆百間者壹甲壹夫似難照料就於本鋪
坐派貳百間爲壹鋪餘有房間分設一鋪庶僱養得
以均匀而甲夫便於巡守仍不派及賃房肩挑小民
大書告示令各鋪住居業戶議凑工食給養總甲壹
名火夫壹名專責巡守啓閉柵欄伏宿支更而可垂
經久矣等因造册申府轉報到道該本道看得歸併
鋪戶議養夫甲業奉憲示不惟無不均之歎且實爲
經久之圖行據該府縣查議均派造册前來合行呈
送查考等因在案覆蒙本部院面諭會議隨於閏叁
月貳拾捌日會同三司各道邀集在城鄉紳陸朗黃
國琦等公同會議得甲夫巡守地方一事原係衞民
至計今遵憲行覆加會議各鋪紳民自願措給食米
僱募甲夫各壹名在於本鋪巡守柵欄晨昏啓閉晝
夜捍圉甲夫果腹而守則盜賊可彌居民安枕而眠
則封疆永固且不經官徵不用役催不取給於錢糧

一舉而三善備焉各鄉紳感仰恤民德意刊刻成書名曰便民甲册逐鋪給散俾小民家諭戶曉永為遵行既經會議明確理合呈報憲臺裁奪

附總甲工食議

總制郎公　便民甲册大指因地方工食經前任　題報充餉恐此輩不能枵腹應役故再四推敲公議僉同令各戶措給食米自僱甲夫看守栅欄以防盜賊法至便也初時奉行極善繼而海寇入犯各鋪不無奸甲乘勢派征竟致工食與房號等是一戶兩役矣近日更有甚焉該甲侵用各戶房號此較無出開列花戶之凡少工食者兌抵侵蝕錢糧是一年兩征矣幸邑宰洞悉民艱寢閣不行但總甲工食自不得與房號一例有力之家尚可拮据編戶細民安能倍出是以凡鋪分之下者總甲往往逃避合無仍照制府允詳給米之例使貧弱者量給米數養贍甲夫各戶不得坐視脫逃貽悞地方至於工食抵兌房號此風漸不可長所望司牧者於惠民之中兼防民之術可耳

康熙二十一年　月本府上江二縣五城奉

總督部院于　編審戶口保甲分四大總鋪告示

爲申嚴保甲以絕匪類以靖地方事照得江南江寧省會盜竊頻聞窩逃疊告皆因地方遼闊人民稠雜以致奸宄莫辨及至事發凡在鄰佑俱被牽連本部院深爲憫卹欲圖彌禁之方惟有速編保甲一法今議以該縣衙署爲適中之地按東西南北四方立四大總以爲綱領絕長補短不論地方之廣狹將東大總改爲仁字南大總改爲義字西大總改爲禮字北大總改爲智字每一大總內再分東西南北四小總以爲條目此一小總之內居民若干戶分爲若干鋪每鋪居民十戶爲一甲某鋪居民共若干甲某甲居民住居某某街巷每居民門首書某鋪某甲第幾戶某人甲長某某人家口若干作何生理該縣印官逐戶編成造具清册呈送以憑本部院親臨查點除將彌盜條議刊刷另行頒發併檄令該縣遵招舉行外合先出示曉諭爲此示仰督屬士民知悉爾等俱聽該縣編查入册互相稽察不得私自隱瞞遺漏戶口致有窩藏逃盜等弊一經親查得實定行重究此係本部院爲爾居民計圖寧謐非好爲多事也云云

上元

一縣戶口大總

編戶共六十五里

戶二萬九千五十九

口男婦共一十三萬三千七百九十五

一縣原額人丁銀數大總

人丁原額二萬九千二百四十二丁自順治十四年

至康熙二十年共審增五千八百四十三丁五分除

優免七百四十九丁續奉文鄉紳舉貢生員止免本

身一丁共免二百八十七丁六分餘不免四百六十

一丁四分共徵銀三十九兩六錢八分四毫另項解部充餉

一縣實在人丁銀數大總

實在當差人丁三萬四千三百三十六丁五分每丁科徵銀八分六釐共徵銀二千九百五十二兩九錢三分九釐又康熙九年新增上元中衛三則閒丁改入縣額徵解人丁五十一丁每丁徵銀二錢四分三釐一毫三絲七忽零共徵銀一十二兩四錢二項人丁共三萬四千三百八十七丁二共徵銀二千九百六十五兩三錢三分九釐

一縣歸併十五衛人丁銀數大總

江寧左　江寧右　江寧前　江寧後　上元中
上元前　上元後　江淮左　江淮右　興武
廣洋　鷹揚　石城
鎮南　江陰

戶口人丁一萬五千二百二十一丁內除屯丁一千四百二十九丁領田納糧不納丁銀又上元中衛中下二則閑丁五十一丁該銀一十二兩四錢於康熙九年奉文改發爲民當差共納銀各丁一萬一百六十八丁內黃快竈丁并三則閑丁納銀科則不等共該納銀三千二百六十八兩八錢七分五釐銀七錢三內徵銀二千五百八十二兩二錢六分五釐錢六

十八萬六千六百一十丈

江寧

一縣戸口大總

編戸共六十八里

戸一萬七千六百三十四

口男婦共五萬一千一百一十三

一縣原額人丁銀數大總

人丁原額二萬二千四百九十一丁自順治十四年至康熙二十年共審增四千二百九十九丁除優免六百一十三丁續奉文鄉紳舉貢生員止免本身一

丁共免二百七十一丁餘不免三百四十二丁共徵

銀二十五兩三錢八釐另項解　部充餉

一縣實在人丁銀數大總

實在當差人丁二萬六千一百七十七丁每丁科徵

銀七分四釐共徵銀一千九百三十七兩九分八釐

一縣歸併十五衛人丁銀數大總

江寧左　江寧右　江寧前　江寧後　上元中

上元前　上元後　江淮左　江淮右　興武

廣洋　鷹揚　石城

鎮南　江陰

戶口人丁一萬三百九十丁半內除屯丁一千六百

九十一丁領田納糧不納丁銀又除奉蠲逃亡三則

閑丁一千二百五十三丁共納銀各丁七千四百四十六丁半內黃快竈丁并三則閑丁納銀科則不等共該納銀二千四百九十九兩五錢七分五釐銀七錢三內徵銀一千九百二十三兩七錢一分錢五十七萬五千八百六十五丈

句容

一縣戶口大總

編戶共二百一十四里

戶二萬九千八百八十三

口男婦共一十二萬一千二百五十三

一縣原額人丁銀數大總

人丁原額四萬六千二百四丁自順治十四年至康熙二十年共審增三千四百三十五丁除優免九百九十六丁續奉文鄉紳舉貢生員止免本身一丁共免五百二十一丁餘不免四百七十五丁共徵銀六十五兩五錢五分另項解　部充餉

一縣實在人丁銀數大總

實在當差人丁四萬八千六百四十三丁每丁科徵銀一錢三分八釐共徵銀六千七百一十二兩七錢三分四釐

一縣歸併七衛人丁銀數大總

江寧右　江寧前　江寧後　上元前
興武　江陰　鎮南

戶口人丁三百七十二丁內除屯丁一百五十六丁

領田納糧不納丁銀共納銀各丁二百一十六丁內

黃快竈丁納銀科則不等共該納銀七十五兩四錢

五分銀七錢三內徵銀五十六兩二錢八分錢一萬

九千一百七十文

溧陽

一縣戶口大總

編戶共二百三十里

戶二萬一千二百五十五
口男婦共一十四萬五千八百五十七
一縣原額人丁銀數大總
人丁原額五萬二千七百四十七丁三分五釐自順治十四年至康熙二十年共審增二千一百一十七丁伍分除優免九百七十五丁續奉文鄉紳舉貢生員止免本身一丁共免五百二十五丁餘不免四百五十丁共徵銀四十五兩另項解　部充餉
一縣實在人丁銀數大總
實在當差人丁五萬三千八百八十九丁八分五釐

每丁科徵銀一錢共徵銀五千三百八十八兩九錢八分五釐

一縣各衛歸併人丁無

溧水

一縣戶口大總

編戶共一百六里

戶一萬五千五百四十

口男婦共七萬八千三百三十五

一縣原額人丁銀數大總

人丁原額一萬九千八百五十一丁自順治十四年

至康熙二十年共審增一千四百四十八丁七分五
釐除優免五百九十七丁續奉文鄉紳舉貢生員止
免本身一丁共免三百五丁餘不免二百九十二丁
共徵銀五十八兩四錢另項解　部充餉
一縣實在人丁銀數大總
實在當差人丁二萬七百二丁七分五釐每丁科徵
銀二錢共徵銀四千一百四十兩五錢五分
一縣歸併一衛人丁銀數大總
江寧右
戶口黃丁一十五丁每丁納銀三錢協濟銀五分共

該銀五兩二錢五分銀七錢三內徵銀三兩九錢錢
一千三百五十文實徵銀五兩二錢五分內應解糧
道協濟銀七錢五分徵銀起解外又應解驛道黃丁
銀四兩五錢銀七錢三內該解銀三兩一錢五分錢
一千三百五十文

高淳

一縣戶口大總

編戶共四十一里

戶一萬一千三百六十

口男婦共五萬九千五百七十九

一縣原額人丁銀數大總
人丁原額七千六百一十九丁自順治十四年至康熙二十年共審增二千七百四十九丁除優免七百一十二丁續奉文鄉紳舉貢生員止免本身一丁共免三百七十八丁餘不免三百三十四丁共徵銀五十兩一錢另項解　部充餉
一縣實在人丁銀數大總
實在當差人丁九千六百五十六丁每丁科徵銀一錢五分共徵銀一千四百四十八兩四錢
一縣歸併各衛人丁無

江浦

一縣户口大總

編户共一十九里

户二千六百五十

口男婦共一萬四千一百八十四

一縣原額人丁銀數大總

人丁原額七千五百八十五丁自順治十四年至康熙二十年共審增一千一百五十二丁五分八釐除優免四百四十七丁五分續奉文鄉紳舉貢生員止免本身一丁共免二百五十九丁餘不免一百八十

八丁五分共徵銀三十七兩七錢另項解　部充餉
一縣實在人丁銀數大總
實在當差人丁八千二百九十丁八釐每丁科徵銀
二錢共徵銀一千六百五十八兩一分六釐
一縣歸併十四衛人丁大總
江寧左　江寧右　江寧前　江寧後　上元中
上元前　鷹揚　興武　廣洋　江陰
鎮南　江淮左
橫海　江淮右
戶口人丁八千四百七十丁半內除屯丁三千五百
六十八丁領田納糧不納丁銀又除江寧等衛逃亡
三則閑丁四百六十一丁該銀一百一十五兩二錢

於康熙十七年奉文蠲免共納銀各丁四千四百四十一丁半内黄快竈丁并三則閑丁納銀科則不等共該納銀一千五百四兩八錢九分二釐五毫銀七錢三内徵銀一千一百四十八兩四錢九分二釐五毫錢三十五萬六千四百文

六合

一縣戸口大總

編戸共一十九里

戸三千二百五十四

口男婦共二萬伍千九百九十一

一縣原額人丁銀數大總

人丁原額一萬二千八百五十三丁自順治十四年至康熙二十年共審增一千一百四丁五分除優免五百丁續奉文鄉紳舉貢生員止免本身一丁[illegible]免一百九十五丁餘不免三百五丁共徵銀六十一兩另項解　部充餉

一縣實在人丁銀數大總

實在當差人丁一萬三千四百五十七丁五分每丁科徵銀二錢共徵銀二千六百九十一兩五錢

一縣歸併十五衛人丁銀數大總

江寧左　江寧右　江寧前　江寧後　上元中
上元前　江淮左　江淮右　興武　石城
鎮南　廣洋　江陰
鷹揚　橫海

戸口人丁三萬五千二百五十四丁半內除屯丁一萬六千八百一十二丁領田納糧不納丁銀又除江寧等衛三則逃亡開竄軍丁五百二十七丁該銀一百二十五兩七錢五分於康熙十七年奉文蠲免其納銀各丁一萬七千九百一十五丁半內黃快竄丁并三則開丁納銀科則不等共該納銀六千一百七十二兩六錢四分內徵銀四千六百五十六兩七錢七分錢一百五十一萬五千八百七十文

明朝户口下

應天府户口後附黄册軍政事宜二條

洪武户一十六萬三千九百一十五

口一十九萬三千六百二十

弘治户一十四萬四千三百六十八視洪武減一萬九千五百四十七

口六十七萬四千九百二十視洪武增四十八萬一千三百

隆慶户一十四萬九千九百六十一

口八十萬一千五百一十七

上元

明初徙浙直人户塡實京師五厰廬井凡置之都城

內者曰坊置之都城外者曰廂遠於城者曰鄉隸上元者爲圖凡百七十有六坊廂僅存舊名鄉圖至今不易本縣歸併六十五圖

坊廂凡一十有六

十八坊　十三坊　十二坊　織錦坊　九坊

貧民坊　伎藝坊　六坊　木匠坊　東南隅

正東隅　太平門廂　三山門廂　金川門廂

江東門廂　石城關廂

鄉凡一十有八

清風鄉　長寧鄉　泉水鄉　道德鄉　盡節鄉

興賢鄉　金陵鄉　慈仁鄉　鍾山鄉　北城鄉

惟正鄉　開寧鄉　宣義鄉　鳳城鄉　清化鄉

神泉鄉　丹陽鄉　崇禮鄉

編戶共一百有五十里

戶三萬五千四百三十八

口一十四萬二千五十

江寧

坊廂凡三十有五

人匠坊五　正西舊坊二　貧民坊二　正東新坊

鐵錨局坊　正南舊坊二　正西新坊　正西伎藝

坊　城南伎藝廂二　儀鳳門廂二　城南人匠廂

城南脚夫廂　江東新廂　清涼門廂　安德門廂
三山舊廂二　三山伎藝廂　三山富戸廂
三山新廂　石城關廂　劉公廟廂　神策門廂
毛翁渡廂　瓦屑壩廂　江東舊廂
鄉凡二十有一
鳳東鄉　鳳西鄉　安德鄉　新亭鄉　菜園務鄉
建業鄉　光澤鄉　惠化鄉　處眞鄉　歸善鄉
銅山鄉　朱門鄉　山南鄉　山北鄉　大南鄉
大北鄉　萬善鄉　隨車鄉　馴翬鄉　永豐鄉
萬仙鄉

編戶六十八里
戶一萬七千五百二十六
口五萬三千八百二十八

句容

坊凡四
東南隅　西南隅　東北隅　西北隅

鄉凡十六
通德鄉　福祚鄉　臨泉鄉　上容鄉　承仙鄉
政仁鄉　茅山鄉　崇德鄉　句容鄉　來蘇鄉
望仙鄉　稜風鄉　孝義鄉　仁信鄉　風壇鄉

瑯琊鄉

編户二百一十四里

户三萬六千九十六

口二十一萬五千九百八十六

溧陽

坊凡八

東坊　西坊　南坊　北坊　中坊　中左坊

中右坊　新坊

鄉凡一十有三

永城鄉　福賢鄉　舉福鄉　明義鄉　惠德鄉

德隨鄉　從山鄉　桂壽鄉　奉安鄉　崇來鄉
來蘇鄉　永奉鄉　永定鄉
編戸二百一十里萬曆三年又析置二十里
戸二萬四千八百三十三
口十六萬一千八百八

溧水

坊凡八
東隅　西隅　南隅　北隅　東北隅
東南隅　西南隅　西北隅
鄉凡一十有一

上元鄉　思鶴鄉　贊賢鄉　白鹿鄉　豐慶鄉

歸政鄉　崇賢鄉　長壽鄉　山陽鄉　仙壇鄉

儀鳳鄉

編戸共一百二十里今併一百六里

戸一萬七千七百六十四

口一十萬五千六百五十六

高淳

鄉凡七

崇教鄉　立信鄉　遊仙鄉　安興鄉　唐昌鄉

永寧鄉　永豐圩鄉

編戶共四十一里
戶一萬二千五百二十六
口六萬七千四百七十三

江浦

鄉凡七
孝義鄉　白馬鄉　任豐鄉　遵教鄉　懷德鄉
豐城鄉　崇德鄉
編戶共一十九里
戶二千六百六
口一萬五千一百三十六

六合

里凡二　東里　西里

都凡五

東三都　南四五都　北四五都　上三都

下三都

編戶共十七里半天順間改編一十九里

戶三千一百七十二

口二萬九千五百八十

附記

明朝黄册每十年一大造其册首著戶籍若軍民匠竈之屬次書其丁口成丁不成丁次田地分官民等則例房屋牛隻凡例有四曰舊管曰開除曰新收曰

實在今日之舊管即前造之實在也每里一百一十戸十戸一甲十甲一里里有長轄民戸十輪年應役十年而周周則更大造民以此定其籍貫官按此以爲科差所謂庶事之所從出而取正焉者也版籍既定戸口之或多或寡物力之或有或無披閱之頃一日可盡官府遇有科差按籍而註之無不當而均矣然民僞日滋吏弊多端茍非攢造之初立法詳盡委任得人則不能禁革其脫漏詭寄飛灑那移之弊請當大造之年戸部定爲則例頒行天下凡所造之册必須縣册詳於府府册詳於布政司司册詳於進呈者其縣册當如諸司職掌所載凡各州縣田土必須開具各戸若干及條段四至於實在下則書曰坐落某里於新收下則書曰某年某里買某人戸下田明開畝段價値界至其開除者則止書曰某年賣與某里某人府册止書地名司册及進呈者則否如此則官府科差有所稽考得以驗其貧富民間爭訟有所質證得以知其虛實不至於混而無別矣

黃册事宜 按民爲邦本册乃民數則郡邑賦役之數厥惟重矣余博采輿論畧參管見以冀少

怯己前之積弊竊惟黃冊十年一造而第十甲里長實督造之每圖書筭二名指以科派動輒三五十金通縣之費不啻萬金茲屆造冊之期名募書算七十二名官爲攢造每書一名管造三里詳允動支稅契銀兩買辦紙張給發工食及廂架繩損解冊等項一切諸費共止一千四百兩零設立推收单各一紙頒有定式聽民將各推收田產自塡投縣候齊着戶書按圖集成書冊編審時卽取上年之實在作今日之舊管參以推收兩相磨勘朗然在目如此卽是歸戶而實徵之冊可免重造以杜復起科派之門又設立圖單田單各一紙亦須有定式官買紙張印給圖甲仍給以筆墨令各戶親將添除丁口塡註投縣隨據遞到圖單會集公正糧排清審其諸里排消乏卽與更替丁口消長卽與收除編造之歲舊有里長聽點卯酉羈絆年餘徒爲糜費悉革除之但各鄉臨審時里長戶長書筭人等聚之一城挨次聽審妨農損財非計也則減損從役嚴禁需索親歷各鄉而計日竣事矣又念小民惑於民間底冊未見前次舊冊雖有親供何所考據因令陳之梵宇監以淄流聽民翻閱可以周知十年大造之數至于全冊止造一本送貯

南京戶部水庫其他衙門不用造送及造完彙解本府申詳勘合不委吏胥自送惟令職官總解此皆奉有明例誰得擅自科派蠹食其間耶

軍政事宜 按黄册軍册均患宿蠹科派爲奸然黄册猶十年而一造也乃軍册則大造有清册每歲有清算奸排蠹書表裡盤結總會兜底軍册亦十年一造而十甲一里里長倒督造之每里有圖書一名公行科派盡行汰革别募善書者照黄册倒俱官爲攢造查算總會册供單紙張併工食等項該銀一百四十二兩一錢零兜底册龍遊紙并工價等項銀四十三兩六錢七分零共計銀一百八十五兩八錢四釐零俱詳允於稅契銀兩動支完辦約省民間數千餘金仍追軍書原管底册貯入官庫以絶愚弄窮軍張本則本歲免官吏常例之科與抽豐使費之索又軫恤軍戶既輸軍丁又輸民丁既當軍差又當民差一身兩役其苦尤甚申請憲禁悉立案不行而縣衙不敢無故出票騷擾庶軍民一體安堵無虞矣

論曰三代以上無人丁之説而戶口寓於比閭族黨

之閭如族師以邦比之法時登其夫家衆寡及六畜車輦辨其施舍與其可任者五家爲比十家爲聯五人爲伍十人爲聯四閭爲族八閭爲聯使之相保相受法至詳矣春秋時國僑五田疇敬仲分都鄙要皆準而行之然族師爲百家之長一族之戒令政事出焉茍非其人鮮不敗檢故漢之鄉老嗇夫亦皆百石魏之州縣鄉官皆由吏部唐之里正村正皆以勲品艮愼之也柳宗元云有里胥而後有縣大夫有縣大夫而後有諸侯有諸侯而後有方伯連帥雖貴賤懸殊其任長人之責則一也邇來保甲之令申於

制府不特彌盜安民尤足移風易俗膺民社之寄者誠仰體德意不拘拘一成之規而準今酌古因時制宜務使家喻戸曉比屋可封一時善政善教直堪媲美古昔豈僅措諸遠近垂諸百世而已哉

江寧府志卷之十二

田賦上

按金陵禹貢揚州之域厥土塗泥厥田下下自六朝以迄隋唐財賦孔棘而東南之利遂甲天下然三代任土作貢各異其名兆民急公輸將不殊其實惟用一緩二一自召豐亨而耕九餘三斯稱治世我

世祖章皇帝革故鼎新之時卽存視夏監殷之義誠盛事也爰稽

新制之弘綱幷叅舊章之因革志田賦

大清田賦

一府屬田畝大總

原額並續增田地山塘灘埸蘆蕩草塲雜產共六萬八千五百五十三頃二十一畝七分五釐九毫九絲二忽七微各科不等共實徵平米三十二萬二千四百三十九石四斗五升九勺三抄三撮四圭九粟五顆八粒三黍徵起存并本色價值銀共二十七萬四百三十三兩三錢五分五毫八絲七忽二微四沙九渺八漠五埃存留錢共一千七百五十萬三千六百六十七文七分八釐六毫一絲五忽六微五纖六渺三漠本色米共一十五萬五千三百八十六石四斗

二升七合二勺本色豆共四千二百七十六石七斗二升九合漕贈五米六千五百六十七石七斗三升五銀六千五百六十七兩七錢三分實徵荒白米二萬零九石九升三合四抄三撮一圭二粟七顆荒白銀五千零二兩二錢七分三釐二毫六絲七微一沙七塵五渺

一府屬丁銀詳載戶口志衛所丁銀倣此

通共丁田二項共徵起存并本色價值銀三十萬四千五百七十七兩四錢一分一釐三毫一絲九忽六微四纖八沙七塵三渺七漠五埃

起運實在銀一十七萬九千一十兩九分一釐六毫六絲四忽一纖七沙五塵四渺三漠外閏月銀三十兩八錢一分二釐四毫四絲

又軍民牧馬草場正脚克餉租銀共一千九百八十九兩八錢五分一釐四毫二絲九忽三微六纖五塵四渺四漠

外不在丁田匠班商稅坊廂房地麻膠魚課翎毛鈔象湖租窰冶鈔銀一千四百三十一兩一錢七分九釐二毫九絲二忽四微閏月銀一十一兩四錢六分九釐二毫六忽六微九纖七沙五塵

存留實在銀一十三萬四千七百二十二兩一錢三分一毫九絲一忽二微六纖五沙八塵一渺七漠三埃内搭徵錢一千六百二十六萬八千七百七十七文五分三釐一毫七絲五忽六微五纖該徵銀一十二萬二百五十三兩三錢五分二釐六毫五絲九忽五微九沙三塵一渺六漠又陞增五十四兩九分六釐九毫七絲六微七纖二沙八塵七渺四漠閏月銀七千五十五兩七錢五分八釐二忽内徵錢一百一十八萬四千一十一文一分一釐七毫五絲徵銀五千八百二十兩八錢六分七釐七毫四絲七忽六微

一府屬七縣地丁内存留操漕兵餉銀兩

存留上元縣地丁操院兵餉銀二百七十兩遇閏加銀三十八兩

存留江寧縣地丁操院兵餉銀一百七十兩閏月銀二十一兩三錢三分三釐三毫三絲

存留句容縣地丁操漕兵餉銀一千九百四十兩七錢三分一毫九絲一微八纖六沙二塵三渺閏月銀七十四兩一錢六分六釐六毫六絲

存留溧陽縣地丁漕操兵餉銀二千五百五十八兩六錢五分五釐七毫七絲八忽三微八纖四沙四塵

九渺二漠閏月銀六十九兩四錢
存留溧水縣地丁漕操兵餉銀三千八百九兩九錢九分一釐二毫五忽七微六纖八沙八塵七渺六漠
閏月銀六十肆兩八錢三分三釐三毫三絲
存留高淳縣地丁漕操兵餉銀一千五百六兩五錢八分九釐九毫三絲八忽四微二纖八塵五渺四漠
閏月銀三十五兩
存留六合縣地丁漕操兵餉銀三百八十四兩六錢四分七釐七毫三絲一忽九微二塵一渺八漠閏月銀二十七兩三錢三分三釐三毫三絲

以上各縣俱起批解江　藩司充餉
外不在丁田學租餘鈔船鈔充餉銀八百九十一兩
三錢六分二釐一毫二絲八忽
起運地丁并陞增米共一十五萬四千四百五十九
石九斗九合三勺七抄八撮肆圭陸粟六顆七粒六
黍漕增五米六千六百一十一石五斗八升五合七
勺四抄五撮九圭一粟一顆六黍五銀六千六百一
十一兩五錢八分五釐九毫二絲五忽九微一纖一
沙二塵四渺四漠
起運地丁豆并陞增共四千二百九十四石八斗九

升七合九勺三抄六撮二圭九粟六顆九粒九黍
存留地丁米并陞增共一千七百七十八石二斗四
升八合七勺七抄陸撮七圭二粟七顆六粒三黍閏
月米一百四十七石
上江二縣房號銀一萬二千三百八十七兩二分六
釐九毫
一府屬蘆課共二萬九千二百七十三兩五錢六分
七釐三絲七忽二微五纖一沙二塵八渺
又不在縣額本省都稅等司管收商稅船鈔龍江裏
外河泊所漁課鈔蔴膠價值連閏銀七千六百三十

三兩八錢五分五釐六毫三微五纖

一府屬七縣每年額銷引鹽八萬九千一百八十五引共鹽二十三萬三千六百六十斤

一府屬併衛歸縣錢糧大總

原額田地一萬一千九百八頃五畆七分二釐一毫六絲八忽九微二纖五沙六塵一渺一漠二湨九苝

今實在各衛徵糧熟田地一萬一千一百五十七頃八畆三分二釐九毫五絲二忽三微五纖二沙四塵三渺八漠四埃六湨九苝內

江寧等十六衛比科增餘田各科不等共徵新增銀

三千三百七十八兩七錢七分二釐四毫五忽五微四纖七沙一塵八渺九漠四埃一漠九蕊正耗米共五萬五千六百二十二石四斗六升四合二勺四抄三撮七圭四粟三顆一粒三黍六稷六粃每米一石加協濟銀三分共協濟銀一千六百六十八兩六錢七分二釐二毫七絲七忽三微七纖三沙一塵四渺七埃二漠八蕊又鎮南衛租豆地四頃三十三畝徵豆五十六石二斗九升

江寧等衛久荒沙壓折糧比科增餘田科租地并投誠官兵開墾荒田沙壓營基地共徵新增銀六十七

兩六錢二分七釐肆毫九絲四忽四微六纖四沙七
渺三漠二埃九溟九莈折糧銀二百七十二兩九錢
八分八釐五毫一忽三微三纖七沙五塵租銀八千
四百四十五兩四錢六分四釐一毫四絲四忽七微
五纖九沙九塵八渺八埃二溟沙壓陞科銀一千三
百九十兩九錢六分八釐一毫九絲四忽二微四纖
六沙

又不在丁田徵解各衛房地租火藥蘆麥地租共銀
二千一百二十二兩九錢四分七釐四毫三絲二忽六微
六纖

丁田併不在丁田三項共實徵銀三萬八百四十八兩八錢七分九毫五絲一微九纖七沙八塵八渺四漠三埃五濵六莈

通共實徵本色米五萬五千六百貳十二石四斗六升四合六勺四抄三撮七圭四粟三顆一粒三黍六稷六粃

附康熙十一年閏七月十四日

總督部院帥公顏保題准請復上元縣秈米兊漕疏畧該臣看得徵兊漕糧原就各邑土産徵輸兊運以從民便此通漕定例由來久矣查得江寧府屬上江二縣同附省城歷來辦納漕糧俱係一例秈米兊運惟上元縣於順治八九年間連遇災傷田禾失收

該年漕米開徵之際適值江廣客販運到晚米小民就近糴買交兌此不過權宜一時急公完漕不意次年旗丁執以爲例勒兌晚米民莫之何歷年遠糴濟兌相沿至今受累無已其江寧縣仍兌秈米未嘗更易故上元士民張彥龐世英等有比例照舊兌秈之控耳嗟此窮黎連值旱蝗災傷不堪爲命若仍責之遠糴晚米積累不堪臣有所不忍也總之以秈易晚正額不缺米色無虧一轉移間而　國課民命均有攸賴矣奉　部覆請
旨依議

上元

一縣田畝大總

原額並續增田地山塘灘場雜產共八千八百一十頃六十六畝四分四釐四毫一絲各科不等共實徵平米四萬五百五十八石八升四合一勺八抄伍撮二圭五粟二顆六粒徵起存并本色價值銀共二萬九千六百五十三兩四錢一分六釐三毫六絲六忽二微九纖一沙九塵三渺八漠存留錢共三百四十八萬七千三百六十九文三分八釐五毫九絲四忽八微一纖一沙九塵二渺本色起存米共二萬五千九百

二十九石二斗三升七合六勺六抄四撮本色起運豆共五百三十石五斗五升七合四勺漕贈五米共一千一百四十六石八斗三升五合五銀共一千一百四十六兩八錢三分五釐

實徵荒白米三千六百二十三石八斗二升三合二勺七抄七撮八圭八粟荒白銀九百五兩九錢五分五釐八毫一絲九忽四微七纖

上下鄉田共五十三萬玖千九百五十七畝五釐一絲內上鄉田五十萬九千一百六十五畝三分四釐一毫一絲每畝科平米六升二合七勺一抄六撮帶

荒米四合下鄉田三萬七百九十一畝七分九毫每畝科平米五升六合二勺帶荒米八合八勺共徵起存并本色價值銀二萬四千六百一十二兩四錢七釐一絲九忽九纖七沙九漠三埃荒白銀五百七十六兩九錢七釐一毫九微共存留錢二百八拾九萬四千五百二十四文九分九釐一毫四絲一忽三微五纖五沙四渺九漠本色米二萬一千五百二十一石三斗二升九合七勺二抄四撮五圭三粟四黍本色豆四百四十石三斗六升三合九勺二抄九粟二粒三黍漕贈五米玖百五十一石八斗七升五合八

勺一抄二撮六圭玖粟五顆七粒九黍五銀九百五十一兩八錢七分伍釐八毫一絲二忽六微九纖五沙七塵九渺

上下鄉地共一十四萬六千七十畝四分二釐三毫內上鄉地一十三萬九千七百九十一畝六分五釐五毫每畝科平米三升伍合下鄉地六千二百七十捌畝七分六釐八毫每畝科平米二升九合帶荒米六合共徵起存并本色價值銀三千七百一十兩三錢五分五釐八毫七絲六忽三微八纖三沙九塵九渺九漠荒白銀共九兩四錢一分八釐一毫五絲二

忽存留錢四十三萬六千三百五十三文八分一釐
九毫五絲四忽九微六纖七塵本色米三千二百四
十四石三斗七升一合五勺一抄三撮四圭七粟二
顆二粒一黍本色豆六十六石三斗八升五合四勺
九抄六撮四圭六粟四顆三粒三黍漕贈五米一百
四十三石四斗九升六合六勺五抄二撮五圭四粟
八顆二粒七黍五銀一百四十三兩四錢九分六釐
六毫五絲二忽五微四纖八沙二塵七渺
蘆地一千三百四十一畝三分五釐一毫每畝科平
米七升又康熙二十一年陞出蘆地二十四畝六分共徵

起存并本色價值銀七十兩五錢四分八釐一毫六絲六忽四微四纖四沙五塵六漠八埃存留錢八千七十三文四分八釐四毫一絲二忽七微八纖三沙三塵四渺四漠本色米六十一石六斗五升二合三勺六抄七撮八圭二粟六顆六粒二黍本色豆一石二斗二升八合二勺七抄四撮四圭伍粟九顆八粒八黍漕贈五米二石七斗二升五合六勺三抄六撮二粟六顆四粒二黍五銀二兩七錢二分五釐六毫三絲六忽貳纖六沙四塵二渺又康熙六年陞科銀六兩九錢六分三釐四毫七絲八忽八微九纖五沙

八塵五渺七漠陞科本色米五石六斗六升一勺七抄四撮八圭四粟九顆七粒九黍陞本色豆一斗四升七合九抄八撮一圭一粟四顆二粒九黍漕贈五米二斗五升二合五勺二抄六撮七圭三粟四顆五粒二黍五銀二錢五分二釐五毫二絲六忽七微三纖四沙五塵一渺七漠

草塲地三十五畝每畝科平米五合六勺八抄五撮七圭一粟五顆徵起存并本色價值銀共一錢四分五釐四毫九絲五忽七微九纖二沙四塵三渺五漠

存留錢共一十七文一分一釐九絲三忽一微三纖

六沙九塵七渺本色米共一斗二升七合二勺二抄
三撮八粟九顆五粒八黍本色豆共二合六勺三撮
二圭二顆九粒一黍漕贈五米共五合六勺二抄六
撮九圭九粟六顆五粒五黍五銀共五釐六毫二絲
六忽九微九纖六沙五塵五渺
山塘礁産并清出墾荒成熟共一十七萬二千六百
一十六畝五分八釐四毫每畝科平米一升徵起存
并本色價值銀共一千二百七十三兩五錢四分一
毫九絲四忽二微八纖四沙二塵五渺六漠七埃存
留錢共一十四萬八千三百九十九文九分七釐九

毫九絲二忽五微七纖六沙一塵九渺九漠本色米共一千一百一十六石八斗六升三合九勺二抄六撮六圭八粟九顆一粒八黍本色豆二十二石八斗五升三合三勺二撮三圭一粟五顆五粒四黍漕贈五米四十九石三斗九升八合九勺二抄八撮一圭八粟八顆七粒一黍五銀四十九兩三錢九分八釐九毫二絲八忽一微八纖八沙七塵一渺

原荒田并告改荒田一萬六千二百七十畝五分七釐四毫内原荒田八千九百七十一畝二分七釐八毫每畝科荒米七升七勺六抄告改荒田七千二百

九十九畝二分九釐六毫每畝科荒米六升五合共

徵荒白銀二百七十七兩三錢一分五釐四毫六絲

七忽八微二纖

原荒地并告改荒地四千二百六十七畝二釐八毫

內原荒地三千八十畝二分一釐五毫每畝科荒米

四升告改荒地一千一百八十六畝八分一釐三毫

每畝科荒米三升五合共徵荒白銀四十一兩一錢

八分六釐七毫六絲三忽七微五纖

告改荒灘塌四百五十一畝三分三釐四毫每畝科

荒米一升徵荒白銀共一兩一錢二分八厘三毫三

絲五忽

又丈增荒田地塌共四十五畝五分五毫三絲六忽

應增銀四錢七分八釐五毫七絲二忽五微八纖二

沙八塵

又清丈見實在牧馬草場田地山塘溝拋荒灘塌等

項共九千一百九十八畝三釐二毫八絲七忽應徵

銀二百二十八兩五錢二毫四絲

本縣丁銀詳載戶口志備所丁銀倣此

通共丁田二項共徵起存地丁并本色價值銀三萬

三千五百八十五兩四錢一分四釐四毫七絲二忽

九微五纖八塵伍渺六漠八埃錢三百四十八萬七千三百六十九文三分八釐五毫九絲四忽八微一纖一沙九塵二渺本色米二萬五千九百五十石四合九勺三抄四圭五粟七顆四粒二黍本色豆五百三十石九斗八升六勺九抄四撮六圭四粟七顆一粒八黍漕贈五米一千一百四十七石七斗五升五合一勺八抄三撮一圭九粟二粒六黍五銀一千一百四十七兩七錢五分五釐一毫八絲三忽一微九纖二塵五渺七漠又牧馬草塲租銀二百二十八兩五錢五毫六絲九忽

起運原額銀二萬二千六百四十七兩六錢八分六釐一毫二絲二忽五微三纖二沙六塵五渺九漠內除協濟驛站改於本地支給歸入存留銀九千四百七十八兩四錢八分三釐二毫一絲五忽七微一纖四沙一塵六渺四漠實存起運銀一萬三千一百六十九兩二錢二釐九毫六忽八微一纖八沙四塵九渺五漠又續陞科銀共七兩五錢三分二釐三毫二絲二忽一微七纖二沙七渺九漠閏月銀五兩九分三釐三毫六絲四忽一微二纖五沙

又草塲租并清丈新陞共銀二百二十八兩五錢五

毫六絲九忽

外不在丁田匠班銀九兩

又額辦本色物料等項內解　北部銀硃䑋硃膸黃

黑鉛烏梅紅熟銅黃蠟并原解解南今改解　北黃絲

絹白蔴魚線膠共價值墊脚銀八十九兩三錢一分

三釐四毫一絲九忽七微一纖五沙續奉　部文止

辦烏梅紅熟銅黃蠟白蔴黃絲絹等項餘欵照徵折

銀候撥兵餉

存留原額銀壹萬貳千八百一十八兩八錢四分二

釐二毫九絲七忽六微捌纖六沙四塵八渺四漠又

起運抵驛站銀九千四百七十八兩四錢八分三釐二毫一絲五忽七微一纖四沙一塵六渺四漠又自康熙九年至二十年共增人丁銀一百二十三兩一錢二分五釐共存留銀二萬二千四百二十兩四錢五分五毫一絲三忽四微六塵四渺八漠內搭徵錢三百二十三萬六千五十三文七釐六毫九絲四忽八微一纖一沙九塵二渺實徵銀一萬九千一百八十四兩三錢九分七釐四毫三絲六忽四微五纖二沙五塵二渺八漠八埃續陞增銀四兩一錢四分九釐四毫六絲六微六纖七沙六塵五渺四漠閏月銀

一千三百七十七兩四分一釐八毫七絲二忽内徵

錢二十五萬一千三百一十六文三分九毫實徵銀

一千一百二十五兩七錢二分五釐五毫六絲三忽

外不在丁田學租銀一百三十二兩九錢二分四釐

一毫

起運地丁正耗并陞科米共二萬五千五百五十九

石七斗一升七合七勺九撮七圭六粟八顆七粒九

黍漕贈五米共一千一百四十七石七斗五升五合

一勺八抄三撮一圭九粟二粒六黍五銀共一千一

百四十七兩七錢五分五釐一毫八絲三忽一微九

纖二塵一渺

起運地丁正耗豆并陞科共五百三十石九斗八升六勺九抄四撮六圭四粟七顆一粒八黍

存留地丁米三百六十石二斗八升七合二勺二抄六圭八粟八顆六粒三黍閏月米三十石

一本縣房號銀五千九百二十四兩五錢二分六釐九毫

本縣蘆課該銀一萬六千九百三兩八錢四分五毫七絲八忽四微四纖八沙

一額銷引鹽二萬六千八百六引每一引二百六十

二觔共七萬二百三十一觔

一縣歸併各衛錢糧大總

原額田地一千二百六十三頃五十一畝二分九釐

一毫九絲八忽三微一塵三渺二漠六埃今實在各

衛徵糧熟田地二千二百四十四頃八十一畝七分

四釐九毫五絲八忽九微四沙五塵二渺二漠六埃

江寧前江寧後上元中上元前江淮右興武廣洋鷹

揚鎮南江陰衛實在徵糧熟比田捌十二頃九十七

畝九分五釐九絲九忽三微每畝科新增銀六釐六

毫四絲科正米八升耗米六合四勺

又實在徵糧熟科田一百五十八頃三十七畝九分二釐二絲四忽一微五沙六塵每畝科新增銀五釐科正米五升四合耗米肆合三勺二抄

江寧前江寧後上元中上元前上元後江淮右興武廣洋鷹揚鎮南江陰衛實在徵糧熟增田四十二頃二十七畝六分八釐六絲八忽六微九纖一沙每畝科正米五升四合耗米四合三勺二抄

又實在徵糧熟餘田二十七頃九十三畝七分四釐八毫二絲一忽一微九纖九沙九塵九渺每畝科正米五升四合耗米四合三勺二抄

上元中衛久荒成熟田二頃七十五畝五分每畝科正米五升四合耗米四合三勺二抄

江寧前衛坍江田帶徵一十三畝

鎮南衛租豆地四頃三十三畝每畝科豆一斗三升

以上田地各科不等共徵新增銀一百三十四兩二錢八分七釐九毫九絲五忽七微九纖八沙八塵正耗米共二千六十六石二斗二合七勺七抄一撮六圭三粟八粒一稷一糠二粃每米一石加協濟銀三分該銀六十一兩九錢八分五釐二絲一忽二纖九沙一塵四渺三埃三漠六茫豆五十六石二斗九升

上元中衛久荒折糧比田九十八畝二分每畝科正
米八升每米一石折銀二錢五分
又久荒折糧增田四頃二十六畝九分八釐三毫四
絲六忽每畝科正米三升每米一石折銀三錢五分
江寧前興武二衛荒比田一十三頃八畝八分三釐
五毫六絲一忽五微三纖八沙四塵六渺一漠五埃
每畝科新增銀六釐六毫四絲科正米八升每米一
石折銀二錢五分
又荒科田三十一頃九十七畝一分五釐三毫一忽
三纖六沙九塵二渺三漠一埃二濵每畝科新增銀

五釐科正米五升四合每米一石折銀二錢五分
江寧前衛荒增田二畝一分八釐七毫四絲七忽三
微八纖四沙六塵一渺五漠三埃八渶每畝科正米
五升四合每米一石折銀二錢五分
又興武衛荒增餘田二頃七十三畝三分三釐五毫
四絲二忽四纖每畝科正米五升四合每米一石折
銀三錢二分五釐三毫九絲六忽八微五纖九沙二
渺一漠二埃三渶
投誠官兵開墾荒田九頃七十三畝三分五釐每畝
科沙壓銀三分六毫四絲

江寧前衛開墾營基地八十二畝每畝科正米五升
四合每米一石折銀二錢五分
上元後衛沙壓地二十五畝三分每畝科正米五升
四合每米一石折銀三錢
江寧後衛未豁久荒銀八分一釐
江寧右江寧前江寧後上元中衛伍分科則田塘租
地八十四頃七十一畝三分八釐七絲五忽二微又
江寧右衛丈增壁科五分租地九畝二分八釐三毫
二絲八忽八微
鷹揚石城衛四分科租草場田地三百三頃八十一

畝一分四毫四絲三忽二微六纖四沙二塵又石城衛丈增五十八畝

江寧左江寧右江寧前江寧後上元中上元前江淮右興武鎮南江陰衛七分科租苜蓿田地三十五頃二十畝八分四釐七毫陸絲一忽九微七纖七沙一塵三渺二漠六埃又江寧左衛丈增六分八釐七毫伍絲

江淮左石城鎮南衛五分科租苜蓿田地二百一十壹頃三釐六毫又石城衛丈增三十二畝

江寧右衛三分科租荒山九十九畝

石城衛二分科租荒山塘一百七十九頃八十四畝八分八釐二毫

石城衛一分科租荒石山一十六頃二十八畝六釐二絲七忽又五釐科租荒石山一十頃三十九畝九分一釐六毫三絲九忽七微又四釐科租荒石山六十一畝五分又二釐科租荒石山二頃八十七畝九分一釐五毫七絲一忽八微

投誠官兵開墾天地壇神機廚房營馬羣等田四頃五十八畝五分每畝科銀六分地九頃一十八畝七分五釐每畝科銀三分又神机廚房營地一頃六十

四畝七分每畝科銀三分

以上田地共該徵新增銀二十四兩六錢七分六釐六毫三絲三忽八微八纖八沙折糧銀八十二兩一錢九分六釐四毫三絲四微三纖一沙伍塵租銀三千三百三十四兩六錢一分七釐三毫二忽三微捌纖三沙九塵九渺二漠八埃三濵投誠官兵墾荒沙壓租銀八十四兩八錢九分五釐九毫四絲四忽

又不在丁田徵解江寧右江寧前江寧後上元中上元前上元後江淮右興武廣洋石城鎮南江陰各衞實徵房租銀一千一百一十五兩四錢四分五釐七

毫九絲九忽

江寧前上元前衛火藥銀三兩三錢七釐二毫三絲三忽二微八纖

以上共銀一千一百一十八兩七錢五分三釐三絲二忽二微八纖

丁田并不在地丁三項共實徵銀八千一百一十兩二錢八分七釐三毫五絲九忽八微一纖一沙四塵三渺三漠一埃五濵六逡

通共米二千六十六石二斗二升二合七勺七抄一撮六圭三粟八粒一稷一糠二粃豆五十六石二斗

九升

江寧

一縣田畝大總

原額並續增田地山塘𧝓産共七千四百四十八頃六十五畝三分二毫七絲四忽各科不等共實徵平米三萬九千七百二十三石五升二合九勺七抄五撮二圭一粟一顆三粒二黍徵起存并本色價值銀共二萬二千五百三十六兩八錢五分八毫七絲八忽五微七纖九沙八塵三渺七漠存留錢共四百萬六千一十文三分二釐四毫七忽本色米共二萬三

千四百八十三石一斗一升九合六勺一抄六撮本
色豆共五百三十八石六斗二升一合四勺漕贈五
米共一千二十石三斗五升五銀共一千二十兩三
錢五分
實徵荒白米一百一十石三斗四升四合五勺八抄
四撮一圭六粟一顆共徵銀二十七兩五錢八分六
釐一毫四絲六忽四纖二塵五渺
熟田并欺隱田共四十八萬五千五百七十三畝三
分六釐二毫九絲六忽内熟田四十八萬五千六十
二畝三分八釐六毫五絲每畝科平米六升八合九

勺一抄八撮七圭一粟四顆一粒欺隱田五百一十畝九分七釐六毫四絲六忽每畝科平米七升五合五勺五抄四撮二圭共徵起存并本色價值銀一萬八千九百八十八兩三錢二分三釐八毫九絲三忽五微三纖二沙六塵九渺六漠四埃存留錢三百三十七萬五千二百四十六文二分五釐六毫一絲七忽二纖五沙六塵一渺本色米一萬九千七百八十五石五斗九升八合四勺二抄七撮二圭五粟四顆七粒四黍本色豆四百五十三石八斗一升三合七抄四撮六圭七粟二顆八粒九黍漕贈五米八百五

十九石六斗九升一合三勺七抄二撮三圭五粟五顆九粒五黍五銀八百五十九兩六錢九分一釐三毫七絲二忽三微五纖五沙九塵五渺

熟地并欺隱地共一十四萬七千六十九畝八分八釐六毫一絲八忽內熟地一十四萬六千三百三畝二分六釐七毫三絲每畝科平米三升五合欺隱地七百六十六畝六分一釐八毫八絲八忽每畝科平米四升共徵起存并本色價值銀二千九百二十二兩五錢七分五釐一毫九絲一忽四微二纖八沙八塵三渺一漠存留錢五十一萬九千四百九十八文

七分七釐三毫四絲八忽三微八纖九沙九塵二渺
本色米三千四十五石二斗八升七合一勺六抄八
撮八圭五粟三顆九粒七黍本色豆六十九石八斗
四升八合三勺三抄六撮三圭九粟四顆九黍漕贈
五米一百三十二石三斗一升八合八勺二抄三撮
九圭二粟九顆八黍五銀一百三十二兩三錢一分
八釐八毫二絲三忽九微二纖九沙八渺
山塘雜產并欺隱山塘共一十一萬三百二十九畝
一分五釐一毫一絲內山塘雜產一十萬七千七百
二十畝四分四釐三絲每畝科平米一升欺隱山塘

二千六百八畝七分一釐八絲每畝科平米一升共徵起存丼本色價值銀六百二十五兩九錢五分一釐七毫九絲三忽五微一纖八沙三塵九漠六埃存留錢一十一萬一千二百六十五文二分九釐四毫四絲一忽五微八纖四沙四塵七渺本色米六百五十二石二斗三升四合一抄九撮八圭九粟一顆二粒九黍本色豆一十四石九斗五升九合九勺八抄八撮九圭三粟三顆二黍漕贈五米二十八石三斗三升九合八勺三撮七圭一粟五顆七黍五銀二十八兩三錢三分九釐八毫三忽七微一纖五沙七渺

荒田并荒灘田共壹千一百八十八畝一分五毫内
荒田一千八十五畝四分五釐五毫每畝科荒米七
升五合五勺五抄四撮二圭荒灘田一百二畝六分
五釐每畝科荒米四升共徵荒白銀二十一兩五錢
二分九釐一毫七絲一忽四纖二塵五渺
荒地并荒灘地共六百九十九畝五分九釐七毫五
絲内荒地五百一十一畝七分九釐零每畝科荒米
四升荒灘地一百八十七畝八分每畝科荒米二升
徵荒白銀六兩五分六釐九毫七絲五忽
又康熙二年陞科田五畝二分并墾荒成熟又康熙

四年陞科共銀五兩柒錢六分三釐三毫七絲六微六纖四沙六塵四渺三漠本色米五石三斗六升六合二勺九抄七撮一圭一粟八顆一粒四黍本色豆五升八合三勺九抄三撮六粟漕贈五米二斗三升一合八勺五抄七撮二圭五粟二顆一粒六黍五銀二錢三分一釐八毫五絲七忽二微五纖二沙一塵六渺

又康熙五年陞出田地山塘九十一畝六分五毫一絲三忽四微并墾荒成熟又七年八年共陞增起存銀三十九兩三錢九分九釐四毫六絲二忽四微五

纖二沙七塵五渺三漠本色米三十七石五斗五升四合七勺六撮四圭二粟二顆二粒四黍本色豆八斗六升三合八勺一抄九撮二圭五粟八顆八粒五黍漕贈五米一石六斗五升四合三勺六抄三撮六圭六粟六顆八粒九黍五銀一兩六錢五分四釐三毫六絲三忽六纖六沙六塵八渺九漠

又清丈見實在牧馬草場田地山塘等項共二百一十二項二十五畝一分二釐七絲九忽八微應徵銀二百六十九兩四錢八分二釐三毫五絲六忽零

本縣丁銀詳載戶口志衛所丁銀倣此

通共丁田二項共徵起存并本色價值銀二萬五千一百八十九兩二錢八分七釐六毫二忽三微一纖三沙二塵陸漠錢四百萬六千一十文三分二釐四毫七忽本色米二萬四千一百九石四斗六升六合五勺九抄九撮四圭三粟四顆九粒豆五百五十二石九斗三升九合七抄二撮六圭九粟九顆三粒漕贈五米一千四十七石六斗一升二合二勺六抄八撮六圭九粟四顆一粒三黍五銀一千四十七兩六錢一分二釐二毫六絲八忽六微九纖六沙一塵二渺五漠又牧馬草場租銀二百六十九兩四錢八分

二釐三毫五絲六微四塵

起運原額銀一萬六千四百三十一兩六錢五分九釐五毫三絲八忽三微八纖三沙一塵九渺四漠內除協濟驛站改於本地支給歸入存留銀一萬三千三百一十二兩四錢五分二釐三毫五絲實存起運銀三千一百一十九兩二錢七釐一毫八絲八忽三微八纖三沙一塵九渺四漠又陞增銀一十六兩八錢九釐六毫二絲三忽三微四纖三塵閏月銀六兩四錢七釐二毫五絲二忽七微五纖

又牧馬草塲租并先後清丈增正脚充餉共銀二百

六十九兩四錢二分八釐三毫五絲六微四塵

外不在丁田匠班銀一兩三錢五分

又康熙十六年清查出坊廂房地租銀四十四兩五

錢九分一釐二毫四絲一忽一微

又額辦本色物料等項內解　北部銀硃膩硃滕黄

黑鉛烏梅紅熟銅黄蠟并原解南今改解　北黄絲

絹白蔴魚線膠以上共價值塟脚銀九十二兩九錢

一分六釐九毫七忽六微一纖續奉　部文止辦烏

梅紅熟銅黄蠟白蔴黄絲絹等項餘欵照徵折銀候

撥兵餉

存留原額銀一萬九百六十三兩二錢三分一釐六
絲五忽六纖二沙六塵一渺八漠又起運抵驛站銀
一萬三千三百一十二兩四錢五分二釐三毫五絲
又自康熙十一年至二十年共增人丁銀九十六兩
四錢九分六釐實共存留銀二萬四千三百七十二
兩一錢七分九釐四毫一絲五忽六纖二沙六塵一
渺八漠內搭徵錢三百七十一萬一千八百七十三
文七分六毫七絲七忽實徵銀二萬六百六十兩三
錢五釐七毫八忽二微九纖二沙六塵一渺八漠續
陞增一十三兩六錢四分七釐五毫六絲九忽二微

三纖七沙四渺四漠閏月銀一千五百七十四兩一
錢三分九毫七絲內徵錢二十九萬四千一百三十
六文六分一釐七毫三絲徵銀一千二百七十九兩
九錢九分四釐三毫五絲二忽七微
外不在丁田學租銀一百一十八兩八錢三分五釐
四毫又學租錢二萬一千六百文
起運地丁正耗米幷陞增共二萬三千七百八十九
石八斗四升一合一抄五撮八圭七粟九粒五黍漕
贈五米共一千四十七石六斗一升二合四勺六抄
八撮六圭九粟六顆一粒三黍五銀一千四十七兩

六錢一分二釐四毫六絲八忽六微九纖六沙一塵二渺五漠

起運地丁正耗豆并陞增共五百五十二石九斗叁升九合七抄二撮六圭九粟九顆三粒

存留地丁米并陞增共二百九十五石六斗四升五合五勺八抄三撮五圭六粟三顆九粒五黍閏月米二十四石

一本縣房號銀共六千四百六十二兩五錢

一縣蘆課額銀七千三十八兩三錢五分八釐六毫八絲九忽四微七纖一沙四塵

一縣銷引鹽二萬六千八百六引每引二百六十二斤共鹽七萬二百三十一斤

一府總錢糧外本縣上新河堆木江灘每年納銀三十四兩四錢八分四釐

一本縣額徵三山上新河觀音門等處鰣魚折價銀一百九十二兩八錢四分

以上二項俱起批解

江蘇布政司候撥充餉每年並無增減

一縣歸併各衛錢糧大總

原額田地九百四十七項四十畝三分七釐一毫一

絲五忽一微二纖一沙五塵九漠七埃今實徵糧熟
田地九百一十九頃七十八畝六分一釐五毫四絲
三忽九微八纖一沙五塵九渺三漠一埃
江寧左江寧右江寧前江寧後上元中上元前江淮
左石城江陰衛實在徵糧熟比田四百一十一頃七
十一畝五分三絲九微四纖一沙八塵二渺每畝科
新增銀六釐六毫四絲科正米八升耗米六合四勺
江寧左江寧右江寧前江寧後上元中上元前江淮
左石城衛實在徵糧熟科田一百二十七頃七十四
畝六分一釐四毫七絲一忽四微二纖二沙九渺四

漠八埃每畝科新增銀五釐科正米五升四合耗米四合三勺二抄

江寧右江寧前江寧後上元中上元前江淮左石城江陰衛實在徵糧熟增田六十頃三十七畝七釐七毫九絲六忽三微八纖六沙七塵二渺七漠六埃每畝科正米五升四合耗米四合三勺二抄

江寧左江寧右江寧前江寧後上元中上元前江淮左石城江陰衛實在徵糧熟餘田六十六頃一十畝七分三釐八毫七絲九忽五微一纖三沙九塵八渺三漠每畝科正米五升四合耗米四合三勺二抄

石城衛代坍江米三石七斗九升二合三抄一撮八圭

以上田地各科不等共徵新增銀三百三十七兩二錢五分一釐八毫三絲五忽六微二纖五沙六塵四渺一漠伍埃八湞八蔽正耗米共五千四十三石六斗四升五合八勺六抄二撮五粟二粒三黍九稷二糠五粃每米一石加協濟銀三分該銀一百五十一兩三錢九釐三毫七絲五忽八微六纖一沙五塵七渺一漠七埃七湞五蔽

江寧右石城衛久荒折糧比田一十九頃四十五畝

三分五釐每畝科新增銀六釐六毫四絲科正米八升每石折銀二錢五分

石城衛久荒折糧科田一十畝每畝科新增銀伍釐科正米五升四合每石折銀二錢五分

江寧右衛久荒折糧增田四十四畝四分每畝科正米五升四合每石折銀二錢五分

江寧右石城衛久荒折糧餘田一頃九十畝九分七釐五毫每畝科正米五升四合每石折銀二錢五分

石城衛沙壓折糧比田三頃四十一畝九分每畝科新增銀六釐六毫四絲科正米八升每石折銀三錢

又沙壓折糧餘田三十四畝一分九釐每畝科正米五升四合每石折銀三錢

上元中衛沙壓折田一畝五分六釐三毫三絲三忽三微三纖三沙三塵每畝科正米三升每石折銀三錢

投誠宮兵開墾上元中石城衛荒田一十九頃六十七畝二分三釐每畝科沙壓比田折糧三分六毫四絲

江陰衛八分科租草塲田地八十八頃八十三畝五釐八毫九絲八忽七微六纖又六分五釐科租草塲

田地一頃八十二畝三分七釐五毫又六分科租草塲田四十三畝一分一釐一毫九絲一忽六微八纖五沙

江寧右江陰衛五分科租草塲田地一十九畝八分一釐二毫二絲九忽六微五纖八沙

江寧右鎮南江陰衛四分科租草塲井增出田地共四十二頃九十一畝七分三釐九絲五忽一微又二分科租草塲田井蘆地一十七頃六十一畝五分三釐六毫一絲五忽六微七纖二沙二塵三渺四漠一埃

鎮南江陰衛三分科租草塲田地二十一頃五分五釐九毫一絲四忽八纖三沙五塵四渺九漠六埃又一分科租草塲井灘地一頃八十一畝七分六釐一毫一絲三忽一微二纖四沙八塵八渺三漠

鎮南衛六釐科租草塲地九十四畝五分九釐二毫八絲九忽

江寧右衛五釐科租地二十五畝六分五釐二毫四絲一忽又二釐科租草塲溝埂基地四頃三十五畝三分又無租坍江二十五畝七毫四絲

江寧左江寧後上元中石城衛七分科租苜蓿地四

頃七十三畝五分六毫七絲四忽三微
鷹揚衛六分科租苜蓿地四畝九分三釐一毫三絲
又五分四釐科租苜蓿地二十畝六分四釐三毫
江寧左江寧右江寧後上元中衛五分科租田塘租
地二十二頃八十畝二分五釐六毫五絲又江寧左
衛丈增五分租地一十六畝六分三釐九毫
江寧後衛久荒銀二錢改折本色屯米荒銀未奉除
豁
以上田地共徵新增銀一十五兩二錢三分七釐三
毫四絲折糧銀五拾一兩一錢一分四釐六毫一絲

五徵租銀一千一百四十八兩九錢五分六釐四毫

六絲一忽九微六纖投誠官兵墾荒沙壓銀六十兩

二錢七分五釐九毫二絲七忽二微

又不在丁田徵解江寧左江寧右江寧後上元中上

元前江淮左江淮右鎮南鷹揚石城江陰衛房地租

銀五百七兩五錢四分一釐八毫七絲二忽

上元前火藥銀一錢六分五釐七毫二絲二微一纖

以上共銀五百七兩七錢七釐五毫九絲二忽二微

一纖

丁田并不在丁田三項共實徵銀四千七百七十一

兩四錢二分八釐一毫四絲三忽三微五纖七沙二塵一渺三漠三埃六渶三茫

通共實徵本色米五千四十三石六斗四升五合八勺六抄二撮五粟二粒三黍九稷二穈五粃

句容

一縣田畝大總

原額田地山塘蘆蕩草塌共一萬四千四百九十九項四十二畝一毫各科不等共實徵平米六萬一百二十七石七斗五升九合七勺六抄八撮二圭九粟五顆五粒五黍徵起存并本色價值銀共五萬一千

四十一兩四錢八分八釐八毫六絲一忽六微二纖
七沙一塵六渺二漠存留錢共二百八十五萬九千
八十三文六分一釐四毫八絲七忽五微本色米共
三萬八千三百五石一斗四升五合一勺二抄本色
豆共五百七十三石二斗六升漕贈五米共一千六
百六十八石三斗七升五合五銀共一千六百六十
八兩三錢七分五釐
實徵荒白米四千五百三十七石一斗三升四勺五
抄二撮一圭一粟七顆銀一千一百三十四兩二錢
八分二釐六毫一絲三忽二纖九沙二塵五渺

田地共九千九百三十五頃八十一畝三分四毫内田七千三百六十三頃五十八畝一分一毫每畝科平米六升七合四勺一抄四撮四圭六顆一粒三黍帶荒米三合一勺二抄五撮地二千五百七十二頃二十三畝二分三毫每畝科平米二升九合三勺二抄二撮帶荒米一合五勺六抄四撮共徵起存并本色價值銀四萬八千五百四十二兩一錢五釐五毫四絲九微五纖四沙八塵九渺荒白銀六百七十五兩八錢五分四釐三絲八忽七微七纖九沙二塵五渺存留錢二百七十一萬九千八十文九分二釐一

毫七絲八忽三微九纖九沙九渺本色米三萬六千四百二十九石四斗三升一合一抄六圭七粟二顆陸粒九黍本色豆五百四十五石一斗八升八合七勺八抄七撮四圭七粟四顆五粒八黍漕贈五米一千五百八十六石六斗七升八合五勺四抄三撮九圭九粟八顆陸粒八黍五銀一千五百八十六兩六錢七分八釐五毫四絲三忽九微九纖八沙六塵八渺

山塘共四千二百三十三頃五十一畝四釐八毫內山三千八百六頃四十三畝八分九釐二毫每畝科

平米六合帶荒米一合塘四百二十七頃七畝一分五釐六毫每畝科平米一升共徵起存并本色價值銀二千三百一兩二錢六分九釐七絲五忽二微九纖五沙四塵二渺七漠荒白銀九十五兩一錢六分九釐七絲三忽存留錢一十二萬八千九百五文三分四釐四毫五絲一忽四微二纖七沙五塵九渺五漠本色米一千六百三石六斗四升二合八勺四撮六粟八顆陸粒五黍本色豆二十五石八斗四升六合一勺四抄八圭二粟四顆三粒九黍漕贈五米七十五石二斗二升七勺六抄六撮七圭七粟四顆五

粒四黍五銀七十五兩二錢二分七毫六絲六忽七微七纖四沙五塵四渺

蘆蕩草場二百三十三頃三十八畝二分二毫共徵起存并本色價值銀一百九十八兩一錢一分四釐二毫四絲五忽三微七纖六沙八塵四渺五漠存留錢一萬一千九十七文三分四釐八毫五絲七忽六微七纖三沙三塵九渺六漠本色米二百七十二石七升一合三勺五撮五圭五粟八顆六粒六六黍本色豆二石二斗二升五合七抄一撮七圭五粒八黍漕贈五米六石四斗七升五合六勺八抄九撮二圭二

粟六顆七粒八黍五銀六兩四錢七分五釐六毫八
絲九忽二微二纖六沙七塵八渺
荒田地并墾荒成熟增陞九十六頃二百二畝三分
三釐共徵荒白銀三百八十一兩三錢九分二釐三
毫九忽四微二纖四沙九塵四渺三漠起存銀五十
三兩四錢四分五釐五毫四絲一忽六微七纖九沙
三塵七渺二漠本色米六十五石五斗七升九合一
勺四抄四圭八顆六粒本色豆九斗八升六勺三抄
四撮一圭二粟八顆一粒九黍漕贈五米二石八斗
五升八合二勺二抄四撮四圭一粟四顆三粒九黍

五銀二兩八錢五分八釐二毫二絲四忽四微一纖四沙三塵九渺

又清丈見實在牧馬草場田地山塘等項共三萬八千四百四十七畝九分五釐四毫應徵銀六百一十三兩一錢一分四釐一毫四絲一忽三微七沙二塵

一縣丁銀詳載戶口志（衛所丁銀倣此）

通共丁田二項共徵起存并本色價值銀五萬九千二十五兩六錢二分五釐七毫二絲四忽五微一纖七塵二渺七漠錢二百八十五萬九千八百三文六分一釐四毫八絲七忽五微本色米三萬八千三百

七十石七斗二升四合二勺六抄四圭八顆六粒豆五百七十四石二斗四升六勺三抄四撮一圭二粟八顆一粒九黍漕贈五米一千六百七十一石二斗三升三合二勺二抄四撮四圭一粟四顆三粒九黍五銀一千六百七十一兩二錢三分三釐二毫二絲四忽四微一纖四沙三塵八渺三漠又牧馬草塲租銀六百一十三兩一錢一分四釐一毫四絲一忽三微七沙二塵

起運原額銀三萬五千九百八十五兩六錢五分二釐六毫二絲三忽四微五纖六沙一渺四漠今實在

起運又奉文協濟驛站改于本地支給歸入充餉銀二千一百四十九兩五錢二分六釐五毫八絲七忽又加入禮屬藥材折色銀二十一兩七錢五分九釐一毫六絲二忽實共銀三萬八千一百五十六兩九錢三分八釐三毫七絲二忽四微五纖六沙一渺四漠又陞增銀三十二兩一錢二分六釐二毫九絲八忽五微七沙七塵九渺九漠閏月銀四兩八錢四分一釐一毫三絲八忽六微二纖五沙

又草塲租銀并清丈新陞充餉銀共六百一十三兩一錢一分四釐一毫四絲一忽三微七沙二塵

外不在丁田匠班銀二百六十九兩五錢五分
又額辦本色物料等項內解　北部銀硃臙硃膳黃
黑鉛烏梅紅熟銅黃蠟并原解南今改解　北黃蠟
白蠟黃絲絹白蘇魚線膠禮屬藥材共價值墊脚銀
三百七十三兩五錢八分三釐九毫四絲四忽五微
七纖八沙七塵五渺續奉部文止辦烏梅紅熟銅黃
蠟白蘇黃絲絹等項餘照徵折銀候撥兵餉
存留原額銀二萬四千一百一十八兩七錢四分五
釐一毫四絲九忽四纖六沙五塵九渺一漠內除協
濟驛站歸入起運充餉銀二千一百四十九兩五錢

二分六釐五毫八絲七忽又自康熙十一年至二十
年共增人丁銀一十一兩四錢五分四釐實共存留
銀二萬一千九百八十兩六錢七分二釐五毫六絲
二忽四纖六沙五塵九渺一漠內搭徵錢二百六十
五萬五千七百八十三文六分一釐五毫六絲七忽
五微實該銀一萬九千三百二十四兩八錢八分八
釐九毫四絲六忽三微七纖一沙五塵九渺一漠續
陞增銀二十一兩三錢一分九釐二毫四絲三忽一
微七纖一沙五塵七渺三漠閏月銀一千三百一十
五兩二錢二分七釐七毫八絲內徵錢二十萬三千

二百九十九文九分九釐九毫二絲實徵銀一千一百一十一兩九錢二分七釐七毫八絲八微

外不在丁田學租銀二百二兩八錢五分七釐七毫

起運地丁正耗米并陞增共三萬八千一百二十八石五斗四升二合四勺四抄八撮五圭八顆一粒三黍漕贈五米共一千六百七十一石二斗三升三合二勺二抄四圭一粟四顆三粒九黍五銀共一千六百七十一兩二錢三分三釐二毫二絲四忽四微一纖四沙三塵九渺

起運地丁正耗豆并陞增共五百七十四石二斗四

升六勺三抄四撮一圭二粟八顆一粒九黍

存留地丁米并壁增共二百二十三石五斗八升一合八勺一抄一撮九圭四粒七黍閏月米一十八石六斗

一縣蘆課共銀一千三百八十六兩七分九釐八毫八絲五忽

一額銷引鹽九千七十六引每引二百六十二斤共鹽二萬三千七百十九斤

一縣歸併各衛錢糧大總

原額屯田五十一頃八十三畝六分四釐八絲四忽

今實在各衛徵糧熟田四十七頃七十九畝八分二釐七毫四絲

江寧前江寧後衛實在徵糧熟比田一十八頃六十四畝六分三釐五毫八絲六忽每畝科新增銀六釐六毫四絲科正米八升耗米六合四勺

又實在徵糧熟科田六頃四十九畝九分七釐一絲四忽每畝科新增銀五釐科正米五升四合耗米四合三勺二抄

又實在徵糧熟增田六十三畝六分四釐一毫每畝科正米五升四合耗米四合三勺二抄

又實在徵糧熟餘田四頃五十九畝六分七釐六毫四絲每畝科正米五升四合耗米四合三勺二抄以上田畝各科不等共徵新增銀一十五兩六錢三分一釐三絲二忽八微一纖四塵正耗米共二百二十九石五斗三升六勺六抄七撮六圭三粟六粒八黍每米一石加協濟銀三分共協濟銀六兩八錢八分五釐九毫二絲二微九沙一塵四漠

江寧後衛允荒折糧比田二頃四十七畝八分八釐三毫八絲四忽六微一纖五沙三塵八渺四漠六埃二溟每畝科新增銀五釐科正米八升每米一石折

銀二錢五分

又久荒折糧科田一頃二十六畝九分六毫一絲五忽三微八纖四沙六塵一渺五漠三埃八溟每畝科

新增五釐科正米五升四合每米一石折銀二錢五分

江寧石衛允荒坍江比田三頃五十畝每畝科新增銀六釐六毫四絲科正米八升每米一石折銀二錢五分

又久荒坍江增田二十一畝三分每米科正米五升四合每米一石折銀二錢五分

又荒坍江餘田三十七畝一分三釐每畝科正米五升四合每米一石折銀二錢五分

投誠官兵開墾江寧前江寧後衛荒田九頃五十八畝六分八釐四毫每畝科沙壓折糧銀三分六毫四絲

以上田畝共徵新增銀四兩一錢九分七釐九毫五絲折糧銀一十四兩四錢五分九釐七毫一絲五忽

又投誠官兵墾荒沙壓銀二十九兩三錢七分六釐七絲七忽七微六纖

丁田二一頃共實徵銀一百四十五兩九錢九分八釐

六毫九絲五忽五微九纖九沙五塵四漠
通共實徵本色米二百二十九石五斗三升六合六
抄七撮六圭三粟六粒八黍

田賦中

溧陽

一縣田畝大總

原額并續增田地山塘共一萬六千四百七十頃伍畝四分八釐二毫各科不等共實徵平米八萬五千六百三十五石六斗七升九合二抄八撮九圭九顆七粒二黍徵起存并本色價值銀共五萬七千五百六十九兩二錢五分一釐二毫八忽二微四纖八沙一渺二埃存留錢共八十九萬二千三百二十七文九分二釐六絲二忽八微七纖伍沙八渺本色米共

五萬四千七百四十二石八斗八升二合八抄本色豆共一千三百四十七石八斗五升五合五勺漕贈五米共二千三百三十七石一斗四升五合五銀共二千三百三十七兩一錢四分五釐

實徵荒白米五千八百四十五石三斗八升二合九勺一抄四撮八粟五顆銀一千四百六十一兩三錢四分五釐七毫二絲八忽伍微二纖一沙二塵五渺

田地共一百一十萬九千八百六十三畝三釐八毫內田九十五萬八千六百七畝三分九釐每畝科平米七升五合一勺八抄二撮五圭八粟地一十五萬

一千二百五十五畝六分四釐八毫每畝科平米二升九合七抄七圭共徵起存并本色價值銀五萬一千四百五兩九錢九分五厘四毫八絲九忽三纖五塵三渺八漠七埃存留錢七十九萬六千七百九十六文九分七釐二毫三絲四忽九微九纖七塵一渺六漠本色米四萬八千八百八十二石二斗一升二合一勺二抄一撮九圭一粟七顆一粒九黍本色豆一千二百三石五斗五升六合六勺二抄五撮六圭七粟六顆七粒七黍漕贈五米二千八十六石九斗三升四合六勺五抄七撮八圭五粟五顆七粒五銀

二千八十六石九斗三升四合六勺五抄七撮八圭
五粟五顆七粒
沙荒次荒全荒田共一十七萬六千四百三十四畝
二分五厘內沙荒田一萬六千一十六畝每畝科平
米六升八合一勺八抄二撮五圭八粟帶荒米七合
次荒田一十五萬畝每畝科平米四升二合一勺八
抄二撮五圭八粟帶荒米三升三合全荒田一萬四
百一十八畝二分五厘每畝科荒米七升五合一勺
八抄二撮五圭八粟共徵起存并本色價值銀四千
九百八十七兩七錢四分八釐八毫一絲三忽七纖

四沙四塵八渺荒白銀一千四百六十一兩三錢四分五釐七毫二絲八忽五微二纖一沙二塵五渺存留錢七萬七千三百一十四文九釐八毫八絲九微一纖八沙三塵四渺本色米四千七百四十二石八斗七升四合七勺一微一圭五粟七顆一粒本色豆一百一十六石七斗七升七合三撮八圭二粟二顆五粒伍黍漕贈五米二百二石四斗八升八合一勺六抄七撮一圭七粟八顆五粒六黍五銀二百二兩四錢八分八釐一毫六絲七忽一微七纖八沙五塵六渺

山塘三十六萬七百七畝六分九釐四毫每畝科平
米四合八勺四抄七撮六圭八粟共徵起存并本色
價值銀一千一百七十五兩五錢六釐九毫六忽一
微四纖二沙九塵九渺一漠五埃存留錢一萬八千
二百二十文四分四釐九毫四絲七忽九微六纖六
沙六渺本色米一千一百一十七石七斗九升五合
二勺五抄六撮九圭二粟五顆七粒一黍本色豆二
十七石五斗二升一合八勺七抄五圭六粒八黍漕
贈五米四十七石七斗二升二合一勺七抄四撮九
圭六粟五顆七粒四黍五銀四十七兩七錢二分二

釐一毫七絲四忽九微六纖五沙七塵四渺

又陞出并丈增田地山塘九十二畝九分九釐六毫六絲一忽八微應增銀五錢一分五釐九毫五絲四忽九微五纖八沙二塵四渺三漠本色米四斗八升九合四勺二抄一撮六圭四粟六顆九粒三黍本色豆一升一合八勺二抄一撮八圭九粟二顆三粒三黍漕贈五米二升九勺七抄一撮八圭七粟七顆四粒五黍五銀二分八毫七絲一忽八微七纖七沙四塵五渺

一縣丁銀詳載戶口志

通共丁田二項共徵起存并本色價值銀六萬四千四百六十五兩九分七釐八毫九絲一忽七微二纖七沙五塵三漠二埃錢八十九萬二千三百二十七文九分二厘六絲二忽八微七纖五沙八渺本色米五萬四千七百四十三石三斗七升一合四勺四抄七撮六圭四粟六顆九粒三黍豆一千三百四十七石八斗六升七合三勺二抄一撮八圭九粟二顆三粒三黍漕贈五米二千三百三十七石一斗六升五合九勺七抄一撮八圭七粟七顆四粒五黍五銀二千三百三十七兩一錢六分五釐九毫七絲一忽八

微七纖七沙四塵五渺

起運原額銀四萬三千五百二十八兩六錢一分一釐一毫一絲九忽三微九沙八塵五渺八漠又協濟驛站改於本地支給歸充餉銀六千九百八十七兩七錢一分六厘九毫内除禮屬藥材折色銀二十一兩七錢五分九釐一毫六絲二忽在於句容縣徵解外實該銀五萬四百九十四兩五錢六分八釐八毫五絲七忽三微九沙八塵五渺八漠閏月銀四兩二錢九分三釐五毫一絲八忽

外不在丁田匠班銀三十一兩五分

又額辦本色物料等項内　北部銀硃臙硃膰黄黑鉛烏梅紅熟銅黄蠟并原解南今改解　北黄蠟白蠟黄絲絹共價值墊脚銀二百九十七兩六錢四分五釐五毫五絲九忽五微五沙續奉　部文止辦烏梅紅熟銅黄蠟等項餘欵照徵折銀候撥兵餉存留原額銀二萬一千五十五兩三錢八分五釐四毫五絲七忽五微四纖一沙三塵九渺六漠内除協濟驛站歸入起運克餉銀六千九百八十七兩七錢一分六釐九毫又自康熙十一年至二十年共增入丁銀六十兩二錢五分實共存留銀一萬四千一百

二十七兩九錢一分八釐五毫五絲七忽五微四纖一沙三塵九渺六漠内搭徵錢八十四萬一千四百四十八文七分八釐三毫七絲二忽八微七纖五沙八渺實該徵銀一萬三千二百八十六兩四錢六分九釐七毫七絲三忽八微一纖二沙六塵四渺五漠二埃閏月銀四百三十二兩九錢九分九釐三毫二絲内徵錢五萬八百七十九文一分三釐六毫九絲徵銀三百八十二兩一錢二分一毫八絲三忽一微外不在丁田學租銀一百五十一兩三錢一分二釐起運地丁米五萬四千三百九十二石三斗六升八

合六勺五撮九圭二粟三顆九粒一黍漕贈五米二千三百三十七石一斗六升五合九勺七抄一撮八圭七粟七顆四粒五黍五銀二千三百三十七兩一錢六分五釐九毫七絲一忽八微七纖七沙四塵五渺一漠

起運地丁豆一千三百四十七石八斗六升七合三勺二抄一撮八圭九粟二顆三粒三黍

存留地丁米三百二十四石二合八勺四抄一撮七圭二粟三顆二黍閏月米二十七石

一縣蘆課共銀一百七十八兩六錢八分五釐六毫

五絲一忽二微五纖
一額銷引鹽自崇禎九年淮浙兩院會疏改浙每年行銷杭嘉二府正引二萬三千六十引加紹引七百二十五引每引掣鹽二百五十觔
一縣歸併各衛錢糧無
溧水
一縣田畝大總
原額田地山塘溝壩灘蕩共一萬五百七十九頃八十一畝六釐四毫各科不等共該實徵平米四萬六百七十三石八斗二升二合四勺二抄三撮三圭四

粟一顆四粒八黍徵起存并本色價值銀共五萬一千七百一十二兩六錢一分四釐六絲九忽八微四纖八沙四塵九渺一漠三埃存留錢共九十六萬一千四百一十七文五釐二毫七絲本色米共三千三百二十二石六斗五升一合二勺本色豆共五百四十石三斗四合五勺

實徵荒白米一千三百六十四石八斗九升二合二勺八抄六撮五圭六粟銀三百四十一兩二錢二分三釐七絲一忽六微四纖

田地共七十萬七千六百五畝二分八釐六毫內田

五十五萬八千八百五十十六畝六分三釐六毫四絲
每畝科平米六升三合八勺八抄五撮五圭七粟八
顆地一十四萬八千七百四十八畝六分四釐九毫
六絲每畝科平米二升七勺一抄九撮三圭共徵起
存并本色價值銀四萬九千三百一十兩九錢七分
四釐七毫七絲三忽二微二纖六沙九渺九漠存留
錢九十一萬六千七百六十六文八分八釐三毫四
絲三忽七微四沙九塵二漠本色米三千一百六十
八石三斗四升四勺九抄九撮七圭八顆九黍本色
豆五百一十五石二斗一升一合六勺五抄六撮七

圭四粟九粒九黍
荒廢田共二萬四千二百五十四畝二分六釐八毫
內荒田一萬九千四百二十四畝四分三釐每畝科
荒米六升三合八勺八抄廢田四千八百二十九畝
八分三釐八毫每畝科荒米二升一合三勺二抄共
徵荒白銀三百三十五兩九錢五分一釐一毫八絲
三忽六微四纖
荒地五千八百一十八畝六釐三毫每畝科平米一
升三勺五抄九撮六圭五粟共徵起存并本色價值
銀七十六兩六錢三分一釐九絲五微八纖六沙九

塵四渺二漠存留錢一千四百二十四丈六分八釐九毫八絲六忽六微九纖五沙二塵八渺九漠本色米四石九斗二升三合七勺一抄九撮九粟七粒一黍本色豆八斗六勺五抄八撮九粟五顆三粒九黍山塘溝壩共三十一萬八千六百五十五畝九分八釐二毫内山塘三十一萬五千七十一畝五分二釐八毫每畝科平米五合七勺七抄一撮二圭五粟七顆一粒溝壩三千五百八十四畝四分五厘四毫每畝科平米二合八勺八抄五撮六圭二粟八顆五粒五黍共徵起存并本色價值銀二千三百二十五兩

八厘二毫六忽三纖五沙四塵五渺九埃存留錢四萬三千二百二十五文四分七厘九毫三絲九忽五微九纖九沙九塵九漠本色米一百四十九石三斗八升六合九勺八抄一撮二圭一顆二粒本色豆二十四石二斗九升二合一勺八抄五撮一圭六粟三顆六粒二黍

又丈增出山塘溝壩共三萬九千四百七十五畝三分七釐七毫四絲一微四纖應增銀二百三十三兩二錢六分三厘八毫七絲五忽八微七纖四沙七塵四渺一漠米一十四石七斗六升二合四勺六抄一

撮九圭六粟四顆六粒七黍豆二石四斗一升九合三勺四抄六撮二圭四粟三顆四粒二黍

湖灘草塲田一千六百四十七畝四分六厘五毫每畝科荒米一升二合八勺共徵荒白銀五兩二錢七分一釐八毫八絲八忽

又清丈見實在田地山塘草塲一百五十四頃二十二畝八分五釐二毫應徵銀八十九兩一錢五分八釐三毫八絲五忽二微一纖外徵水脚銀八錢九分一釐五毫八絲三忽八微五纖二沙一塵原不起科草塲一百六頃九十五畝一釐八毫八絲四忽七微

六纖

一本縣丁銀詳在户口志衛所丁銀倣此

通共丁田二項共徵起存并本色價值銀五萬六千四百八十六兩五分一釐一絲七忽三微六纖三沙二塵三渺二漠三埃錢九十六萬一千四百一十七文五釐二毫七絲本色米三千三百三十七石四斗一升三合六勺六抄一撮九圭六粟四顆六粒七黍豆五百四十二石七斗二升三合八勺四抄六撮二圭四粟三顆四粒二黍又征牧馬草塲租銀八十九兩一錢五分八釐三毫八絲五忽二微一纖水脚銀

八錢九分一釐五毫八絲三忽八微五纖二沙一塵

起運原額銀三萬五千一百九十四兩九錢三分九

忽五微二纖四沙七塵三渺八漠又協濟驛站改于

本地支給歸入充餉銀五千八百五十三兩一錢一

分四釐三毫五絲實共起運銀四萬一千四十八兩

四分四釐三毫五絲九忽五微二纖四沙七塵三渺

八漠閏月銀三兩六錢六分九釐九毫五絲八忽五

微

又牧馬草塲租銀九十兩四分九釐九毫六絲九忽

六纖二沙一塵

外不在丁田匠班蘇膠漁課等項共銀一百三十八兩三錢四分七釐九毫六絲四忽七纖五沙閏月銀三兩九錢五釐七毫五絲六微一纖

又額辦本色物料等項內解　北部銀硃膩硃藤黄黑鉛烏梅紅熟銅黄蠟并原解南今改解北黄蠟白蠟黄絲絹共價值塾脚銀一百八十七兩四錢七分五釐二毫七絲二忽二微二纖一沙二塵五渺續奉部文止辦烏梅紅熟銅黄蠟黄絲絹等項餘欵照徵折銀候撥兵餉

外不在丁田雜辦本色物料等項內白蘇魚線膠共

編價銀二十五兩一錢九分二釐一毫九絲六微二纖五沙續奉文止辦白蘇餘欵照徵折銀俟撥兵餉存留原額銀二萬一千六百二十四兩七錢六分三釐二毫七絲九忽八微一纖七沙二塵四渺四漠三埃内除協濟驛站歸入起運充餉銀五千八百五十三兩一錢一分四釐三毫五絲又自康熙十一年至二十年共增人丁銀三十七兩一錢五分實該存留銀一萬五千八百八兩七錢九分八釐九毫二絲九忽八微一纖七沙二塵四渺四漠三埃内搭徵錢九十萬三千九百四十四文七分五釐三毫七絲實該

銀一萬四千九百四兩八錢五分四釐一毫七絲六忽一微一纖七沙二塵四渺四漠三埃閏月銀三百九十九兩四錢七分九釐五毫五絲內徵錢五萬七千四百七十二文二分九釐九毫徵銀三百四十二兩七釐二毫五絲一忽

外不在丁田學租銀六十二兩九分九釐四毫

起運地丁米三千石六斗二升七合三勺五抄一撮七圭二粟三顆四粒五黍

起運地丁豆五百四十二石七斗二升三合八勺四抄六撮二圭四粟三顆四粒二黍

存留地丁米三百一十石九斗八升六合三勺一抄

二圭四粟一顆二粒二黍閏月米二十五石八斗

一縣蘆課共銀三十六兩五錢五分九毫一忽八微

一額銷引鹽八千一百引每引二百六十二觔共鹽

二萬一千二百二十觔

一縣歸併衛所田畝無

高淳

一縣田畝大總

原額田地山塘草塲柳墩共七千三百三十九頃六

十六畝八分五釐一毫各科不等共實徵平米四萬

一千三百六石三斗三升三合八勺三抄二撮徵起
存并本色價值銀共四萬一千六百三十一兩五毫
五微五纖五沙五塵九漠存留錢共六十八萬六千
一百六文七釐一毫五絲二忽本色米共一千一百
八十八石五斗五升七合四勺四抄本色豆七百四
十六石一斗三升二勺實徵荒白米三千五百五十
三石九斗二升四合九勺四抄四撮銀八百八十八
兩四錢八分一釐二毫三絲六忽
熟田四十四萬七千五百九十七畝六分每畝科平
米八升六合帶荒米七合九勺四抄徵起存并本色

價值銀共三萬八千七百九十五兩九錢五分六毫三絲三忽玖微二纖六沙七塵七渺五漠荒白銀八百八十八兩四錢八分一釐二毫三絲六忽存留錢六十三萬九千三百八十二文五分九釐八毫五絲三忽九微一沙二塵三渺二漠本色米一千一百七石六斗一升七合二勺八抄四撮七圭二粟七顆九粒九黍本色豆六百九十五石三斗一升九合一勺一抄四撮五圭四粟一顆三粒三黍

荒田六千二百四十畝九釐二毫每畝科平米一升徵起存并本色價值銀共六十二兩八錢九分一釐

三毫八絲九忽五微四纖六沙三塵七渺五漠存留
錢一千三十六文四分九釐一毫一絲六忽五微八
沙八渺一漠本色米一石七斗九升五合五勺三抄
七撮六圭五粟三顆六粒四黍本色豆一石一斗二
升七合一勺六抄八撮八圭四顆六粒四黍
熟地湖熟地共七萬七千二百七十畝一分三釐八
毫內熟地七萬五千九百七十六畝四分六釐三毫
每畝科平米二升五合湖熟地一千二百九十三畝
六分七釐五毫每畝科平米一升二合共徵起存并
本色價值銀一千九百二十九兩九錢八分七釐一

絲七忽六微二纖六沙二塵六渺存留錢三萬一千八百七文四分四釐六毫二絲伍忽一微二纖八沙一塵八渺一漠本色米五十五石一斗七勺七抄五撮六圭九粟八顆二粒本色豆三十四石五斗九升一勺二抄七撮一圭二粟八顆六粒九黍

山塘柳墩一十七萬八千六百九十一畝四分六釐八毫每畝科平米四合徵起存并本色價值銀共七百二十兩三錢八分三釐九毫一絲二忽四微五纖五沙二塵四渺一漠存留錢一萬一千八百七十二文三分九釐七毫二絲五忽七微一纖四沙九塵一

渺一漠本色米二十石五斗六升六合八勺二抄九撮七圭六粟九顆七粒二黍本色豆一十二石九斗一升一合五抄六撮三圭三粟五顆九粒九黍
草場地二萬四千一百六十七畝五分五釐三毫每畝科平米五合徵起存并本色價值銀共一百二十一兩七錢八分七釐五毫四絲七忽八塵五渺八漠存留錢共二千零七文一分三釐八毫三絲七微四纖七沙五塵九渺五漠本色米三石四斗七升七合一抄二撮一圭五粟四粒五黍本色豆二石一斗八升二合七勺三抄三撮一圭八粟九顆三粒五黍外

陞科銀九兩二錢五分六釐五毫二絲七忽五微米四斗五升一合四抄二撮八圭五粟七顆七粒七黍又丈增出山地塘一百四十五畝應增銀九錢七釐一毫二絲三忽九微七纖米二升五合五勺七抄九圭一粟三顆四粒三黍豆一升六合一勺六抄六撮六圭八粟六顆五粒七黍

本縣丁銀詳載戶口志衛所丁田俱無

通共丁田二項共徵起存人丁并本色價值銀四萬四千二十八兩一錢四分五釐三毫八絲八忽二纖五沙五塵玖漠錢六十八萬六千一百六十文七釐一

毫五絲本色米一千一百八十九石六斗三升四合五抄三撮七圭七粟一顆二粒豆七百四十六石一斗四升六合三勺六抄六撮六圭八粟六顆五粒七

黍

起運原額銀三萬三百六十八兩五錢三釐五毫七絲八忽六微八纖二沙八塵二渺四漠又協濟驛站改於本地支給歸入克餉銀二千九十九兩五錢七分六釐四毫實共起運銀三萬二千四百六十八兩七分九釐九毫七絲八忽六微八纖二沙八塵二渺四漠閏月銀三兩五錢一分四釐四毫四絲九忽

外不在丁田草場租蔴膠翎毛魚課鈔象湖租窰冶
鈔等銀六百二十六兩六錢一釐六毫七忽五纖蔴
膠翎毛閏月銀七兩四錢一分五釐六毫六絲
又額辦本色物料等項內一解　北部銀硃臙硃膽
黄黑鉛烏梅紅熟銅黄臘并原解南今改解　北黄
蠟白蠟黄絲絹共價值埜脚銀一百六十四兩五錢
四分八釐二毫九絲四忽九微三纖五沙續奉部文
止辦烏梅紅熟銅黄蠟三項餘欵照徵折銀候撥兵
餉
外不在丁田雜辦本色物料等項内白蔴魚線膠共

編價銀三十九兩五錢六分八厘六毫五絲續奉文

止辦白蔴餘欵照徵折銀候撥兵餉

存留原額銀一萬三千八百捌十三兩八錢一分七

釐一毫九絲六忽九微二纖七沙六塵八渺五漠内

除協濟驛站歸入起運克餉銀二千九十九兩五錢

七分六釐四毫又康熙十一年至二十年共增人丁

銀二十三兩八錢五分實該存留銀一萬一千八百

八兩九分七毫九絲六忽九微二纖七沙六塵八渺

五漠内搭徵錢六十四萬三千七百九十六文七釐

二毫五絲二忽實該徵銀一萬一千一百六十四兩

二錢九分四釐七毫二絲四忽四微七沙六塵八渺
五漠閏月銀二百七十兩一分七釐九毫四絲内徵
錢肆萬二千三百九文九分九釐九毫實徵銀二百
二十七兩七錢七釐九毫四絲一忽
外不在丁田學租銀三十一兩九錢四釐
起運地丁正耗米一千七十九石八斗三升一合八
勺六抄九撮七圭二粟五顆五粒七黍
起運地丁豆七百四十六石一斗四升六合三勺六
抄六撮六圭八粟六顆五粒七黍
存留地丁米一百石八斗二合一勺八抄四撮四粟

五顆六粒三黍閏月米八石四斗

一縣蘆課共銀一十五兩四錢六分五釐九毫六絲五忽八微

一額銷引鹽六千八百二十九引每引二百六十二觔共鹽一萬七千八百九十一觔

江浦

一縣田畝大總

原額并續增田地山塘基蕩雜產共二千三百九十七頃一十六畝八分五釐一毫七絲三忽七微各則不等共實徵平米一萬五百四十一石一斗三升七

合三勺二抄九撮二圭七粟二顆五黍徵起存并本
色價值銀共銀八千三百三十七兩七錢八分九釐
六毫八絲三忽八微三纖四沙八塵九渺四漠二埃
存留錢共三百一萬二千七百二十文一分八釐五
毫二絲六忽五微八纖八沙八渺本色米共六千四
百四十六石三斗三升六合四勺八抄漕贈五米三
百八石九斗九升五合五勺銀三百八兩九錢九分
五釐
實徵荒白米九百七十三石五斗九升四合五勺八
抄四撮三圭二粟四顆銀二百四十三兩三錢九分

八釐六毫四絲六忽八纖一沙
田地共一十六萬三千七百三十畝三分二釐一毫六絲四忽五微二纖三沙內田一十三萬六千一百六十二畝五分一釐六毫七絲四忽五微二纖三沙每畝科平米六升五合四抄一撮三圭九粟地二萬七千五百六十七畝八分四毫九絲每畝科平米三升五合三抄六撮八圭五粟七顆共徵起存并本色價七千七百七十五兩五錢八分八毫二絲七忽八纖七沙八塵七渺四漠存留錢一百八十萬九千五百七十五文四分六釐二毫八絲二忽二微三沙一

塵三渺三漠本色米六千一十八石六斗六升六合四勺三抄一撮六圭三粟五顆六粒五黍漕贈五米二百八十八石一斗五升九合七勺七抄四撮四圭七粟九顆二粒二黍五銀二百八十八兩一錢五分九釐七毫七絲四忽四微七纖九沙二塵一渺

廢荒田一千六百六十六畝六分六釐六毫七絲每畝科平米一升二合共徵起存并本色價值銀一十五兩八錢一分九釐五毫二絲六忽九纖一沙三塵九渺一漠存留錢五千七百一十六文一分一釐九毫九絲五微一纖二沙二塵四渺本色米一十二石

二斗三升八勺一抄七撮六圭七粟八顆二粒漕贈五米五斗八升六合二勺六抄五撮二粟八顆三粒九黍五銀五錢八分六釐二毫六絲五忽二纖八沙三塵九渺

基地并在鄉基地共五千三百六十二畝四分七釐六毫八忽內基地二千五百七十七畝九分七釐二毫八忽每畝科平米二升八合二勺三抄二圭九粟在鄉基地二千七百八十四畝五分七毫每畝科平米一升四合一勺一抄五撮一圭四粟五顆共徵起存并本色價值八十八兩六錢五分三釐一毫一絲

七忽八微四纖三沙五塵二渺五漠存留錢二萬二
千三十三文三分一釐二毫三絲六忽一微二纖一
沙三塵五渺六漠本色米六十八石五斗四升一合
八勺八抄一撮一圭一粟一顆三粒七黍漕贈五米
三石二斗八升五合四勺四抄七撮二圭九粟一顆
三粒五銀三兩二錢八分五釐四毫四絲七忽二微
九纖一沙三塵
山塘共二萬七千一百一十九畝九分六釐九毫四
絲山一萬七千五百一十九畝七分八釐六毫每畝
科平米一升二合塘九千六百畝一分八釐三毫四

絲每畝科平米二升三合共徵起存并本色價值銀三百四十兩九錢四分三釐七毫二絲四忽一微六纖九沙四塵七渺一漠存留錢一十二萬三千一百九十四文二分八釐五毫三絲六忽八微一纖七沙三塵五渺三漠本色米二百六十三石五斗九升九合五勺九抄一撮七圭六粟五顆三粒三黍漕贈五米一十二石六斗三升五合二勺三抄一撮九圭二粟三顆九粒二黍五銀一十二兩六錢三分五釐二毫三絲一忽九微二纖三沙九塵二渺

荒山塘共二萬七百九十一畝三分五釐四絲二忽

荒山一萬六千六百二十陸畝二分五釐五毫四絲二忽每畝科平米六合荒塘四千一百六十五畝九釐五毫每畝科平米一升一合五勺共徵起存并本色價值銀一百一十六兩七錢九分二釐四毫九絲三忽四微四纖二沙六塵三渺三漠二埃存留錢四萬二千二百一文四毫八絲九微三纖三沙九塵九渺八漠本色米九十石二斗九升七合七勺五抄七撮八圭九顆四粒五黍漕贈五米四石三斗二升八合二勺八抄一撮二圭七粟七顆一粒九黍五銀四兩三錢二分八釐二毫八絲一忽二微七纖七沙一

塵八渺

瘠荒田一千二百一十七畝三分二釐一絲一忽六微七纖七沙每畝科荒米一斗二合八勺高田一百三十六畝一分八釐八毫每畝科荒米五升六合五勺一抄共徵荒白銀三十三兩二錢九釐一毫二絲二忽九微七纖一沙

瘠荒地一萬七千七十畝每畝科荒米四升七合一勺四抄三撮六圭八粟低窪地五百一十一畝四分七釐九毫每畝科荒米二升六合九勺二抄共徵荒白銀二百三兩八錢八分五釐三毫九絲五忽一微一

纖

水漾泥灘二千一百一畝三分七釐六毫每畝科荒米一升二合徵荒白銀六兩三錢四釐一毫二絲八忽

又共陞出田地山塘二百一十九畝四分八忽并懇荒成熟共增銀三百一十一兩五分四釐一絲九忽四微七纖九塵三漠本色米二百一十三石二斗九升四合四勺六抄四撮八圭六粟五顆九粒九黍漕贈五米一十石二斗八升四合八勺七抄四撮六圭九粟五顆一粒七黍五銀一十兩二錢八分四釐八

毫七絲四忽六微九纖五沙一塵七渺

又清丈見實在民草場田地山塘二十五頃五十八畝三釐八毫一絲五忽六微應徵銀六十三兩七分一絲九忽六微九纖八沙外水脚銀五錢七毫一絲七忽九微三纖六沙九塵八渺

清丈見實在軍草場田灘共三十六頃三十五畝六分四釐一毫三絲四忽八微二纖四沙八塵八渺應徵銀一百三十一兩四錢九分二釐四絲一忽二微五纖九沙六渺四漠

一縣丁銀詳載戶口志衛所丁銀做此

通共丁田二項共徵起存并本色價值銀一萬五百八十七兩九錢五分八釐三毫四絲九忽三微八纖六沙七塵九渺七漠二埃錢三百一萬二千七百二十文一分八釐五毫二絲六忽五微八纖八沙八渺本色米六千六百五十九石六斗三升九勺四抄四撮八圭六粟五顆九粒九黍漕贈五米三百一十九石二斗七升九合八勺七抄四撮六圭九粟五顆一粒七黍五銀三百一十九兩二錢七分九釐八毫七絲四忽六微九纖五沙一塵六渺三漠又徵民軍牧馬草塲租銀一百九十四兩二分二釐六絲九微五

纖七沙六渺四漠

起運原額銀五千二百三十五兩四錢四釐九毫五忽九微二纖七沙一塵六渺七漠內除協濟驛站改于本地支給歸入存留銀四千九百五十三兩一錢九分八釐二毫九絲二忽二微五沙五塵二渺一漠實存起運銀二百八十二兩二錢六釐六毫一絲三忽七微二纖一沙六塵四渺六漠又陞增銀一十兩六錢九分四釐五毫七忽二微三沙一塵六渺三漠閏月銀一兩四錢九分六釐三毫七絲九忽五微

又軍民草塲開墾正脚銀并清丈新陞共一百九十

四兩五錢二分二釐七毫七絲八忽八微九纖四沙四渺四漠

外不在丁田匠班銀三兩六錢三分六釐

又額辦本色一項原解南今改解　北黃絲絹該價值水脚銀一兩三錢九分六釐七絲九忽七微三纖

存留原額銀七千四百九兩四分四毫八絲四忽八微九纖五沙九渺一漠又將起運抵驛站除額外馬塲匠班銀另徵支給外實歸起運地丁抵驛站銀四千九百五十三兩一錢九分八釐二毫九絲二忽二微五沙五塵二渺一漠又自康熙十一年至二十年

共增人丁銀八十六兩五錢一分六釐實共存留銀一萬二千四百四十八兩七錢五分四釐七毫七絲六忽九微六塵一渺二漠內搭徵錢二百七十九萬二千二百三十四文二分八釐九毫二絲六忽五微八纖八渺實該銀九千六百五十七兩五錢二分四毫八絲七忽六微三纖四沙七塵三渺一漠二埃又陞增銀一十四兩九錢八分六毫九絲七忽五微九纖七沙二塵五渺七漠閏月銀八百四十一兩一錢四分九釐四毫八絲內徵錢二十二萬一千四百八十五文八分九釐六毫徵銀六百一十九兩六錢六

分三釐五毫八絲四忽
外不在丁田學租銀八十兩一錢八分一釐五毫二
絲八忽
起運地丁本色米六千六百一十一石五斗八升二
合三勺一撮四粟九顆九粒六黍漕贈五米三百一
十九石二斗七升九合八勺七抄四撮六圭九粟五
顆一粒七黍五銀三百一十九兩二錢七分九釐八
毫七絲四忽六微九纖五沙一塵六渺三漠
存留地丁本色米四十四石四斗四升八合六勺四
抄三撮八圭一粟六顆三黍閏月米三石六斗

一縣蘆課共銀一千六百一兩一錢五分七釐五毫七絲二忽三微九沙五塵

一額銷引鹽六千五百六十八引每引二百六十二觔共鹽一百七千二百八觔

一縣歸併各衛錢粮大總

原額田地一千九百五十三頃六十八畝四釐六毫八絲八忽四微二纖五渺二漠五埃今實在各衛徵粮熟田地一千八百二十八頃一十七畝一分四釐三毫八絲七忽八微四纖八沙五渺三漠三埃

江寧前上元前上元中鷹揚興武鎮南江淮左衛實

在徵粮熟比田五百五頃六十一畝四分四毫四絲二忽七微六纖四沙八塵四渺四埃每畝科新增銀六釐六毫四絲科正米八升耗米六合四勺

江寧前江寧後上元前上元中鷹揚興武鎮南江淮左衛實在徵粮熟科田四百六十項九十二畝三分六釐八毫八絲六忽九微九纖一沙六塵二渺七漠每畝科新增銀五釐科正米五升四合耗米四合三勺二抄

又實在徵粮熟增田一百七十四項二十五畝六分一釐五忽五微九纖九沙五漠三埃每畝科正米五

升四合耗米四合三勺二抄

又實在徵粮熟餘田一百六十五頃四十一畝三分二釐八毫七忽五微四沙八塵八渺六漠九埃每畝科正米五升四合耗米四合三勺二抄

上元中衛開墾成熟營基地五十六畝一分八釐每畝科正米五升四合耗米四合三勺二抄

鎮南衛坍江徵粮田五頃八畝五釐每畝科正米三合八勺耗米三勺四撮

以上田畝各科不等共徵新增銀五百六十六兩一錢八分九釐五毫九絲六忽三微九沙一塵六渺六

漠四埃三溟八茫正耗米共九千四十二石九斗二升五合九勺二抄七撮二圭四粟四粒五黍二稷五糠二粃每米一石加協濟銀三分共協濟銀二百七十一兩二錢八分七釐七毫七絲七忽八微一纖七沙三塵三渺五漠七埃五溟六茫鎮南衛坍江折色田三頃七十一畝七分每畝科正米三合八勺每石折銀二錢五分

鷹揚鎮南衛沙壓折粮比田五頃四畝七分六釐每畝科新增銀六釐六毫四絲科正米八升每石折銀三錢

又沙壓折粮科田一十八頃五十七畝七分六釐每
畝科新增銀五釐科正米五升四合每石折銀三錢
鷹揚衛沙壓折粮增田二頃五十六畝五分一釐每
畝正米五升四合每石折銀三錢
又沙壓折粮加餘田二頃一十六畝六釐三毫每畝
科正米五升四合每石折銀三錢
鎮南衛沙壓折粮餘田四十五畝八分四釐每畝科
正米五升四合每石折銀二錢五分
上元中衛沙壓折粮田五十三畝六分六釐六毫六
絲六忽六微六纖六沙七塵每畝科正米三升每石

折銀三錢
投誠官兵開墾上元中上元前江淮左興武鎮南衛荒田五十頃九十畝三分一釐六毫八絲每畝科沙壓折糧三分六毫四絲
江寧前衛久荒折糧比田二十一畝七分五釐一毫一絲六忽一纖五沙三塵八渺四漠七埃每畝科正米八升每石折銀二錢五分
上元中衛一分六釐科租草塲地二十五畝又一分五釐科租草塲地二十二頃二十七畝七分八釐二毫七絲又一分三釐科租草塲地一頃一十八畝二

釐六毫又一分二釐科租草塲地二頃八十一畝又九釐科租草塲地四十二畝五分又八釐科租草塲地六頃六十二畝二分又六釐科租草塲地一頃四十七畆四分又五釐科租草塲地一十五頃四十九畝八分六釐四毫三絲六忽六微

上元中興武衛一分科租草塲地五十七頃三十三畝五分六釐九毫二絲八忽二微八沙

江寧後衛三釐科租草塲地二十二頃九十七畝一分五釐

江寧後上元中興武衛二釐科租草塲地九十三頃

三十五畝九分六釐六微九纖五沙
鎮南江淮左衛久荒折糧比田一頃七十九畝九分五釐四塵六渺一漠五埃三溟八茫每畝科新增銀六釐六毫四絲科正米八升每石折銀三錢五分
上元中衛久荒折糧科田二十六畝五釐七毫五絲每畝科正米五升四合每石折銀二錢五分
興武鎮南江淮左衛久荒折糧科田一十一頃八十一畝八分一釐一毫四絲一忽九微二纖八塵五渺三漠五溟八茫每畝科新增銀五釐科正米五升四合每石折銀二錢五分

江寧前江淮左衛久荒折糧增田一十八頃四十一畝六分六釐一毫九絲九忽六微八纖八沙三塵七埃四茫每畝科正米五升四合每石折銀二錢五分

鎮南江淮左衛久荒折糧餘田二頃四十八畝七分一釐六毫四絲五忽三纖七沙每畝科正米五升四合每石折銀二錢五分

上元中衛久荒折色增田一頃一十五畝八分一釐三毫三絲每畝科正米五升四合每石折銀三錢

又久荒折色增田四頃二十畝八分七釐二毫四絲四忽每畝科正米三升每石折銀三錢

典武衛久荒增餘田二頃三十六畝三分八釐四毫八絲九忽九微六纖每畝科正米五升四合每石折銀三錢七毫五絲三忽七微九纖二沙九塵四渺六漠五埃九溟五浩

江寧前上元中衛八分科租草場田三十一畝五分八釐

江寧前江寧後上元中衛六分科租草場田四頃六十五畝四分六釐七毫

江寧前衛五分三釐科租草場地二畝三分五釐

上元中衛五分科租草場地一頃五十三畝二分六

釐又四分五釐科租草塲地四十四畝三分又二分八釐科租草塲地三畝三分二釐九毫又一分七釐科租草塲地二頃二十五畝九分一毫五絲

江寧前江寧後上元中典武衛四分科租草塲田地三十六頃九十二畝六分八釐二毫二絲八忽七微五纖五沙五塵又二分科租草塲田地山塘三十九頃五分六釐八毫六絲一微四纖五塵

江寧後上元中衛三分科租草塲田地三十一頃三十一畝一分一釐二毫七絲二忽六微又二分五釐科租草塲田地四十六頃六十畝八分八釐四毫一

微又五分科租地二頃四畝四分七釐五毫四絲

上元前衛七分科租苜蓿地二十六畝二分

以上田地共該新增銀一十九兩七錢四分四釐三毫三絲一忽四微九纖六沙七渺三漠二埃九溟九茫折糧銀一百九兩三錢八分四釐三絲五忽九微六纖八沙五塵租銀六百二十八兩三錢三分六釐八毫八絲六忽投誠官兵開墾陞科銀一百五十五兩九錢六分七釐三毫六忽七微五纖二沙

又不在丁田徵解江淮右衛七分科租蘆麥地九畝四釐三毫九絲四分科租蘆麥地三頃二十八畝七

分三釐三分科租蘆麥地一頃四十六畝三分四釐三毫八絲

江寧前上元前典武横海衛房間地租銀一百一十三兩六錢九分七釐九毫

江寧前上元前上元中鷹揚江淮左衛火藥銀八兩九錢二分四釐三毫六絲四忽二微八纖

以上共銀一百四十兩七錢九分四釐八毫五絲一忽二微八纖

丁田并不在丁田三頃逼共實徵銀三千三百九十六兩五錢九分七釐二毫八絲五忽六微二纖三沙

七渺五漠四埃九溟三茫
通共實徵本色米九千四十二石九斗二升五合九勺二抄七撮二圭四粟四粒五黍二稷五糠二粃
六合
一縣田畝大總
原額并續增田共一千八頃三十七畝七分六釐三毫三絲五忽各科不等共實徵平米三千八百七十三石五斗八升一合三勺九抄一撮二圭一粟三顆一粒徵起存并本色價值銀共七千九百五十兩九錢三分八釐四毫一絲八忽二微一纖八沙二塵五

渺六漠存留錢共一百五十九萬八千六百三十三文二分三釐一毫一絲四忽八微七纖五沙本色米共一千九百六十八石四斗九升七合六勺漕贈五米共八十六石三升五銀共八十六兩三分

徵田九萬一千一百四十九畝二分九毫四絲五忽每畝科平米四升二合四勺九抄七撮一圭四粟七顆四粒二黍共徵起存并本色價值銀七千九百五十兩九錢三分八釐四毫一絲八忽二微一纖八沙二塵五渺六漠存留錢一百五十九萬八千六百三十三文二分三釐一毫一絲四忽八微七纖五沙本

色米一千九百六十八石四斗九升七合六勺漕五
米八十六石三升五銀八十六兩三分
軍馬散餘荒白田共九千一百七十八畝七分二釐
一毫四絲共徵銀二百三十二兩八錢九分四釐一
毫一絲六忽九微六纖六沙五塵
康熙二年陞出田五十九畝八分三釐二毫五絲并
四年陞科共銀三十一兩七錢三分二釐二毫三絲
三忽二微七纖八沙二塵五渺本色米三石五斗七
升八合六勺三撮七粟九顆九粒二黍漕贈五米一
斗六升三合一勺二抄三圭七粟九顆六黍五銀一

錢六分三釐一毫二絲三微七纖九沙五渺八漠

康熙五年陞馬銀三錢三分五釐八毫六絲九忽六

微八纖

又丈增民徵田并軍健荒白等田二千八百一十畝

七釐八毫三絲五忽應增銀二百四十一兩四錢三

分二毫三絲五忽二微二纖七沙八塵九渺六漠本

色米五十三石四斗一升六合五抄三撮五圭六粟

四顆七粒六黍漕贈五米二石三斗四升五合九勺

二撮六圭五粟八顆八粒五銀二兩三錢四分五釐

九毫二忽六微五纖八沙七塵九渺七漠

又清丈見實在民牧馬草塲田地五十三頃七十七畝八分五毫二絲八忽四微應徵銀二百二十一兩八錢三分八釐九毫六絲四忽九微九纖六沙八塵

又見實在軍牧馬草塲田八十八頃七畝九釐九毫四絲五忽應徵銀三百七十二兩三錢九分六釐八毫五絲五忽五微

一本縣丁銀詳載戶口志

通共丁田二項共徵起存并本色價值銀一萬一千二百九兩八錢三分八毫七絲三忽三微七纖九塵六漠共徵錢一百五十九萬八千六百三十三文二

分三釐一毫一絲四忽八微七纖五沙本色米二千二十五石四斗九升二合二勺五抄六撮六圭四粟四顆六粒八黍漕贈五米八十八石五斗三升九合二抄三撮三粟七顆八粒六黍五銀八十八兩五錢三分九釐二絲三忽三微七沙八塵五渺五漠又徵民軍牧馬草塲租銀共五百九十四兩二錢三分五釐八毫二絲四微九纖六沙八塵

起運原額銀三千三百四十六兩九錢三分五釐七毫四絲六忽二微八纖一沙八渺内除協濟驛站改于本地支給歸入存留銀三千一百四十二兩二錢

五分五釐一毫五忽三微九纖四塵四渺七漠實存
起運銀二百四兩六錢八分六毫四絲八微九纖六
塵三渺三漠閏月銀一兩四錢九分六釐三毫七絲
九忽五微
又軍民草場原額丈增并清丈新陞共銀五百九十
四兩二錢三分五釐八毫九絲二忽四微九纖六沙
八塵
外不在丁田匠班商稅蔴膠共銀三百七兩五分二
釐四毫八絲一微七纖五沙閏月銀一錢四分七釐
七毫九絲六忽八纖七沙五釐

以上原額匠班商稅軍民草場銀內有奉文抵給驛站銀八百八十六兩九錢五分九釐一毫七絲九忽七纖五沙其餘俱屬充餉

又額辦本色一項原解南今改解　北黃絲絹共價值水脚銀一兩三錢一分一釐三毫五絲四忽五微六纖

外不在丁田襍辦本色物料等項內白蔴魚線膠共編價銀一兩八分二釐八毫八絲四忽六微八纖一沙二塵五渺續奉文止辦白蔴餘欵照徵折銀候撥兵餉

存留原額銀八千五百三十五兩七錢九釐五毫三絲四忽一微七纖八沙五塵七渺六漠又將起存運抵驛站除額外草塲租蔴膠匠銀另徵支給外實歸起運地丁抵驛站銀三千一百四十二兩二錢五分五釐一毫五忽三微九纖四塵四渺七漠又自康熙十一年至二十年共增人丁銀七十七兩三錢實共存留銀一萬一千七百五十五兩二錢六分四釐六毫三絲九忽五微六纖九沙二渺三漠內搭徵錢一百四十八萬四千六百四十三文二分三釐三毫一絲四忽八微七纖五沙實該徵銀一萬二千七十兩

六錢二分一釐四毫六忽四微二纖二塵七渺三漠
閏月銀八百四十五兩七錢一分一釐九絲內徵錢
一十一萬三千九百八十九文九分九釐八毫徵銀
七百三十一兩七錢二分一釐九絲二忽
外不在丁田學租餘鈔船鈔充餉銀一百一十一兩
二錢四分八釐
起運地丁米一千八百九十七石三斗九升八合七
抄五撮八圭九粟六顆漕贈五米八十八石五斗三
升九合二抄三撮三粟七顆八粒六黍五銀八十八
兩五錢三分九釐二絲三忽三微七沙八塵五渺五

漠
存留地丁米一百一十八石四斗九升四合一勺八
抄七圭四粟八顆六粒八黍閏月米九石六斗
本縣蘆課共銀二千一百一十三兩四錢二分七釐
七毫九絲三忽一微七纖二沙三塵八渺五埃
一額銷引鹽五千引每引二百六十二觔共鹽一萬
三千一百觔
一本縣歸併各衛錢糧大總
原額田地七千六百九十一頃六十二畝三分七釐
八絲三忽八纖三沙九塵一渺六漠二埃二溟九茫

今實在各衛徵糧田地七千一百一十六頃五十畝九分九釐三毫二絲一忽六微一纖八沙二塵七渺四埃六漠九茫

江寧左江寧右江寧前江寧後上元前江淮左江淮右興武石城鎮南廣洋鷹揚江陰横海衛實在徵糧熟比田一千七百二十一頃三十八畝四分四釐七毫七絲二忽八微八纖八沙八塵九漠四埃每畝新增銀六釐六毫四絲科正米八升耗米六合四勺

江寧十五衛實在徵糧熟科田二千三百六十三頃三十四畝四分六釐一毫七絲一忽六微六纖七沙

二塵八渺八漠九埃八溟每畝科新增銀五釐科正
米五升四合耗米四合三勺二抄
鎮南衛熟科田一頃四十八畝六釐八毫七絲每畝
科新增銀五釐科正米三升耗米二合四勺
江寧等十五衛實在徵糧熟增田一千一百七十六
頃一十三畝一分七釐九毫一絲六忽九微二纖六
沙四塵二渺三漠三溟五茫每畝科正米五升四合
耗米四合三勺二抄
江寧等十五衛實在徵糧熟餘田六百三十七頃九
十二畝七釐二毫八絲五忽七微九纖五沙三塵四

渺九漠五溟四莈每畝科正米五升四合耗米四合三勺二抄

以上田地各科不等共徵新增銀二千三百二十五兩四錢一分一釐九毫四絲五忽三沙一塵八渺一漠三埃九溟三莈正耗米共三萬九千二百四十石一斗三升九合四勺一抄五撮一圭九粟九粒六黍三稷一穈一粃每米一石加協濟銀三分共協濟銀一千一百七十七兩二錢四釐一毫八絲二忽四微五纖五沙九塵八渺八漠九埃五溟一莈

江寧右江寧前衛久荒比田一頃四十二畝一分四

釐六毫一絲五忽三微八纖四沙六塵一渺五漠三

埃八溟每畝科新增銀六釐六毫四絲科正米八升

每米一石折銀二錢五分

江寧右衛久荒科田一頃五畝七分二釐每畝科新

增銀五釐科正米五升四合每石折銀四錢

江寧前衛久荒科田三頃四十八畝三分五釐七毫

七絲二忽三微六纖九沙二塵三渺七漠八溟每畝

科新增銀五釐科正米五升四合每石折銀二錢五

分

江寧右江寧前衛久荒增田二頃一十四畝五分三

釐二毫八絲五忽二微四纖六沙一塵五渺三漠八
埃四溟每畝科正米五升四合每石折銀二錢五分
江陰衛久荒餘田一十畝五分七釐二毫每畝科正
米五升四合每斗折銀三分
江寧右江寧前衛久荒餘田七十畝五分三毫四絲
九忽五微每畆科正米五升四合每石折銀二錢五
分
江陰衛沙壓科田一頃一十一畝四分每畝科新增
銀五釐科正米五升四合每石折銀三錢
又沙壓餘田一十一畝一分四釐每畝科正米五升

四合每斗折銀三分
投誠官兵開墾江寧右江寧前江寧後上元前江淮左典武廣洋石城鎮南江陰鷹揚橫海衛荒田共四十五頃五十一畝八釐二毫八絲五忽每畝科沙壓折糧銀三分六毫四絲又墾小教場地五十九畝每畝科沙壓銀三分六毫四絲
江寧前衛八分科租草場田七十五畝九分八釐八毫四絲三忽又一分五釐科租草場田地四頃三十三畝五分五釐又二釐科租草場地六十八畝四分二釐五毫四忽

江寧前江寧後上元前江陰衛六分科租草塲田六十八頃三十四畝九分八毫八絲又新丈增六分科租田一十二頃六畝八分四釐四毫一忽一微又丈增四分科租田一十二頃五十畝五分一釐六毫一絲四忽七微又三分科租草塲田三十五頃四十五畝七分五釐六毫八絲三忽六微三纖七沙五塵

上元前衛三分科租丈增草塲田地四十九畝九分六釐又江寧前上元前江陰衛丈增三分科租田八十三畝三分八釐三絲七忽

江寧前江陰衛五分科租草塲田一十四頃三十一

畝八分五釐二毫四絲又五釐科租草塲地二頃五畝八分八釐

江寧左衛開墾陞科教塲地五十三畝二分三釐每畝科草塲銀五分

江寧左江寧前江陰衛新丈增五分科租田一頃六畝八分六釐一毫一絲

江寧前江寧後上元前興武江陰衛四分科租草塲田五百八頃六十八畝六分一釐六毫三絲六忽四微五纖又二分科租草塲田地塘六十四頃九畝八分五釐一毫五絲八忽四微六纖二抄四塵五渺又

江寧前衛二分科租丈增草場田内荒地一十六頃九十四畝三分六釐九毫一絲一忽一微二纖又江寧前江寧後上元前衛新丈增二分科租田四頃一畝八分二釐五毫九絲二忽三微

江陰衛三分五釐科租草場田四十九頃四畝八分一釐四毫七絲四忽又新丈三分五釐科田三十九畝一分八釐一毫二絲九忽

江寧後衛三分二釐科租草場田一頃二十四畝七分六毫六絲七忽三微三纖又丈增三分二釐科租田八釐五毫七絲二忽六微三纖五沙九塵又二分

一釐科租草塲田地溝埂塘河灘七頃一十九畝三分二釐九毫七忽九微五纖五沙四塵五渺二漠三埃八溟一茊又二分一釐科租草塲營基地一頃二十一畝八分五毫九絲二微六纖九沙四渺七漠六埃一溟五茊又丈增二分科租田四畝八分一釐五毫一絲一忽七微又新丈增二釐科租地一項三十七畝五分六釐四絲

江寧前上元前衛二分五釐科租草塲田一十三頃一十八畝二釐二毫又丈增六十三畝九分二釐六毫三絲四忽五微八纖

江寧前上元前典武衛一分科租草塲田地三頃七十畝二分六毫八絲六忽六微又江寧前上元前衛丈增二頃二十六畝八分二釐八毫四絲七忽

典武衛三釐科租草塲圩埂五畝三分三釐三毫三絲四忽

江淮左江淮右衛四分科租流塘田五頃二十六畝四分八釐二毫

江寧右江寧前江寧後衛五分科田塘地二十七頃一十三畝一分八釐三毫又江寧右衛丈增二畝三分八釐二毫

以上田地共該徵新增銀三兩七錢七分一釐二毫三絲九忽八纖折糧銀一十五兩八錢三分三釐七毫九忽四微三纖七沙五塵租銀三千三百三十三兩五錢五分三釐四毫九絲四忽四微一纖五沙九塵八渺八漠又投誠官兵墾荒沙壓銀一千六十兩四錢五分二釐九毫三絲八忽五微二纖四沙
又不在丁田徵解上元前鎮南江陰鷹揚衛房地租銀一百三十八兩八錢七分九毫二絲八忽
江寧前江寧後上元前石城江陰横海衛集租銀一百七十八兩四錢九分七釐

江寧前江寧後上元前興武橫海衛火藥銀一十八兩三錢二分二釐二絲八忽八微九纖

以上共銀三百三十五兩六錢九分一釐九毫五絲六忽八微九纖

丁田幷不在地丁三項共實徵銀一萬四千四百二十四兩五錢五分九釐四毫六絲五忽八微六沙六塵五渺八漠三埃四溟四茫

通共實徵本色米三萬九千二百四十石一斗三升九合四勺一抄五撮一圭九粟九粒六黍三稷一糠七粃

明朝田賦下

洪武田土七萬二千七百一頃二十五畝

弘治官民田土六萬九千九百七十四頃八畝一分八

釐 硯洪武減二千七百二十七頃一十六畝八分一釐零

萬曆官民田土六萬九千四百五頃二畝五分九釐八

毫零 硯洪武減五百六十九頃五畝五分八釐六毫零

洪武夏稅麥一萬一千二百六十石

絹一千四百六十疋

秋糧米三十二萬六百一十六石

弘治夏稅小麥一萬一千六百五十四石四斗四升五

勺零 視洪武增三百九十四石四斗四升五勺零

絲綿農桑絲共折絹一千三百五十七疋一丈三尺四寸二分七釐零 視洪武減四十八疋一丈六尺五寸七分二釐零

秋糧米二十一萬四千九百六十四石五斗八升一勺零 視洪武減一十萬五千六百五十一石四斗一升八合八勺零

嘉靖十六年巡撫歐陽鐸通計夏麥絲絹馬草鹽鈔共准平米三萬六千一百六十五石二斗九合一勺又加里甲雜派平米一十三萬一千七百四十四石八斗三升二合三勺

以上二項合秋糧平米共三十八萬二千八百七十

四石六斗二升二合五勺一抄內除荒白并陸續除豁共存平米三十五萬四千三百四十二石一斗六升九合五勺一抄零

萬曆三年奏減里甲平米三萬二千九百七石四斗六升五合二抄二撮一圭七粟一粒共存平米三十二萬一千四百三十四石七斗四合四勺九抄零（里甲秋糧帶征本欲便民但銀既在官隨意支銷遇有經費仍復重派今將諸項還歸里甲減去原額平米以杜侵漁餘具里甲奏中）

荒白銀五千一百六十三兩四錢七分九釐九毫九絲五忽一微二纖五塵准平米一萬三百二十六石

九斗五升九合九勺九抄零二項共平米三十三萬一千七百六十一石六斗六升四合四勺八抄零陳以伐荒白米議夫曰荒白者何虛田之稅也曰虛田者何濱江坍沒存其虛數故也存之者何國稅有數不可縮也則減半而征之復爲之均攤於一邑之田共出之是爲虛田之稅也已而有叢弊焉叢弊者何夫江水之有噬嚙其常勢也丁之者不得不鳴於公家以均其稅而力弱者則不能鳴力强者未必當鳴而鳴焉即使縣官親勘之猶不得實是故有倖免者有不得免者夫邇年田數視國初則有間矣安在其不可減也往者吾不聞矣頃年大中丞海忠介丈量魚鱗而籍之誰能指東爲西冒彼爲此使當此時除其虛數第舉國稅之防而均之見田之中何不可者而當時猶存其名自後則漸增而未已也諺曰三十年河東三十年河西言其長於彼則消於此長於此則消於彼常勢然也今二百年來但見其消而不見其長攤免者纍纍而陞科者寥寥則何爲其然也往又聞攢造之歲司委之官以荒白爲豪家之餽令其享

無糧之田而槩縣爲之出稅豪家亦受其私恩而不辭則鄙夫者爲之也甚哉荒白爲之難覈也

起運平米三十萬九千二百四十三石六斗一升六合二勺零

存留平米一萬四千四百二十八石八斗五升五合七勺零府縣學俸驛米取給於此

派剩平米八千八十九石一斗九升四合五勺五抄三撮零派剩者存留之餘貯積於縣如遇不時加派則取給於此不復重擾於民若復改派則爲厲階然加派而不應則又未免乾沒也

坊廂櫃銀九百兩萬曆三年奏准上江二縣里甲之外又有坊夫乃洪武十三年取蘇浙人戶塡實京師原無田產不當差役正統二年本府府尹鄺埜始征櫃銀以補里甲之不足今里中猶

有定數而坊夫輪季出銀每年五里朋當上江二縣至派銀三千餘兩不過支應糜費甚至里甲已編又重派坊夫坊民受累逃移過半今遵詔查照坊夫丁口每年上元縣定編銀五百四十兩江寧縣三百六十兩此外分文不得私行科派暗令坊夫貼賠凡修里紙劄刑具動支自行贓罰應該二縣出辦者方行支取其二縣里甲已編者不得重派坊夫止照原編銀數逐一查議立爲定規每年終巡視科道造冊奏繳坊夫不致流離轉徙以虛祖宗填實京師至意自後法久弊生正額常十之三而橫征常十之七坊廂人戶流亡謀脫其籍櫃銀滋少官僤其難吏神其術改令坊民自收自用而陰責其賠償票僉殷實之家囊金待用不問多寡添撥各衙門及讌席節禮花燈諸餽送無名之費又十之八九官吏恐喝營私不知其極坊籍之民皮骨僅存而自經自溺者日聞矣操江都御史海瑞應天府尹汪宗伊郎仲祿徐中先後商酌未能釐剔肅清至萬曆三十八年庠生張崇嗣坊民方壽李羅等連名告爲額外重科雜擾困苦等事掌操江都御史丁賓署應天府府丞衞一鳳批發應天府江防治中袁世振會同上元縣知縣周三錫

江寧縣知縣陳格言儒學教授何節聚積鄉民盡得其情乃議坊銀悉免派征而各項供辦所需同外縣之例增入條編加派不多里甲令其可出坊廂盡去其籍立石永遠遵行而坊民始得安枕而臥矣

南京戶部都稅司鈔銀一百二十九兩二錢六分一釐九毫二絲零解府轉解部仍劄付支用

南京戶部正鈔銀一千八百六十四兩七錢一分九釐九毫零龍江江東聚寶宣課司太平門稅課司朝陽門分司龍江裏外河泊所批驗茶引所解府轉解南京戶部以上諸司屬府舊征本色送府解解部隆慶以後奏改折銀又部院會題委主事御史各一員監督舖戶報稅　單批司征銀即銀巳輸分司矣季終又解府給文轉解徒滋煩擾不若以諸司徑屬南京戶部爲便也

南京戶部鈔銀四百二十四兩九錢八分八釐七毫

零龍江關石灰山關江東巡檢司瓜埠巡檢司解府轉解部

南京戶部本色鈔六萬八千七百二貫八百五十一文銅錢一十五萬二千八百六十文八分折色鈔銀六十二兩二錢六分三釐三毫四絲零各縣解府轉解部

商稅銀二百五十六兩三錢九分三釐三毫三絲零各縣解府轉解部

魚油翎鰾銀四百三十八兩一錢六分七釐九毫二絲二忽零各縣解府類解

蘆課銀一萬四千六百八十四兩六分二釐三毫六絲三忽零

草場租銀除成熟報納民糧外該銀一千七百八十四兩二錢一分九釐八絲二忽零

匠班銀一千一百六十七兩七錢五分共二千五百九十五名每名銀四錢五分

里甲銀六萬二千二百二兩八錢三毫六絲六忽零

萬曆三年奏准國初里甲之設以催攢勾攝且十年一役九年空閒於民甚便也後有司一切私費盡科里甲於是不得已乃爲十甲合銀朋當之計里甲之費於秋糧內帶徵坐派少則謂之派剩料價初意派剩存積以待不時之徵也久則那移支用不可詰問有一縣派剩十兩以上者一遇加派仍行科斂甚至一年暫派而次年停止者則開稱該縣徵收作正支銷以愚百姓耳目上江二縣與宛大二縣相同乃派走遞夫百司所集安能應付民困極矣巡撫歸併龍江遞運所小民稱便二縣又巧立小夫名色且勒二

甲朋當歲派銀幾二千兩今遵照除去秋糧內帶徵里甲銀兩扣筭通縣丁糧編派正數無復派剩銀兩又裁華二甲朋當小夫應該夫馬於驛遞應付其六合縣夫出自排門輪流科歛爲弊更甚亦編定名數以絕弊端原額里甲該銀一萬六千四百五十三兩有奇合將各項雜派歸併里甲共編六萬二千餘兩其實里甲項下止徵銀八千七百三十三兩六錢四分四釐七毫八絲四忽

均徭銀四萬七千三兩二錢四分九釐五毫八絲八忽四微四纖九塵六沙七渺外帶閏月銀六十五兩六錢六分六釐四毫萬曆三年奏准各縣均徭原有定額嘉靖十六年書冊已非初制然不若今之冗濫也銀力二差俱有定數銀差者謂以差編銀不復雇役也力差者派與銀數自當雇役悉聽其便非於所編之外縱民過取也自一條編行有司於門皂斗庫獄卒徇情加添工食有至三五十兩者朘民膏以潤左右深爲民病且祖宗舊制役民不過里甲均徭應天所屬又巧力十丁夫名色凡

不時之徵則派十丁夫弊不可言今遵照將十丁夫
查革凡各衙門一應銀力俱以書冊爲據查復舊額
竊見應天府所派差徭俱於各衙門應役往往執留
批廻額外多取小民受累乞敕該部查議通行遵守
條編始末洪武十八年詔應天五府州爲興王之地
民產免租官產減租之半官產者逃絕人民暨抄沒
等項入籍於官者也初半租多寡不一嘉靖中均爲
一斗五升而雜徭不與焉其更佃實鬻田第契券
則書承佃而已大約官產什居二三民產什居七八
雜徭惟併於民產而國初雜徭亦稀厥後大吏創勸
借之說民田畝科二升名曰勸米以供應稍繁加
徵二升名曰勸耗延及正德則陞科至七八升矣十
甲輪年宇內通行事例未始不安於法制之內而正
嘉以來事日增役日繁在小民利於官產而官則少
在優免人戶利於民田以省雜徭而買者賣者或以
官作民或以民作官以各就其所利於是民田減價
出鬻者日益多而差役之併於細戶者日益甚猾胥
承之恣詭寄花分之弊而惟時不急之徵無名之費
一切取責於現年竭產不足支一歲之役而索於花
戶者每糧一石至銀四五兩蓋宇內盡然而南都爲

甚維時一條編法已行於數省矣隆慶中中丞海忠介計以官田承佃於民者日久各自認爲己業實與民田無異而糧則多寡懸殊差則有無互異於是奏請清丈而官民悉用扒平糧差悉取一則革現年之奏法爲條編考成科價一應供辦俱槩縣十甲八戶通融均派而向來叢弊爲之一清優免之家不失本等恩例而細民偏累之病一旦用瘳於是田價日增民始有樂業之漸矣至於四差分別輕重之數尤有可述者往周文襄忱巡撫時以丁銀不足支用倡勸借之說以糧補丁於是稅糧之外每石加徵若干以支供辦名里甲銀若秋糧之外則有夏麥農桑絲絹馬草等項色目繁雜民易混而奸易托嘉靖十六年巡撫歐陽鐸悉舉里甲諸項併入秋糧名曰均攤事則簡便矣以其總總帶徵會計不得不寛支銷不盡謂之派剩初制派剩存積以待不時之徵久則那移支用不可詰問諉曰作正支銷淪胥乾沒萬曆三年京兆汪宗伊繼之奏請扣編正數無復派剩又請裁革諸濫差條列正辦刻諸縣賦役冊以通曉所部又載諸府志蓋每歲省派五千餘金今雖徵有出入而槩不越更化以來法制之舊回視疇昔不啻霄壤矣

驛傳銀一萬五千七百七十七兩三錢八分萬曆三年兵部題奉欽依來各驛疲苦至極假借勘合肆行牌票者絡繹於途各撫按通不嚴禁查詰却只要增驛協濟豈正本清源之道該縣驛不必添其餘依議查得嘉靖十六年書册每上中下馬驢給與鞍轡雨具草料工食有差帶徵支應銀兩給與該驛支開又帶徵鋪陳馬價銀兩俱以馬驢上下具數扣存貯庫塡入循環稽查後來不考立法初意止扣鋪陳銀兩馬驢未必一年倒死每歲給與價銀至於馬驢帶徵支應銀兩亦不復查給各驛支關秋糧內已會計廩米各驛又申編舘夫自當及按舘夫名數徵銀又不考原議各驛支應之額至增一倍此名之所以益竭也遵詔復舊扣存馬價買馬查給會計廩米扣給馬驢帶徵支應銀兩竊見遠年勘合并各縣牌票仍前掛號甚至本非軍情一槩借用火牌視纖内如邊方甚駭觀聽且竭百姓之力不足應其無窮之求乞勑該部查議通行嚴禁查詰查照書册將府屬驛遞夫馬支應俱行改正復舊均徭驛傳銀派有定額但隆慶二年减江防軍餉銀一千三百三十三兩有奇健勇銀五

百四十兩鄉兵銀一千四百四十兩至萬曆二年又增篙師水手銀一千一百兩隆慶三年減海防銀一萬二千八百有奇至五年又增七千三百八十餘兩此皆往事自奏准定例之後良有司遵而行之可也

上元

田地雜產除欽賜外民田五十四萬四千二百六十八畝七分六釐八毫五絲三忽原額畝科平米六升六合八勺九抄零今科平米六升九勺四抄零

坍江并神泉等鄉荒田一萬九千五十八畝八分四釐八毫三絲四忽畝科荒白米七升七勺五抄八撮零

民地一十三萬九千二百六十八畝七分二釐三毫三絲原額畝科米四升今畝科平米三升五合

陞科蘆地三千八十畝七分九釐七毫原額畝科平米七升七勺五抄零今科平米七升

坍江并神泉等鄉荒地七千九百五十六畝九分七釐八毫四絲畝科荒白米四升

民山塘攤塌潭蕩一十七萬五千六百六十五畝九分五釐二毫畝科平米一升

實徵平米四萬五百六十四石一斗四合五勺六抄四撮零欽賜田土秋糧在內

荒白米三千八百一十石八斗四升七合三勺二抄九撮每石折銀二錢五分各縣同　共該銀九百五十兩四錢六分

一釐八毫三絲二忽二微五纖准平米一千九百石九斗二升三合六勺六抄四撮五圭二項平米四萬二千四百六十五石二升八合二勺三抄九撮四圭五粟

起運平米叄萬九千三百四十六石七斗四升二合二勺一抄

存留平米二千六百二十七石一斗五升一合四勺

派剩平米四百九十一石一斗三升四合六勺一抄九撮零書册上元縣派剩米止二升銀止五分緣里甲內奩甲銀已於萬曆五年住徵此項合入派剩各

縣同

南京戶部折鈔銀六兩二錢六分八釐四毫八絲二

忽房屋酒醋銅錢二萬一千五百四十七文

蘆課銀七千八百六十四兩一錢一分三毫七絲三

忽零

草場租銀二百二十七兩三錢九分三釐七毫二絲

四忽

匠班銀一百七十八兩六錢五分

里甲銀七千四百三十六兩七錢一分一毫九絲八

忽零丁七分石一錢五分五釐一毫六絲二忽零

均徭驛傳銀五千八百四十八兩一分二釐六毫丁六分石一錢二分五釐三毫九微內均徭三千六百兩一錢六分六釐六毫驛傳二千二百四十七兩八錢四分六釐

坊夫銀五百四十兩

舊會計帶徵里甲條編并坊夫小夫共徵銀一萬八千八百七十一兩三錢八分四釐八毫一絲今共徵銀一萬三千八百二十四兩七錢二分二釐七毫九絲八忽三微二纖每年減銀三千四十六兩六錢六分二釐零

江寧

田地雜產除欽賜功臣外民田四十七萬一百二十

畞七分三釐五毫一絲二忽零原額畞科平米七升五合五勺五抄四撮零今畞科平米六升八合九勺一抄八撮七圭零

荒田五千七百五十畞一分三釐五毫一絲畞科荒白米七升五合五抄四撮二圭

灘田一百二十七畞六分五釐畞科荒米四升白

民地一十四萬四千五百八十八畞三分三釐五毫一絲五忽零原額畞科平米四升今畞科平米三升五合

荒地五百四十七畞七分九釐七毫五絲畞科荒白米四升

又六十八畞四分畞科荒白米二升

山塘蕩產灘塲一十萬八千八百二十九畞四分七

釐一毫三絲五忽畝科平米一升

實徵平米三萬九千一百七十九石九斗六升六合

三勺九抄八撮零欽賜田土秋糧在內

荒白米四百六十二石八斗三升二合九勺三抄六

撮八圭七粟二粒共該銀一百一十五兩七錢八釐

一毫八絲四忽二微准平米二百二十一石四斗一

升六合三勺零二頃共平米三萬九千四百十一石

三斗八升二合七勺六抄六撮七圭一粟六粒

起運平米三萬六千一百四十五石八斗九升三合

五勺三抄二撮

存留平米二千三百六石四斗三升七合八勺八抄

一撮派剩平米九百五十九石五升一合三勺五抄

三撮零

南京戶部折鈔銀五兩四錢二分四絲六忽房屋酒醋銅

錢一萬八千六十五文

蘆課銀三千八百六十八兩三分八釐八絲七忽零

草塲租銀一百七十五兩三錢七分七釐一毫一絲

零

匠班銀一兩八錢

里甲銀共三千八百六十八兩八錢八分六釐七毫

九絲一忽零丁四分五釐石八分六釐三毫五絲零

均徭驛傳銀共三千九百三十八兩七錢五分二釐六毫丁五分石九分二釐四毫八絲二忽五微內均徭二千一百一十七兩一錢五分六釐六毫驛傳一千八百二十一兩五錢九分六釐

坊夫銀三百六十兩

舊會計帶徵里甲條編并坊夫小夫共銀一萬二千七百一十兩二錢一分四釐九毫六絲五忽二微令共徵銀八千一百六十七兩六錢三分九釐九絲一忽九微三纖每年減銀四千五百四十二兩五錢七分五釐八毫七絲三忽三微七纖

句容

田七十三萬五百四十一畝八分八釐五毫原額每畝科平米七升五合八勺八撮四圭三粟六粒今畝科平米六升七合八勺八抄五圭七粟七粒七顆畝科量折荒米二合七勺五抄六撮零

荒田六千九百九十三畝四分九釐三毫畝科荒白米一斗六升五合

地二十四萬八千六百九十六畝四分六釐八毫原額畝科平米二升七合一勺今科平米三升又帶

徵量折荒田賠荒一合六勺

荒地五千一百九畝六分三釐四毫畝科荒白米一斗一升五合

山塘蕩塌四十五萬四千六百五十七畝四分六釐五毫山畝科米六合又賠荒一合塘原額畝科米一升四合九勺七抄今畝科米一升

實徵平米六萬一十八石六斗九升九合九勺八抄五撮零

荒白米四千五百四十七石五斗五升七合七勺共該銀一千一百三十六兩八錢八分九釐四毫二絲五忽准平米二千二百七十三石七斗七升八合八勺五抄二頃共平米六萬二千二百九十二石四斗七升八合八勺三抄五撮八圭

起運平米五萬八千三百八十九石六斗六升五合五勺

存留平米二千二百九十二石一斗七升五合九勺四

抄八撮
派剩平米一千六百一十石六斗三升七合三勺八
抄七撮四圭
南京戶部折鈔銀五兩肆錢五分三釐三毫零房屋酒醋
本色鈔一百六十貫一百六十一文窑冶銅錢一萬八
千五百文稅課局二萬三千四百七十三貫七十三
文
商稅歲閏銀一百二十八兩五分三釐二毫三絲零
蘆課銀四百二十三兩八錢九分六毫六絲零
草場租銀五百七十三兩六錢五分

里甲銀一萬四千二兩三錢二分一釐六毫七絲七忽丁八分五釐石一錢七分二釐五毫

均徭驛傳銀一萬七千一百九十兩三錢九分五釐六毫八絲二忽零丁一錢石二錢一分九釐三絲九忽七微内均徭一萬三千一百七十三兩六錢五分五釐六毫八絲二忽零驛傳四千一十六兩七錢四分

舊會計里甲等項共編銀三萬八千七百四十八兩五錢三分五釐五毫八絲七忽二微五沙今共徵銀三萬一千一百九十二兩七錢一分七釐三毫五絲九忽二微五沙每年減銀七千五百一十五兩八錢一分八釐二毫二絲八忽

溧陽

田一百一十一萬一千六百四十八畝三分零原額畝科米八升四合五勺二抄零今畝科米七升六合六勺二抄零

地一十四萬六千四百四十六畝二分零原額畝科米五合三勺八抄零今畝科米五合

實徵平米八萬五千四百六十八石六斗五升八合八勺六抄零

荒白米五千八百四十五石三斗八升七合七勺共該銀一千四百六十一兩三錢四分六釐八毫五絲准平米二千九百二十二石六斗九升三合七勺二項共平米八萬八千三百九十一石三斗五升二合

五勺六抄零
起運平米八萬三千一百一十四石四斗四升九合
二勺五抄
存留平米二千六百一十三石二斗三升七合九勺
六抄
派剩平米二千六百六十三石六斗六升五合三勺
五抄二撮零
南京戶部折鈔銀一兩五錢九分四毫房屋酒醋本色鈔
一千九百五十七價四百八十五文窐冶商稅歲閏銀
三十五兩八錢四分九釐二毫

草塲租銀三百四十三兩九錢八分九釐二毫

匠班銀三百一十二兩七錢五分

里甲銀一萬三千七百八十七兩九錢六分九釐一毫九絲丁六分五釐石一錢三分三釐三毫五絲四忽零

均徭驛傳銀一萬四千七百八十八兩九錢五分四釐四絲八忽一微零丁七分石一錢四分五釐七毫三絲六忽內均徭一萬一千一百一十七兩三錢四分四絲八忽零驛傳三千六百七十一兩六錢一分四釐

舊會計里甲等項共編銀三萬四千三百六十九兩四錢八分零外閏月銀五百三十五兩七分六釐零

今共編銀二萬八千五百七十六兩九錢二分三釐

二毫三絲八忽一微七纖三沙七渺每年減銀五千七百九十二兩五錢五分九釐一毫二絲一忽八微二纖九塵六沙三渺外閏月銀五百三十五兩七分六釐九毫六絲

溧水

田四十九萬三千四百九十四畝八分七釐零原額畝科米七升九合一勺二抄零今畝科米七升三合一勺二抄零

荒田九千三百八十七畝七分九釐零畝科荒白米七升九合一勺二抄三撮

廢田四千七百六十八畝一分二釐三毫七絲四忽畝科荒白米二升六合三勺七抄四撮零

草塲一千五百七十四畝八分三釐五毫五絲畝科荒白

米一升五合八勺二抄四撮零

地一十五萬二千八百二十一畝九分三釐五毫九絲一忽五微原額畝科米二升七合四勺四抄一撮今畝科米二升

荒地八千四百五十畝二毫一絲七忽原額畝科米一升三合七勺二抄零今畝科一升

雜産五十二萬五千一百七十三畝八分九釐九毫四絲五忽二微山塘原畝科米三合五勺六抄三撮零今畝科米三合五勺溝濠畝科平米一合七勺八抄一撮零

實徵平米四萬六百五十七石二斗九升四合九撮二圭零

荒白米一千三百二十四石四斗四合九勺五抄八撮七圭該銀三百三十一兩一錢一釐二毫三絲九忽零准平米六百六十二石二斗二合四勺七抄九撮零二項共平米四萬一千三百一十九石四斗九升六合四勺八抄八撮零

起運平米三萬八千五百四石三斗五升一合二勺

存留平米一千五百九十三石七斗六合二勺七抄五撮零

派剩平米一千二百二十一石四斗三升九合一勺三撮零

南京户部折鈔銀一錢二分三釐房屋本色鈔五百三十八貫七百五十文窰冶銅錢一千四百八十八文稅課局本色鈔一千五百九十九貫七百五十四文商稅

門攤

銅錢四千二百九十八文折色鈔銀三錢三分酒醋

河泊廳折色鈔銀五兩六錢九分五釐魚課

魚油翎鰾折銀一百二十三兩四錢九分一釐

草場租銀一十四兩八錢五分七釐

匠班銀一百兩三錢五分

里甲銀一萬二百七十八兩六錢九分一釐四絲八

忽零丁九分五釐石二錢七釐一絲七忽

均徭驛傳銀一萬七百六十八兩九錢九分二毫二絲九忽零丁一錢一分石二錢一分五釐四毫六絲三忽零内均徭八千二百八十三兩九錢四分二釐二毫二絲九忽零驛傳二千四百八十五兩四分八釐

舊會計里甲條編等項共徵銀二萬三千五百九十二兩一錢六釐五毫七絲二忽七塵五沙外閏月二百三十六兩六錢四分六釐今共徵二萬一千四十七兩六錢八分一釐二毫七絲八忽零

每年減銀二千五百四十四兩四錢二分五釐二毫九絲四忽四微七纖四渺外閏月二百三十六兩六錢四分六釐

高淳

田四十四萬六千九百三十二畝九分一釐原畝科米八升九合七勺五抄五撮零今畝科米八升六合五抄六撮零畝帶徵荒米七合九勺五抄一撮零

廢田五百二畝二釐五毫原畝科米三升今畝科米二升五合

地七萬六千四百四十八畝二分七釐原畝科米二升今畝科米二升五合

象馬塲地一千八百一十七畝三釐二毫原畝科米一升五合今畝科米一升二合

雜產二十萬八千七百八十四畝八分一釐廢圩荒灘畝科米一升山墩河蕩溝塘畝科米四合沙水灘畝科米五合

實徵平米四萬一千二百六石三斗二升六合五勺六抄五撮零

荒白米三千五百五十三石二斗九升七合六勺該銀八百八十八兩三錢二分四釐四毫准平米一千七百七十六石六斗四升八合八勺二項共平米四萬三千八十二石九斗七升五合三勺六抄五撮零

起運平米四萬一千一百二十一石五斗二升二合六勺五抄存留平米九百八十六石一斗二升五合四勺九抄一撮零

派剩平米九百七十五石三斗二升七合二勺二抄

三撮零

南京戸部本色鈔二千九百一十三貫六百二十八文折鈔銀八四分三

窰冶商稅門攤銅錢三千二百九十文折鈔銀八四分三

釐酒醋房屋河泊廳鈔銀一十二兩五錢七分四釐五

毫八絲七忽魚課

魚油翎鰾折銀二百五十四兩五錢九分三釐

草塲租銀一百九十八兩四錢一分七釐

篆塲租銀五十九兩五錢九分五毫

匠班銀六十五兩二錢五分

里甲銀七千三百五兩三錢一分一釐二絲六忽丁七

分五釐石一錢六分三釐三絲八忽零

均徭驛傳銀四千五百四十六兩一錢四分二釐八毫九絲六忽零丁五分石一錢二釐八毫八絲五忽零內均徭四千三百二十八兩八錢六分六釐八毫九絲六忽零驛傳二百一十七兩二錢七分六釐

舊會計里甲條編等項共徵一萬二千七百九十六兩七錢三釐四毫二絲六忽四纖九塵九沙四渺外閏月一百四十二兩五錢三分一釐令共徵一萬一千八百五十一兩四錢五分三釐九毫二絲二忽四纖九塵九沙四渺每年減銀九百四十五兩二錢四分九釐五毫四忽外閏月一百四十二兩五錢三分一釐

江浦

田一十三萬八畝一分一釐三毫四絲零原畝科米七升四合今科米六升五合八勺八抄七撮

地四萬六千六十三畝五分二釐二毫一絲三忽原畝科米四升二合今科米四升

山塘雜產八千六百五十七畝原畝科米一升五合六勺八抄今每畝科米一升

實徵平米一萬四百九十五石一斗三合四勺二抄九撮零

荒白米一千十八石二斗零該銀二百五十四兩五

錢六分一釐六絲四忽准平米五百九石一斗二升二合一勺二抄八撮二頃共平米一萬一千四石一斗三升五合五勺五抄七撮零

起運平米九千六百六十一石六斗五升七合一勺

存留平米一千一百九十六石二斗九升一合九勺八抄五撮

派剩平米一百四十六石一斗八升六合四勺七抄二撮零

南京戶部折鈔銀一兩七錢八分六釐五毫房屋鈔錢五千九百五十五文稅課局本色鈔三萬八千六十

貫商稅門攤銅錢七萬九千三十四文折色鈔銀八錢七分四釐二毫酒醋

牙稅銀九兩五錢三分六釐八毫

蘆課銀八百三千四兩五錢八分七釐七毫二忽零

草場租銀一十六兩九錢九分七釐四毫二絲

匠班銀四兩五分

里甲銀二千四百五十一兩五錢七分四釐九毫五絲二忽零丁一錢五分石一錢四分六毫六忽零

均徭驛傳銀二千四百五十九兩八錢二分九釐三毫八絲九忽零丁一錢五分石一錢四分五釐九絲二忽零內均徭二千一百二十九兩

四錢九分九釐三毫八絲九忽零外閏月五兩驛傳三百二十五兩三錢三分

舊會計里甲條編等項共徵銀六千七百五十九兩二錢二釐四毫九絲五忽七微一纖八塵一沙外閏月五十六兩四錢二釐今共徵銀四千九百一十一兩四錢四釐三毫四絲一忽四微八纖七塵一沙每年減銀一千八百四十七兩七錢九分八釐一毫五絲四忽二微三纖一塵外閏月五十六兩四錢二釐

六合

官民田一萬八千五百五十九畝五分九釐二毫一絲官田原畝科米一斗五升今畝科米一斗二升民田原畝科米九升六合今畝科米六升七合五撮零

官民地七千一百九十四畝四分六釐二毫六絲官地原畝科米一斗四升今畝科米一斗民地原畝科米九升六合今畝米九升

官民塘一千七百七十一畝三分二釐五毫五絲官塘原畝科米一斗一升今畝科米一斗民塘科米七升

農桑三千七十株株科米一升四合一勺四抄

實徵平米三千七百四十四石六斗四升六合八抄

撒餘米四十五石一升二合二勺三抄三撮零

荒白米一百石三斗四升八合該銀二十五兩八分

七釐准平米五十石一斗七升四合二項共平米三

千七百九十四石八斗一升四合六勺八抄

起運平米二千九百五十九石三斗三升四合八勺五抄

存留平米八百一十三石七斗二升六合七勺七抄一撮零

派剩平米二十一石七斗五升三合五抄八撮零

南京戶部折鈔銀四分九釐五毫三絲房地銅錢一百六十五文稅課局折鈔銀一錢五分五釐二毫酒醋銅錢五百一十七文河泊所折鈔銀二十一兩九分八釐九毫九絲四忽魚課

商稅歲閏銀八十二兩九錢五分四釐六毫

魚油翎鰾折銀六十兩八分二釐六毫五絲

蘆課銀一千六百九十三兩四錢三分五釐五毫一絲

草場租銀一百六十四兩二分一釐四毫

匠班銀四兩五分

里甲銀三千七十一兩三錢三分五釐四毫八絲二忽零丁一錢七分二釐六毫五絲九忽零石二錢

均徭驛傳銀三千三百五[illegible]錢一分八釐五毫四絲三忽零丁二錢三釐三毫二絲七忽零石二錢一分四釐內均徭二千三百八兩二錢八分八釐五毫四絲三忽零外閏月五兩驛傳九百九十一兩九錢三分零

舊會計里甲條編等項共徵銀一萬二十九兩五分一釐六毫四絲三忽八纖三沙六渺外閏月二十九兩今共徵銀七千六百七十三兩五錢五分四釐二絲五忽四微八纖三沙六渺每年減銀二千二百六十五兩四錢九分七釐六毫一絲七忽三微外閏月二十九兩

論曰嘗讀天官冢宰以九職任萬民以九賦斂財賄以九式節財用先王之體國經野洵可爲萬世法也明祖起自田間深知稼穡艱難其國用經費與閭閻之消息盈虛相爲流通後世子孫守之則治棄之則亂豈非民爲邦本本固邦寧之義哉

皇清定鼎燕都超軼往代制法之初釐剔橫征[illegible]
元恩至渥矣乃因革損益不廢成憲一切徵收
悉倣萬曆規則今
天子紹嗣曆服於良法美意無不踵而行之痛懲明季
用兵加賦之害雖軍興旁午滇黔閩粵誅討四出兩
稅之外不益賦而饟自裕是
廟堂勝算不外體國經野之至意也江南財賦三吳稱
最金陵次之第舟師絡[illegible]輻湊供億之費用度
之繁較諸郡尤爲掣肘頃奉　憲令禁派里下民困
始蘇惟是偶有經費[illegible]牧者不能咄嗟而辦安得援

復舊制於各屬雜稅　題請存留某項以備開支庶
國體民情兩攸賴矣